Edition Beck

HANS-JÜRGEN GOERTZ

Die Täufer

Geschichte und Deutung

VERLAG C.H. BECK MÜNCHEN

Mit 12 Abbildungen im Text

CIP-Kurztitelaufnahme der Deutschen Bibliothek

Goertz, Hans-Jürgen:
Die Täufer: Geschichte u. Deutung / Hans-Jürgen
Goertz. – München: Beck, 1980.
   (Edition Beck)
   ISBN 3 406 07909 1

ISBN 3 406 07909 1

Umschlagentwurf: Walter Kraus, München
Umschlagbild: Verhaftung von Täufern in Köln 1565 (Jan Luyken 1649–1712)
© C.H. Beck'sche Verlagsbuchhandlung (Oscar Beck), München 1980
Composer-Satz: Studio Feldafing Karin Geiss
Reproduktion, Druck und Bindung: Sellier GmbH, Freising
Printed in Germany

Inhalt

„Obwohl sie hüpfen, gehen sie einen geraden Weg,
ganz aufrecht.“

David Joris über die „Schafe“ Christi

Vorwort

Die Suche nach alternativen Formen menschlicher Gemeinschaft ist nicht neu. Wer die Spuren utopischen Denkens zurückverfolgt, wird auf eine Fülle alternativer Staats- und Gesellschaftsmodelle stoßen. Nicht zufällig beginnt dies Denken mit der „Utopia" des Thomas Morus in einer Zeit gesellschaftlicher Konflikte und religiöser Umbrüche, die einen nachhaltigen Einfluß auf die europäisch-atlantische Geschichte ausgeübt haben. Versuche, das utopisch Entworfene zu verwirklichen, sind gefolgt: der Sonnenstaat der Jesuiten in Südamerika, die frühsozialistischen Experimente in Europa und die Gemeinschaftssiedlungen in der Neuen Welt. Unter dem Gesichtspunkt gesellschaftlicher Alternativen kann vor allem schon das Täufertum des 16. Jahrhunderts betrachtet werden. Es hat aus Protest gegen die kirchlich-gesellschaftlichen Mißstände des ausgehenden Mittelalters und aus Enttäuschung über die lutherische und zwinglische Reformation nach neuen Formen religiöser Kommunikation und sozialer Ordnung gesucht.

Die „Schafe" standen gegen die „Hirten" auf, die geistbegabten Schüler Gottes widersprachen den Gelehrten der Heiligen Schrift, der fromme Mann, der den Spuren Jesu folgte, trat selbstbewußt den Reformatoren in den Weg, die ihre Schritte in die Ratsstuben und an die Fürstenhöfe lenkten, um politischen Schutz für die Verkündigung des Evangeliums zu erbitten. Ihnen warf ein Täuferführer vor: „so schlagen sie selbs darein und wöllen ir euangelium mit püchesen, spießen, helleparten und schwertern beschützen, verbolwerken sich in ire feste gschlösser, da setzen sie iren trost dahin, auf ire starke manschaft, geschütz, harnesch und wör. Da mueß offenbar werden, was sie für Christen sein, und was ir glaub sei, davon sie viel schwätzen – darumb auch ir ruem nichtz ist, dann ein falscher schein und heuchelei, damit sie sich selber betruegen." Auf diese Weise wurde Klage gegen die „verkehrte Welt" geführt, ein Begriff übrigens, der zeigt, daß die Vorstellung von der Alternative im Sprachgebrauch der Täufer selber angelegt ist. Diese Vorstellung war auch den Zeitgenossen bewußt. In einem Beschluß des Straßburger Rates steht: „Daß sich die widertäufer, so bürger sind, trotzlicher worte hören lassen, darob andere bürger beschwerde haben. Neulich, sagen sie, es muß *anders* zugehen, es muß ein *anders* daraus werden."

Die Zeit war turbulent, für die Täufer hörten die „Sturmjahre der Reformation" überhaupt nicht auf; guter Glaube und böser Irrtum lagen dicht beieinander, und niemand war frei davon. Die Anhänger einer „durch Wahrheit und Wirrnis gewagten Lebensform", so hat Johannes Harder die Täufer charakterisiert, wurden in den gesellschaftlichen Untergrund gedrängt und mußten, wenn sie ihre Sehnsucht nach einer besseren Christenheit nicht aufgeben wollten, eigene Bewegungen und Gemeinschaften ins Leben rufen. Das waren sensible, gelegentlich auch krankhafte Reaktionen auf den Druck, der von geistlichen und weltlichen Autoritäten ausging. Der Preis war hoch: Verfolgung, Leiden und Tod. Bernd Moeller schrieb: „die Verächter der Welt erfuhren die Verachtung der Welt."

Die Erforschung des Täufertums hat unterschiedliche Akzente gesetzt: theologisch-kirchengeschichtliche, geistesgeschichtliche und sozialgeschichtliche. In den folgenden Kapiteln versuche ich, die Ergebnisse der neueren Forschung in eine Betrachtungsweise aufzunehmen, die diese Akzente miteinander verbindet. Ich beginne damit, die Vielfalt täuferischer Bewegungen und Gemeinschaften so zu beschreiben, daß sie aus den kirchenpolitischen Erfahrungen, die sie sammeln mußten, in ihrer besonderen Gestalt verständlich werden. Danach werden die Grundzüge täuferischen Denkens und die Reaktionen der Obrigkeiten auf die Täuferbewegung dargestellt. Den Abschluß bildet ein Kapitel, in dem ich aktuelle Probleme und Aufgaben der Forschung anspreche. Im Anhang werden schließlich der Weg und das Denken der Täufer parallel zur Darstellung andeutungsweise dokumentiert. Diesem Zweck dienen auch die im Text verstreuten Illustrationen.

Dies Buch will ein neues Gesamtbild vom Täufertum zeichnen, wie es nach zahlreichen Korrekturen am traditionellen Täuferbild der letzten Jahrzehnte inzwischen notwendig geworden ist. Vieles bleibt allgemein, und manches muß gewagt erscheinen. Die Täuferforschung ist noch nicht am Ende; sie rüstet um und bereitet sich darauf vor, das Bekannte mit geschärftem methodischen Bewußtsein zu überprüfen, Lücken zu schließen und auf neue Fragestellungen einzugehen. Dies Buch ist eine Zwischenbilanz. Trotz fruchtbarer Ergebnisse der bisherigen Forschung müßten, um nur einige Themenbereiche zu nennen, noch weiter untersucht werden: Täufertum und Spätmittelalter, Bauernkrieg und täuferische Bewegungen, Sozialgeschichte des Täufertums in den Niederlanden.

Ich habe mich bemüht, die Darstellung so lesbar wie möglich zu gestalten. Aus diesem Grunde wurde nicht immer nach dem Original oder den historisch-kritischen Editionen der Quellen zitiert, sondern nach modernisierten Ausgaben. Nur wenn modernisierte Fassungen nicht vorlagen und wenn es bei der Deutung auf jedes Wort ankam, wurde auf die kritischen Editionen oder die Originaldrucke zurückgegriffen. Um einen Eindruck von der Vielfalt des täuferischen Schrifttums zu vermitteln, wurden die Schriftenverzeichnisse der wichtigsten Täuferführer in den Anhang aufgenommen.

Einige Abschnitte dieses Buchs gehen auf Vorträge zurück, die ich in Amsterdam, St. Louis (Sixteenth Century Studies Conference) und Speyer gehalten habe. Allen Kollegen, die bereit waren, mit mir über die Probleme der Täuferforschung zu diskutieren, vor allem Prof. Dr. James M. Stayer aus Kingston, Kanada, Prof. Dr. Klaus Deppermann aus Freiburg i.Br. und Dr. Heinold Fast aus Emden, danke ich für wertvolle Anregungen und mancherlei Unterstützung. Danken möchte ich auch meinen Studenten, die sich in den sozial- und wirtschaftsgeschichtlichen Seminaren an der Universität Hamburg mit großem Verständnis und auf anregende Weise um die Radikalen der Reformationszeit bemüht haben. Ich hoffe, daß dies Buch dazu beitragen wird, das Interesse am Täufertum als einer religiösen *und* sozialen Bewegung zu fördern.

Eine vorläufige niederländische Fassung des 6. Kapitels erschien in *Doopsgezinde Bijdragen,* 1978, S. 32–49, eine kürzere englische Fassung mit kritischen Repliken von C. Lindberg, J.S. Oyer, W. Klassen, K.R. Davis, W.O. Packull und J.M. Stayer in *Mennonite Quarterly Review,* 1979, S. 175–218. Eine frühere kürzere Fassung des 5. Kapitels wurde in den *Mennonitischen Geschichtsblättern,* 1979, S. 7–28, veröffentlicht.

Hans-Jürgen Goertz

Erstes Kapitel

Die Alternativen der Täufer

Eine Übersicht

In den frühen Jahren der Reformation wurden große Anstrengungen unternommen, um eine Erneuerung der Christenheit zu erreichen. Besonders spektakulär aber waren die Aktionen der Täufer. Sie suchten nach Alternativen zur reformbedürftigen Kirche Roms und, mehr noch, nach Alternativen zu den reformatorischen Kirchen, die nicht bereit waren, mit der Kritik an der alten Kirche auch die engen Bindungen zwischen Kirche und Obrigkeit, zwischen christlicher Gemeinde und bürgerlicher Kommune zu lösen oder gar zu zerschneiden. Diesen radikalen Schnitt haben die Täufer nicht gleich zu Beginn ihres Auftretens vollzogen, sondern erst nachdem ihre weitgespannten, die gesamte Gesellschaft umfassenden Reformpläne gescheitert und ihr reformatorisches Selbstverständnis in eine Krise geraten waren. Es entstand eine Gemeinschaft, die später auf den Begriff der „Freikirche" gebracht wurde. Im Täufertum lebte evangelischer Protest; er lebte dort so sehr, daß Heinold Fast ihn treffend als „Reformation durch Provokation" beschreiben konnte.[1] Im Täufertum finden wir auch Spuren katholischer Theologie und Frömmigkeit, auf die erst kürzlich wieder aufmerksam gemacht wurde.[2] Es wird aber richtig sein, das Täufertum „weder katholisch noch protestantisch" zu nennen.[3] Die täuferische Bewegung war eine Alternative zu beiden großen Kirchen.

Genaugenommen war es nicht *eine* täuferische Bewegung; es waren mehrere Bewegungen. Ihre Anfänge reichten in den „Wildwuchs der Reformation" zurück, in dem zu Beginn der zwanziger Jahre des 16. Jahrhunderts die Unzufriedenheit mit dem Klerus der alten Kirche anschwoll, sich an vielen Orten in antiklerikaler Agitation entlud und zur Einleitung von Reformen führte, die zunächst noch kein festes Konzept oder genaues Ziel erkennen ließen. In diesem Wildwuchs fanden sich Geister und Gestalten, die aus unterschiedlichen geistigen Traditionen und sozialen Situationen kamen. Einig waren sie sich im Aufstand gegen den römischen Klerus und im Protest gegen das kirchliche Unwesen, das die Christenheit um ihre Glaubwürdigkeit zu bringen drohte. Sie verband eine gemeinsame kirchenpolitische Front. Weit auseinander gingen die

Argumente, die diesen Protest begründeten, und die Visionen, die sich von einer besseren Kirche und Gesellschaft einstellten. Die lose Einheit des reformatorischen Lagers zerbrach deshalb auch schnell und löste sich in mehrere reformerische Bewegungen auf, die jetzt nicht selten sogar gegeneinander antraten und der Reformation den ursprünglichen Schwung nahmen.

In diesem Zerfall des reformatorischen Lagers entstanden auch hier und da jene Bewegungen, die aus Unzufriedenheit über den oftmals unentschlossenen und zaghaften Gang der Reformation zu radikalen, die geistlichen und weltlichen Autoritäten rücksichtslos herausfordernden Reformen schreiten wollten, gelegentlich auch das Bündnis mit den revolutionären Kräften des Aufstandsjahres 1525 suchten oder aus ihnen hervorgingen. Das gemeinsame Merkmal hatten diese Bewegungen in der Kritik an der Säuglingstaufe und in der Praxis der Glaubens- und Bekenntnistaufe. Aus diesem Grunde wurden sie „Wiedertäufer" oder „Täufer" genannt. Gemeinsam war ihnen auch, daß sie, wo sie auftauchten, Unruhe in die Gesellschaft brachten, so daß ein Haufen von Häschern hinter ihnen her war. Sie versammelten sich an verstecktem Ort, in einer Waldhöhle, einer verfallenen Scheune, auf einem Kahn mitten im Fluß, und lasen gemeinsam, ohne amtliche Anleitung, in der Heiligen Schrift. Sie konnten nicht vorsichtig genug sein, und doch wurden sie ausgehoben oder von Ort zu Ort gejagt. Sie wurden hart verfolgt. Es kam vor, und dieser Bericht ist keine Ausnahme, „daß man auf einmal mehr als zwanzig Männer, Witwen, schwangere Frauen und Jungfrauen elendiglich in finstere Türme warf, daß sie fortan ihr Leben lang weder Sonne noch Mond sehen und ihr Ende mit Wasser und Brot beschließen sollten, und daß sie so verurteilt waren, in den finsteren Tagen beeinander zu bleiben, zu sterben, zu verstinken und zu verfaulen, Tote und Lebendige zusammen, bis keiner von ihnen mehr übrig sei . . ."[4] Die Täufer umwehte ein Hauch von Unrechtmäßigkeit und gesellschaftlichem Untergrund. Doch Taufe und Martyrium waren nicht so stark, daß sie die Einheit dieser Bewegungen, wo sie auch aufbrachen, hätten begründen können. Die lehrmäßigen Aussagen und Begründungen von Taufe und Martyrium liefen weit auseinander – sie trugen das Stigma des reformatorischen Wildwuchses – und lassen sich auch nachträglich nicht auf einen Nenner bringen.

Die historische Forschung der letzten Jahre hat ein recht differenziertes Bild vom Ursprung, den Anfängen und der Gestalt des Täufertums gezeichnet und die Suche nach einem einheitlichen „täuferischen Leitbild" in den verschiedenen Gebieten, in denen Täufer auftraten, in den Bereich theologischer und konfessioneller Wunschvorstellung verwiesen. Das Täufertum hat sich nicht aus einer Wurzel herausentwickelt, wie man ge-

1. Täufer lesen die Heilige Schrift, Jan Luyken (1649–1712)

wöhnlich annahm, sondern aus mehreren. Diese Wurzeln reichten in den Boden der Zürcher Reformation, den Grund der radikalen Reformation Thomas Müntzers in Mitteldeutschland, die von Hans Hut unter veränderten Bedingungen nach Oberdeutschland getragen wurde, und in das charismatisch-apokalyptische Milieu Straßburgs, das Melchior Hoffman mit seinen spiritualistisch-endzeitlichen Ideen zu einem Täufertum eigener Art zusammenformte und in den niederdeutschen Raum einführte.[5] An verschiedenen Orten warfen sich die Täufer gegenseitig vor, eine „verführerische und aufrührerische Lehre" zu vertreten. Balthasar Hubmaier, der täuferische Reformator Waldshuts und Nikolsburgs, brachte das, um nur dies Beispiel zu nennen, auf eine kurze Formel: „Darum ist die Taufe, die ich gelehrt, und die Taufe, die Hut vorgegeben hat, so fern voneinander, wie Himmel und Erde, Orient und Okzident, Christus und Belial."[6] Es hat also vieles für sich, die monogenetische durch eine polygenetische Sicht des Täufertums zu ersetzen.

Eine religiös-sozialrevolutionäre Bewegung

Die früheste Gestalt des Täufertums erwuchs aus der Reformation in Zürich. Dort hatte Ulrich Zwingli einen Kreis lernbegieriger Schüler um sich versammelt, die mit der alten Kirche unzufrieden waren und sich nach einer gründlichen Erneuerung der Christenheit sehnten: Priester und Mönche, Gelehrte und Handwerker. Gemeinsam setzten sie einen geistlichen und politischen Lernprozeß in Gang, der allmählich zur offiziellen Einführung der Reformation durch den Rat der Stadt führte. Unter der Gefolgschaft Zwinglis waren auch jene Männer, die später als Täufer bekannt wurden.

Es begann im Frühjahr 1522 mit Aktionen, die den Klerus beunruhigen und herausfordern mußten. Zwingli fand sich mit einigen Anhängern im Hause des Buchdruckers Froschauer ein, sie wurden mittags zu Tisch gebeten und verzehrten, obwohl es Fastenzeit war, eine Fleischmahlzeit. So gaben sie der Freiheit eines Christenmenschen gegenüber kirchlichen Gesetzen einen wirkungsvollen Ausdruck. Am Abend wiederholten die Bäcker Heinrich Aberli und Barthlime Pur diese demonstrative Mahlzeit am selben Ort mit anderen und erzeugten anschließend einige Unruhe unter den Ordensleuten des Augustinerklosters, die sie in Dispute über die Nutzlosigkeit kirchlicher Gebote und Satzungen verwickelt und mit der Forderung nach der Kommunion unter beiderlei Gestalt belästigt hatten. Der Rat sah sich gezwungen, dagegen einzuschreiten. Zwingli jedoch rechtfertigte das Fastenbrechen und stellte sich hinter seine Gefolgsleute, die dieser Aktion eine betont antiklerikale Spitze gegeben hatten. J.F. Gerhard Goeters hat gezeigt, daß die anschließenden Verhandlungen zwischen dem Rat, dem Konstanzer Weihbischof und den Leutpriestern der Stadt für Zwingli recht erfolgreich verlaufen waren. Das Fastenbrechen wurde zwar verboten, der Rat hatte sich aber der „reformatorischen Argumentation grundsätzlich nicht verschlossen" und Zwingli freie Hand gelassen, auf einen Zustand hinzuwirken, in dem der „Gebrauch der Freiheit" nicht mehr zu öffentlichem Ärgernis in der Stadt ausschlagen würde.[7]

Die nächste spektakuläre Aktion war ebenfalls wohlbedacht. Einige Fastenbrecher, zu denen sich noch der Humanist Konrad Grebel gesellte, zogen zu den Ordensleuten und unterbrachen dort die Predigten, in denen offensichtlich zur Verehrung der Heiligen ermahnt worden war. Die Unruhestifter wurden auf die Ratsstube bestellt und verwarnt. Grebel jedoch zeigte sich nicht reumütig, legte Protest gegen die Verwarnung ein („sofern meine Herren das Evangelium nicht fortschreiten lassen, so werden sie zerstört werden") und ließ die Tür mit lautem Knall ins Schloß fallen.[8] Auch hier stellte sich alsbald ein Erfolg für die Sache Zwinglis ein. Der Rat konnte nämlich trotz innerer Widerstände zu einem Erlaß bewogen werden, der die altgläubigen Prediger zu schriftgemäßer Predigt anhielt.[9] Zwingli und seine Freunde sahen darin eine Ermutigung, weiter gegen die Mißbräuche der Kirche zu predigen und mit gezielten Aktionen gegen den Klerus vorzugehen. Ausfälle gegen die Priester und Mönche, Störungen von Predigten und bald auch Stürme auf Tafeln und Bilder begannen in den folgenden Monaten ein antiklerikales Klima zu schaffen, das politisch sehr geschickt für den weiteren Gang der Reformation genutzt werden konnte. Unter den späteren Führern der Täufer tun sich jetzt schon vor allem Simon Stumpf, Wilhelm Reublin und Konrad Grebel hervor. Alle drei ließen ihren Aggressionen gegen den Klerus freien Lauf. Besonders Grebel wird, wie Goeters meint, seit Juli 1522 zu „einem entschiedenen und beharrlichen Bekämpfer allen Klosterwesens".[10]

Weitere Anstöße zu reformerischen Schritten kamen aus den Zürcher Landgemeinden. In Höngg hatte Simon Stumpf, der bereits beim Fastenbrechen dabei gewesen war, erste Zweifel an der Abgabe des Zehnten geschürt und die Zehntverweigerungen im Herbst 1522 gerechtfertigt. Das Kloster Wettingen, dem der Zehnt teilweise geschuldet wurde, sah sich um seine Einnahmen geprellt und strengte ein gerichtliches Verfahren beim Bischof in Konstanz an. Stumpf fühlte sich indessen nur dem Rat in Zürich als dem Gerichtsherrn von Höngg verpflichtet und zwang den Rat, der seit längerem bemüht war, die kirchliche Gerichtsbarkeit ganz und gar in seine Hände zu nehmen, gegen das Verfahren des Bischofs einzuschreiten. Der Rat versuchte, den Streit ohne Schaden für Stumpf zu schlichten, das Kloster war damit jedoch nicht zufrieden und brachte den Fall vor die Tagsatzung der acht eidgenössischen Orte in Baden. Jetzt wurden die Zürcher Reformationsereignisse zu einem überregionalen Problem. Die Tagsatzung stellte sich gegen Zürich, konnte aber den vor allem vom Großen Rat eingeschlagenen Weg zur Reformation nicht ernsthaft aufhalten. Vielleicht ist dieser Weg jetzt in Zürich auch umso selbstbewußter beschritten worden. Der Rat blieb hart und hatte den Bischof auf diese Weise bewogen, sich aus diesem Streit zurückzuziehen. In der Zwischenzeit konnte Zwingli die Auseinandersetzungen um Stumpf dazu nutzen, die Einberufung einer öffentlichen Disputation zu erreichen, um die Schriftgemäßheit der Predigt in Zürich endgültig in aller Öffentlichkeit durchzusetzen. Diese Disputation, die für ihn erfolgreich verlief, fand im Januar 1523 statt.[11] Und noch in einem anderen Fall mußte der Rat eingreifen. Die Gemeinde Witikon fühlte sich kirchlich nicht ausreichend vom Großmünsterkapitel in Zürich versorgt und stellte auf eigene Faust zu Weihnachten 1522 Wilhelm Reublin, der dort nach gescheiterten Reformversuchen in Basel schon einige Zeit weilte und gelegentlich aushalf, als Pfarrer ein. Der Streit, den die Gemeinde eigenmächtig vom Zaun gebrochen hatte, wurde vorläufig beigelegt. Sie durfte ihren Pfarrer behalten, mußte sich aber verpflichten, für den Unterhalt des Pfarrers selber zu sorgen und den Zehnten trotzdem nach Zürich abzuführen.

Zur Zeit der ersten Disputation − der Streit um Reublin wurde einige Wochen danach beigelegt − zogen Zwingli und seine Freunde noch an einem Strang. Zwingli war besonnener, seine Freunde gingen radikaler vor; doch die einen konnten mit dem Schutz des Reformators rechnen, der inzwischen zu einer geistlichen Autorität geworden war, und der andere konnte die radikalen Aktionen innerlich begrüßen, weil sie ihm immer wieder eine Gelegenheit verschafften, sein reformatorisches Ziel in kleinen Schritten durch einen zögernden Rat absichern zu lassen.

Die Initiativen aus den Landgemeinden hatten die Reformation in der Stadt nicht nur vorangetrieben. Sie begannen jetzt auch, die Geschlossenheit des reformatorischen Lagers zu sprengen. Die unmittelbare Ursache für diese Entwicklung war der verdrängte, aber noch nicht gelöste Konflikt um den Zehnten. Von Höngg sprang die Forderung nach Abschaffung des Zehnten auf Witikon, Zollikon und andere Dörfer über. Wilhelm Reublin, der sich über die „unnützen Pfaffen" des Großmünsters geäußert haben soll und Empörung über den Zehnten geschürt hatte, überredete die Gemeinden dazu, sich gemeinsam an den Rat zu wenden, um gegen die Forderungen des Zehnten durch das Kapitel des Großmünsters Protest einzulegen und die Abschaffung aller Abgaben zu verlangen. Der Zehnt sei nicht schriftgemäß, so begründeten sie ihre Eingabe, und werde seinem eigentlichen Zweck entfremdet. Der Rat bestand jedoch auf der Abgabe, versprach aber, den Mißbrauch des Zehnten abstellen zu lassen. Zwingli stellte sich jetzt auf die Seite des Rates und rechtfertigte in seiner Predigt „Von göttlicher und menschlicher Gerechtigkeit" die Zuständigkeit der weltlichen Obrigkeit in irdischen Angelegenheiten. Er meinte nicht, daß die Obrigkeit über die Auslegung des Wortes Gottes befinden dürfe, wohl aber die Probleme der Kirchenordnung regeln müsse. Konrad Grebel, der mit dem Rat ja schon zuvor schlechte Erfahrungen gemacht hatte, empörte sich über Zwingli, schimpfte ihn einen „elenden Schwätzer" und „Erzschriftgelehrten" und solidarisierte sich mit den Forderungen der Landgemeinden. Von seiner antiklerikalen Kampfstellung her war er daran interessiert, daß gerade die Kirchenordnung aus dem Worte Gottes reformiert würde. Auch Simon Stumpf kritisierte den Reformator. Er setzte sich über die Anordnung des Rates hinweg, ermunterte seine Gemeinde zur Zehntverweigerung und äußerte sich skeptisch über die Erfolgsaussichten der Reformation in Zürich. Diese Reformation werde nicht gelingen, soll er gesagt haben, es sei denn, man schlüge zuvor alle Pfaffen zu Tode. Die Gemüter waren erregt, und es kam zu einer Polarisierung der Geister im Lager Zwinglis. Besonders die sehr stark antiklerikal gestimmten Freunde, die schon eine zeitlang regelmäßig zu Bibelstunden unter der Leitung des Buchhändlers Andreas Castelberger (auch er taucht später unter den Täufern auf) zusammengekommen waren, fühlten sich von Zwingli im Stich gelassen und waren nun drauf und dran, ihre eigenen, radikalen Wege weiterzugehen. Das reformatorische Lager brach auseinander.[12]

Die tiefere Ursache für diesen Bruch wird in der besonderen Situation der Landgemeinden zu suchen sein. James M. Stayer hat darauf hingewiesen, daß diese Gemeinden nicht nur die kirchlichen Verpflichtungen abbauen wollten, sondern auch nach größerer Autonomie gegenüber dem Zürcher Rat strebten.[13] Im Schwarzwald und am Bodensee standen die Bauern im Aufstand. Ihre Forderungen waren auch auf das Zürcher Herrschaftsgebiet übergesprungen und vermischten sich mit den antiklerikalen Aktionen dort. Reublin war, das hat Goeters treffend gesagt, „der Bundschuh auf der Kanzel".[14] Die Abschaffung des Zehnten und die eigene Wahl der Pfarrer waren Programmpunkte der Bauern und halfen den Zürcher Landgemeinden, sich als geschlossene Kommunen aufzubauen und ihre Autonomie gegenüber dem Rat in Zürich zu behaupten. Das hat der Rat offensichtlich erkannt und verhindern wollen. Zwingli kam ihm dabei zu Hilfe. Wenn also Grebel und andere Freunde in der Stadt sich jetzt gegen Zwingli aussprachen und mit Reublin und Stumpf zogen, dann haben sie sich die aufständischen Ziele der Landgemeinden zueigen gemacht und ihren antiklerikalen Kampf in eine politische Auseinandersetzung einmünden lassen: Die Radikalen formierten sich zu einer religiössozialrevolutionären Bewegung.

Sie suchten jetzt nach Gelegenheiten, deutlich zu machen, daß die Reform der Kirche von den Gemeinden und nicht vom Rat beschlossen werden müsse. Mit neuer Heftigkeit wurde die endgültige Abschaffung der Messe gefordert, und Bilderstürme setzten ein. Die Radikalen nahmen die Säuberung der Kirche endgültig in die eigenen Hände. Der Rat sah sich genötigt, für Ordnung zu sorgen, und berief eine zweite Disputation ein. Auf dieser Disputation im Oktober 1523 war deutlich geworden, daß Messe und Bilderverehrung nicht schriftgemäß seien; Zwingli überließ es aber dem Rat, diese Erkenntnis in praktische Reformen umzusetzen. Dagegen begehrten seine radikalen Schüler öffentlich auf. Die Gemeinde hatte in Form der Disputationsversammlung gesprochen und beschlossen. Warum sollte sie noch auf Beschlüsse des Rates warten müssen? Der bereits vorher sichtbar gewordene Bruch war jetzt endgültig.

Zwingli bestand darauf, dem Rat die Kompetenz zur praktischen Durchführung der Reformation zu überlassen, während die Radikalen

diese Kompetenz der kirchlichen Gemeinde vorbehielten. Gewöhnlich
wurde dieser Dissens auf zwei unterschiedliche ekklesiologische Konzepte
zurückgeführt: Zwingli habe die Volkskirche gewollt, die radikalen Gefolgsleute eine Freikirche ins Auge gefaßt. Sieht man aber genauer hin,
stimmt diese Alternative nicht. Sowohl Zwingli als auch die Radikalen
strebten eine Reform ganzer Kommunen an. Zwingli ging es um die Stadt
Zürich als obrigkeitliches Zentrum eines Territoriums – und da war die
politische Autorität der Rat, während es den Radikalen um die Kommunen der Landgemeinden ging – und da gab es noch keine etablierte politische Instanz. Das eine war aber sichtbar geworden: Der Zürcher Rat hatte
sich dagegen gestellt. Also mußte die Gesamtheit der Gemeinde als Gegenstück zum Rat erscheinen. Um Befreiung in einer konkreten Situation ging
der Streit und nicht um die kirchenrechtliche Frage, ob die weltliche Obrigkeit überhaupt ein Wort in der Reformation mitzureden hätte. Wo sich
eine politische Instanz bereits gebildet hatte oder auf den radikalen Reformkurs einzuschwenken bereit war, wie in Waldshut unter der Führung
Balthasar Hubmaiers, da wurde selbstverständlich eine volkskirchlich-ob-
rigkeitliche Reformation angestrebt. So erklärt sich auch, daß die Radikalen auf dem Lande Anhang unter den Bauern fanden und Schutz bei den
Aufständischen suchten. Die Verbreitung ihrer reformerischen Vorstellungen ließ sich mühelos mit den Zielen der Aufständischen verbinden, so daß
gelegentlich von einer Massenbewegung gesprochen werden konnte.[15]
Die Radikalen in der Stadt wurden dagegen bald vom Rat und von
Zwingli abgedrängt und mußten sich viel eher als ihre Freunde auf dem
Lande mit ihrer kirchenpolitischen Ohnmacht abfinden. So kam es, daß
der Grebelkreis in seinem berühmten Brief an Thomas Müntzer vom September 1524 den Eindruck erweckte, als sei sein Selbstverständnis das
einer kirchlichen Minderheit abseits der Gesellschaft, aus der Perspektive
der späteren Entwicklung gar das einer Freikirche.

Aus den Landgemeinden kam jetzt auch der Impuls, die Taufe an
Säuglingen zu verweigern. Damit wurde ein antiklerikaler Schlag gegen
den Zwangscharakter der alten Kirche geführt. Möglicherweise zündeten
hier Gedanken, die im Anschluß an Schriften Andreas Karlstadts unters
Volk gebracht worden waren.[16] Der Grebelkreis nahm sie auf und führte
sie in seine Auseinandersetzung mit Zwingli ein. Die Tauffrage löste
große Unruhe aus und drängte den Rat, am 15. Januar 1525 eine Disputation über die Taufe abhalten zu lassen.[17] Dort prallten die Meinungen hart aufeinander. Die Radikalen fühlten sich schließlich in die Enge
getrieben und vollzogen mit der ersten Wiedertaufe am 25. Januar 1525
in Zollikon auch institutionell, ohne allerdings schon eine Freikirche zu
gründen, den Bruch mit der Zürcher Reformation. Aus den Radikalen
wurden Täufer, in der Stadt genauso wie auf dem Lande. Hier war es ein

kleiner, leidensbereiter Kreis und dort vorerst noch eine militante Massenbewegung. Der Rat ließ weitere Disputationen einberufen und ging allmählich dazu über, rechtlich gegen die Täufer einzuschreiten. Am 6. März 1526 erließ er das erste Mandat, das die Todesstrafe auf Wiedertaufe verfügte. Zehn Monate später wurde Felix Mantz, einst Gefährte Zwinglis und Mitglied in Castelbergers Bibelkreis, der Prozeß gemacht und in der Limmat ertränkt.

Das frühe Täufertum war eine dynamische, religiös-sozialrevolutionäre Bewegung, eine radikale Befreiungsbewegung innerhalb der Kirche und für die Gesellschaft. Und offensichtlich hatte es weite Kreise anzuziehen vermocht. Erst nach den enttäuschenden Erfahrungen mit Zwingli und dem Zürcher Rat, die sie immer mehr in die Defensive drängten, sahen die Radikalen sich zum Bruch mit der offiziellen Kirche gezwungen. Auf dem Lande standen sie im Aufstand und wollten selbstverständlich eine gesamtgesellschaftliche Erneuerung der Christenheit herbeiführen. In der Stadt schwankten sie noch zwischen dem ursprünglichen volkskirchlichen und einem freikirchlichen Reformkurs. Wenn der Zürcher Grebelkreis davon überzeugt war, daß „mehr als genug Weisheit und Rat in der Schrift" sei, „wie man alle Stände, alle Menschen lehren, regieren, weisen und fromm machen soll", dann nahmen sie noch nicht die typisch freikirchlich-separatistische Haltung gegenüber dem weltlichen Bereich ein, so sehr sie bereits von dem Bewußtsein geprägt waren, fortan als leidende Minderheit in der Welt leben zu müssen.[18] Das beste Beispiel für den schwankenden Kurs dürfte Konrad Grebel selber sein. Als er aus Zürich ausgewiesen worden war, hatte er in der Ostschweiz immer noch für eine Reformation ganzer Kommunen zu wirken versucht. Ein anderes Beispiel ist Johannes Brötli, ebenfalls ein Unterzeichner des Grebelbriefes.[19] Ekklesiologisch wollten die Täufer in Stadt und Land dasselbe. Die einen konnten ihre Ziele offener und ungebrochener verfolgen, die anderen mußten sich einschränken und mit ihrem Denken auf eine neue Situation einstellen. Selbst der vielgerühmte Pazifismus des Grebelbriefes steht nicht in einem grundsätzlichen Gegensatz zur revolutionären Haltung der Täuferführer auf dem Lande, von denen bekannt ist, daß sie sich gelegentlich gegen obrigkeitliche Zugriffe von bewaffneten Bauern beschützen ließen.[20] Das aufständische Lager selbst schwankte nämlich zwischen gewaltlosen und gewaltsamen Aktionen gegen geistliche und weltliche Autoritäten. Es mußten also weitere Erfahrungen, nämlich die Niederlage der aufständischen Bauern, hinzutreten, bis sich die angedeuteten freikirchlichen Konturen zu einem Freikirchenkonzept verfestigen konnten. Die täuferische Bewegung war auf einmal nicht mehr gefragt, um das bäuerliche Aufbegehren zu rechtfertigen; und so verlor sie sehr schnell Resonanz und Massenbasis in der

Bevölkerung. Sie war gezwungen, sich auf einen kleinen Kreis zurückzuziehen und in einer krisenhaften Situation ein neues Selbstverständnis als
Reformbewegung zu suchen.[21] Ein Ergebnis dieser Suche war die „Brüderliche Vereinigung" von Schleitheim 1527. Erst hier wurde die Freikirche geboren.

Gemeinschaft durch Absonderung

Die Schleitheimer Artikel formulieren die bekannten Grundsätze des
Täufertums: Glaubenstaufe, Bann, Eidesverweigerung, Ablehnung des
Wehrdienstes, die Gemeinde der wahrhaft Glaubenden, freie „Hirten"-
Wahl, das Abendmahl als Ausdruck christlicher Gemeinschaft unterein-
ander. Ein wenig weggedeutet wird heute gern der Artikel über die „Ab-
sonderung von der Welt", und dabei verleiht gerade dieser Artikel, zumal
er eine eschatologische Perspektive aufreißt, allen übrigen ihren tiefen
Sinn und ihre innere Kraft. Diese Täufer riefen nicht dazu auf, dieses
oder jenes in der Welt zu meiden, sie hatten vielmehr eine grundsätzliche
Absonderung im Auge. Hier ist das Reich des Lichts, dort das Reich der
Finsternis. Hier herrscht Christus, dort herrscht Belial. Das eine Reich
wird am Ende der Tage in „Qualen und Leiden" enden, das andere Reich
ist jetzt schon der „Tempel Gottes". Die Menschen, die hier leben, haben
mit den Menschen, die dort leben, nichts gemeinsam.[22] Die Täufer grenzten sich rigoros ab.

Zweifellos grenzten sie sich zunächst von der offiziellen Kirche ab, im
Umkreis ihres Wirkens vor allem von der Reformation. Ihr Modell einer
abgesonderten, auf dem freien Entschluß der Gemeindeglieder grün-
denden, sich den obrigkeitlichen Reglementierungen verweigernden Kirche
betrachteten sie nun als das Reformziel, das Zwingli angeblich angestrebt,
jedoch bald wieder aus den Augen verloren habe. Diese freie Kirche, die
sie als Wiederherstellung der urchristlichen Gemeinde verstanden, sollte
jetzt in ihren Reihen mit Hilfe einer festen Ordnung, die der sogenannten
„Regel Christi" (Matth. 18, 15 ff.) nachgebildet war und schon im Zürcher Täuferkreis und bei Hubmaier eine Rolle gespielt hatte, Gestalt annehmen. Sie grenzten sich aber auch von der bürgerlichen Gemeinde ab,
von der „Welt". So wurde ihre Gemeinschaft zu einer „Gegenwelt", zum
Prototyp einer besseren Gesellschaft. Diese entschiedene Abgrenzung
nahmen die Täufer offensichtlich erst vor, als jede Hoffnung gesunken
war, die Reformation noch in ihrem Sinne beeinflussen zu können. Und
das kam nach dem Fortgang des bedeutenden Täufers Michael Sattler
aus Straßburg Anfang 1527 endgültig zum Ausdruck. Kurz danach hat

Sattler, einst Prior des Benediktinerklosters St. Peter im Schwarzwald, mit anderen Glaubensgenossen in Schleitheim beraten und die „Brüderliche Vereinigung" verfaßt.[23] Diese Artikel grenzten sich auch gegen die eigene Vorgeschichte, eine volkskirchliche Täuferreformation, ab. Möglicherweise ist der Hinweis auf die „Brüder und Schwestern im Herrn", die zeitweise „verwirrt" waren, eine Erinnerung an den schwankenden Kurs, der zuvor gesteuert worden war. Wilhelm Reublin, der in Schleitheim mitberiet, wird solch schwankender Täufer gewesen sein und hat sich „wiederum zu den wahren eingepflanzten Gliedern Christi"[24] geschlagen. Grenzten die Schleitheimer sich von der eigenen volkskirchlichen Täuferreformation ab, dann läßt sich das aus dem Zusammenhang der Zeitumstände noch ein wenig genauer bestimmen. Sie verwarfen jetzt jeden Versuch, das religiöse Anliegen mit den sozialrevolutionären Aktivitäten der Bauern zu vermischen. Nachdem die Bauernaufstände niedergeschlagen waren und überall nach Veteranen und Sympathisanten gefahndet wurde, haben die Täufer in Schleitheim, das mitten im Aufstandsgebiet lag, begonnen, sich auch von den revolutionären Absichten und Zielen der Aufständischen grundsätzlich abzusetzen. Sie wollten deutlich machen, daß ihre Reformation weder eine Reformation von oben mit Hilfe obrigkeitlicher Macht, noch eine Reformation von unten mit Hilfe revolutionärer Gewalt sein könne. Sie suchten einen dritten Weg. .

Übersehen wurde bisher, daß die Abkehr von den Aufständischen, die mit den Schleitheimer Artikeln implizit vollzogen wurde, mehr eine Umdeutung der revolutionären Einstellungen und Forderungen als eine radikale Neuschöpfung war. Einige Beispiele sollen das belegen. Die Bauern forderten die freie Wahl der Pfarrer in den Kommunen und wollten diese aus den Einkünften des Zehnten entlöhnen; die Täufer wählten ihren „Hirten" selbstverständlich aus der eigenen Mitte und muteten den Gemeindegliedern zu, für den Unterhalt des Hirten zu sorgen, wenn er sich nicht selber versorgen könne und „Mangel haben sollte".[25] Die Bauern verweigerten den Obrigkeiten, mit denen sie im Streit lagen, den Eid; die Täufer gaben der Eidesverweigerung, die mit der Loyalitätsforderung der Obrigkeit kollidieren mußte, eine neutestamentliche Begründung. Die Bauern wählten die Form der „Artikel", um ihr revolutionäres Programm zu formulieren und Einmütigkeit in den Haufen herzustellen; die Täufer gaben ihrer programmatischen Einheit ebenfalls in Artikeln Ausdruck. Die Bauern, die ihre kämpferische Solidarität in Anrede- und Verhaltensformen biblischer Brüderlichkeit demonstrierten, schlossen sich im Schwarzwald beispielsweise zur „Christlichen Vereinigung und Bruderschaft" zusammen; die Täufer, die einander Brüder und Schwestern nannten, erreichten in Schleitheim eine „Brüderliche Vereinigung". Die

Bauern wandten den „weltlichen Bann" an und sonderten sich von jedem ab, der nicht bereit war, zu ihren Fahnen zu laufen. „Der weltliche Bann enthält diese Meinung: Daß alle, so in dieser christlichen Vereinigung sind, bei ihren Ehren und höchsten Pflichten, so sie getan, mit denen, so sich sperren und widersetzen, brüderliche Vereinigung einzugehen und gemeinen christlichen Nutz zu fördern, ganz und gar keine Gemeinschaft halten noch brauchen sollen und das weder beim Essen, Trinken, Baden, Mahlen, Backen, Ackern, Mähen; auch ihnen weder Speis, Korn, Trank, Holz, Fleisch, Salz und anders zuführen noch jemands Zuführen gestatten oder lassen, von ihnen nichts kaufen noch zu kaufen geben, sondern man laß sie bleiben als abgeschnittne, gestorbne Glieder in Sachen, so den gemeinen christlichen Nutz und Landfrieden nit fördern, sondern mehr verhinderen wollen. Ihnen sollen auch alle Märkt, Holz, Wies, Weid und Wasser, so in ihren Zwingen und Bännen nit liegen, abgeschlagen sein. Und welcher aus denen, so in die Vereinigung eingangen, solchs übersehe, der soll fürhin auch ausgeschlossen sein, mit gleichem Bann gestraft und mit Weib und Kindern den Widerwärtigen und Widerspenstigen zugeschickt werden."[26] Die Täufer schränkten den Bann auf den kirchlichen Bereich ein. Sie „mieden" jeden, der nicht bereit war, den Spuren Jesu Christi zu folgen, und sonderten sich von den „Kindern der Finsternis" ab. Nach innen gewandt, diente der Bann dazu, die Gemeinden reinzuhalten. Diese Beispiele sprechen eine beredte Sprache. Die Täufer verwarfen jetzt zwar die Forderungen der einst aufbegehrenden Bauern, untergründig aber bewahrten sie ihnen ihre Solidarität. Sie übernahmen auch die Konsequenzen: Sie mußten mit Verfolgung und Tod rechnen.

Schließlich grenzten sich die Täufer gegen die „falschen Brüder" ab. Falsche Brüder waren wohl die Täufer, die sich nicht um die konkreten Konsequenzen ihres Glaubens sorgten und „die Freiheit des Geistes und Christi" zum Anlaß nahmen, die Reformbedürftigkeit der kirchlichen Gestalt auf sich beruhen zu lassen. Gemeint sein könnte mit diesem Vorwurf Hans Denck. Als Sattler in Straßburg weilte, wirkte dort auch der Nürnberger Täufer. Beide verfolgten unterschiedliche Reformkonzepte, und Sattler konnte die Anziehungskraft der mystisch-spiritualistischen Frömmigkeit Dencks, der eine Neuordnung der kirchlichen Gestalt gleichgültig war, auf täuferische Kreise beobachten. Diesen Einfluß wollte er jetzt ein für allemal kappen. Mit den „falschen Brüdern" könnten auch diejenigen gemeint sein, die nach dem Grundsatz handelten: „der Glaube und die Liebe könnten alles tun und leiden und ihnen könne nichts schaden oder verdammlich sein, weil sie gläubig seien".[27] Zu denken wäre hier wohl an die ausschweifenden Enthusiasten im Gebiet von St. Gallen. Die Abgrenzung gegen diese Brüder, pauschal gesagt, gegen

Spiritualisten und Enthusiasten, ist scharf und wohl ein Akt der Selbstreinigung gewesen. Sie bestätigt noch einmal die Absicht, nach den Schwankungen der Frühzeit endlich einen eindeutigen Reformkurs zu steuern. In Schleitheim grenzten sich die Schweizer Brüder nach außen und nach innen ab. Das Reformprogramm hieß jetzt nicht mehr Säuberung der bestehenden Christenheit, sondern Absonderung von der Welt.

Dies Programm deutete sich in den ersten Umrissen schon an, nachdem die Zürcher Radikalen ihre kirchenpolitische Ohnmacht erfahren hatten. In dieser Zeit fingen sie an, die Bibel mit den Augen von Ohnmächtigen zu lesen; und ein Ohnmächtiger liest sie anders als ein Mächtiger. Zunächst waren sie „nur Zuhörer und Leser der evangelischen Prediger" gewesen, und dann setzte die Lektüre der Heiligen Schrift mit neuen Augen ein: „Nachdem aber auch wir die Schrift zur Hand genommen und auf alle möglichen Punkte hin untersucht haben, sind wir eines Besseren belehrt worden und haben den großen schädlichen Fehler der Hirten und auch unser selbst entdeckt, daß wir nämlich Gott nicht täglich ernstlich mit stetem Seufzen bitten, daß wir aus der Zerstörung des göttlichen Lebens und aus den menschlichen Greueln herausgeführt werden und zum rechten Glauben und zum wahren Gottesdienst kommen."[28] So gelangten sie nach und nach zu der Einsicht, daß die Gemeinde Jesu Christi eine kleine, zwar entschlußfreudige, aber auch leidende, eine abgesonderte und wehrlose Gemeinschaft sei. Von dieser Einsicht im September 1524, die noch in den Rahmen der antiklerikal bestimmten ursprünglichen Reformabsichten paßte, zur praktischen Verwirklichung der Freikirche war es ein weiterer Schritt. Er wurde erst nach 1525 im Zürcher Unterland und 1527 in Schleitheim vollzogen. Die Geburt der Freikirche ist aus dem Zusammenhang von antiklerikaler Aggressivität, kirchenpolitischer Ohnmacht und biblischer Lektüre zu erklären. Die Freikirche selbst war eine radikale Alternative zur Kirche Roms und den Kirchen in Wittenberg und Zürich.

Vorbereitung auf die große Scheidung

Andere Wege gingen die Täufer, die Ende August 1527 auf der sogenannten „Märtyrersynode" in Augsburg miteinander berieten. Die Schleitheimer Grundsätze wurden hier nur von einem Täufer, Jakob Gross, verteidigt, der sich mit seinen Ansichten allerdings nicht durchsetzen konnte. Die Szene wurde von Hans Hut mit seinen Vorstellungen von der inneren Läuterung des Menschen und vom Ende der Welt bestimmt, auch von der Rolle, die den Täufern bei der „großen Scheidung" von Gläubigen und Ungläubigen schließlich zufallen würde. Mitberaten hat in Augsburg auch Hans Denck. Doch sein Einfluß wird nicht sehr groß gewesen sein.[29]

Neuere Forschungen haben ergeben, daß Hans Hut ein Täufertum eigener Art vertrat.[30] In seinen Anschauungen lebte die Gedankenwelt Thomas Müntzers fort, dem er 1525 in die Bauernschlacht bei Frankenhausen gefolgt war. Hut hat die Niederlage der Bauern miterlebt; es gelang ihm aber, im Gegensatz zu Müntzer, zu entkommen und sich der Bestrafung zu entziehen. Er hat nun nicht, wie so manche, aufgegeben, sondern setzte sein Engagement für das „arme Volk" fort und trug das Anliegen Müntzers, das Volk zu einer mystisch geprägten Frömmigkeit zu erziehen und es zu lehren, sich jeder geistlichen Bevormundung und sozialen Unterdrückung zu widersetzen, in einer verschlechterten Situation weiter. Verändert hat er allerdings den Zeitpunkt des Weltendes, das Gericht über die Gottlosen und Sammlung der „Auserwählten" zugleich sein würde. Er hat auch den Kreis der Auserwählten auf die apokalyptische Zahl 144 000 eingeschränkt. Das Endgericht sollte Pfingsten 1528 eintreten; bis dahin empfahl er, das Schwert, das Müntzer im Kampf gezogen hatte, wieder in die Scheide zu stecken. Was manche als Hinwendung zum täuferischen Pazifismus deuteten, war im Grunde nur aufgeschobene Revolution. Das Schwert blieb vorerst in der Scheide.[31] In den letzten Tagen sollten die Auserwählten wieder dabei sein, Rache an den Gottlosen zu nehmen. Auch Huts Ideen sind eine Antwort auf die politischen Erfahrungen nach dem Bauernkrieg gewesen: In seiner Ohnmacht wartete er darauf, daß die Mächtigen vom Stuhl gestoßen und die Auserwählten herrschen würden.

Hans Hut, der sich als fliegender Buchhändler aufs Reisen verstand, hat eine weite Missionstätigkeit in Mittel- und Oberdeutschland, bis nach Österreich und Mähren entfaltet. Überall hat er Gleichgesinnte gesammelt, nicht zuletzt unter den Enttäuschten des Bauernkrieges, und sie mit der Taufe für das bald einbrechende Gottesreich vorbereitet.[32] Seine Taufe trug also einen ganz anderen Charakter als die Taufe der Schweizer Brüder. Er „versiegelte" die Auserwählten für das Tausendjährige Reich mit dem Kreuzeszeichen auf der Stirn, während die Schweizer in der Taufe den aktiven Beitritt zu einer von der Welt jetzt schon abgesonderten, sichtbaren Gemeinde sahen. Konsequenterweise finden wir in dem weiten Gebiet, das unter dem Einfluß Huts stand, auch keine festumrissenen Täufergemeinden, wie sie aus dem Einflußbereich der Schleitheimer Artikel bekannt sind. Um den Unterschied auf eine Formel zu bringen: Die Schweizer Brüder schieden sich schon jetzt auf sichtbare Weise von den „Kindern der Finsternis"; das Hutsche Täufertum, das

Das fibend alter

2. Das Weltgericht aus H. Schedels Liber Cronicarum, Nürnberg 1493

über ein viel größeres Verbreitungsgebiet verfügte, bereitete die Menschen allererst auf die „große Scheidung" vor. Wohl wurden seine Anhänger zur Absonderung von der „Welt" aufgerufen, gemeint war aber die Reinigung des seelischen Bereichs im Menschen von allen Anhänglichkeiten an das Kreatürliche. Die Absonderung wurde verinnerlicht und hatte keine gemeindebildende Kraft.

Werner O. Packull hat das Hutsche Täufertum einmal treffend eine „Bewegung im Übergang" genannt; im Übergang von spätmittelalterlicher Mystik zu protestantischer Sektenideologie oder Spiritualismus, von einer sozial-revolutionären Bewegung, deren Ziele sich allerdings nicht realisieren ließen, zu einer Bewegung, die entweder zu abgesonderten Gemeinden führte oder bald in sich zerfiel.[33] Eine Bewegung im Übergang ist eine schwankende Bewegung, zumindest noch 1527. Und so mag man annehmen, daß innere Schwankungen auch die Augsburger Beratungen als Gegenstück zur Schleitheimer Zusammenkunft notwendig gemacht hatten. Hut kam bei einem Ausbruchsversuch aus dem Gefängnis Ende 1527 um, und seine Bewegung löste sich nach dem Ausbleiben des Endgerichts — gelegentlich konnte sie sich mit festeren Gemeindebildungen mischen — um 1530 allmählich auf, während das Schweizer Täufertum in weltabgewandten Gemeinden nach und nach erstarrte.

Beide Richtungen, sowohl die Schweizer Täufer als auch die Anhänger Huts, waren in ihrem Aufbruch sehr stark von den sozialen Unruhen geprägt, die im Bauernkrieg revolutionäre Kraft entfaltet hatten. Beide Gruppen schlugen jedoch ganz verschiedene Wege ein, um mit ihren Enttäuschungen fertig zu werden. Es wurden zwei täuferische Reformkonzepte entwickelt, die unterschiedlicher Herkunft waren und nicht miteinander harmonieren konnten. Das war den Täufern damals schon selbst bewußt. Die gemeinsame Front gegen die Reformatoren und die Verfolgungen, denen sie gemeinsam ausgesetzt waren, reichten nicht aus, um sie zur Solidarität untereinander zu bewegen.

Geschlossene Gütergemeinschaft

Eine besonders eindrückliche Alternative christlicher Gemeinschaft entstand in Mähren. Dorthin waren tiroler und süddeutsche Täufer geflohen, um den schweren Verfolgungen, denen sie vor allem in den habsburgischen Landen ausgesetzt waren, zu entgehen. Die Markgrafschaft Mähren gehörte zwar auch zum Herrschaftsgebiet Habsburgs, hatte sich aber im 15. Jahrhundert bereits soviel Eigenständigkeit ertrotzt, daß die harten Verfolgungsmaßnahmen des königlichen Hofs gegen die reformatorischen

Bewegungen auf den Widerstand des mährischen Adels stießen. So geriet Mähren bald in den Ruf des „verheißenen Landes" und zog viele Täufer an, die sich zunächst in Nikolsburg niederließen. Hier war es Balthasar Hubmaier 1526 gelungen, den Grundherrn Leonhard von Liechtenstein für den täuferischen Glauben zu gewinnen und eine obrigkeitliche Täuferreformation nach Waldshuter Vorbild durchzuführen. Bald jedoch kam es zu ernsten Auseinandersetzungen zwischen den „Schwertlern", die, wie Hubmaier, der täuferischen Obrigkeit und ihren täuferischen Untertanen das Recht zugestanden, das Schwert zu führen, und den „Stäblern", die, wie die Schweizer Brüder und die Huterer, ihr das Recht absprachen, die Täufer zum Wehrdienst zu verpflichten, und selber „weder Spieß noch Pixen" besaßen.³⁴ 1529 sahen die stäblerischen Täufer sich gezwungen, das Gebiet von Nikolsburg zu verlassen. Sie fanden Zuflucht in Austerlitz und schlossen sich dort zu einer Gemeinschaft zusammen, die Hab und Gut miteinander teilte, um in dieser bedrängten Lage bestehen zu können, zumal immer mehr mittellose Flüchtlinge zu ihr stießen. „Omnia sunt communia", das soll schon Thomas Müntzer gefordert haben; und dieses Merkmal urchristlicher Gemeinschaft könnte den Täufern von Hans Hut nahegebracht worden sein und sich ihnen in dieser wirtschaftlich prekären Situation als Ausweg angeboten haben. Dies konkrete Motiv für die Einführung der Gütergemeinschaft wird verschwiegen, wenn der huterische Chronist später in biblisch stilisierter Sprache berichtet: „Zu dieser Zeit haben diese Männer einen Mantel vor dem Volk niedergebreitet und jedermann hat sein Vermögen dargelegt mit willigem Gemüt und ungezwungen, zur Unterhaltung der Notdürftigen nach der Lehre der Propheten und Apostel."³⁵ Richtungskämpfe und Führungsschwächen, die zu weiteren Gemeindebildungen und -abspaltungen führten, ließen das mährische Täufertum jedoch nicht zur Ruhe kommen. Es konnte sich erst festigen, als der tiroler Täuferführer Jakob Huter 1533 dort erschien und den Gemeinden kraft seiner charismatischen Autorität eine straffe Ordnung gab, in der die urchristliche Gütergemeinschaft, das noch „unbestimmte Experiment"³⁶ des Aufbruchs, schließlich zu einem unaufgebbaren Kennzeichen der christlichen Kirche eingesetzt wurde. Gütergemeinschaft war der Ausdruck dafür, daß die Menschen den Eigennutz in ihrer „Gelassenheit" gegenüber dem Kreatürlichen überwunden hatten und bereit waren, einander in Liebe zu begegnen. So entstanden Lebensgemeinschaften, in denen die Täufer wohnten, arbeiteten und Gottesdienst hielten, die sogenannten huterischen Bruderhöfe. Neben den Huterern bestanden noch eine Weile andere, vom Pazifismus der Schweizer Brüder geprägte Gemeinden mit und ohne Gütergemeinschaft fort. Bestimmt wurde das mährische Täufertum aber von den huterischen Bruderhöfen.

Jakob Huter wurde, als er 1536 wieder in Tirol auftauchte, um weitere Anhänger nach Mähren zu führen, verhaftet und als Märtyrer auf dem Scheiterhaufen verbrannt. Doch die huterischen Bruderhöfe bestanden fort, wenn sie auch nach der Niederwerfung des Wiedertäuferreichs von Münster 1535 für kurze Zeit heftig verfolgt wurden. Ihr innerer Zusammenhalt war jedoch so stark, daß sie in der zweiten Hälfte des 16. Jahrhunderts, vor allem unter der protestantenfreundlichen Herrschaft Kaiser Maximilians II., zu geistlicher und wirtschaftlicher Blüte gelangten. Robert Friedmann hat 120 Bruderhöfe gezählt, in denen je ungefähr 200 bis 400 Huterer lebten.[37] Von den Schwertlern in Nikolsburg war nichts übriggeblieben, die einst verdrängten Stäbler hingegen konnten die Stürme von Anfeindung und Verfolgung überdauern. Auch als die Gegenreformation die Bruderhöfe in Mähren zerschlug und das geistliche Leben der Huterer allmählich an Kraft verlor, haben sich einige Gruppen über Ungarn, die Walachai in die Ukraine retten können. Gegen Ende des 19. Jahrhunderts wanderten die Ukrainer Huterer nach Nordamerika aus, wo sie es zu neuer wirtschaftlicher und geistlicher Blüte brachten und heute zu den wenigen Gemeinschaften zählen, denen es im Gegensatz zu vielen utopischen Verwirklichungsversuchen gelang, eine alternative Lebensform zur industriellen Gesellschaft von Konsistenz und Dauer zu entwickeln.[38]

Die huterischen Bruderhöfe verdankten ihren Bestand nicht nur der Kraft, die sie aus dem Gehorsam gegenüber den Normen zogen, die sie für das individuelle und kollektive Leben in der Heiligen Schrift fanden. Sie verdankten ihn auch der wirtschaftlichen Chance, die sich ihnen bot und die sie wirkungsvoll zu nutzen verstanden. Das Prinzip der Gütergemeinschaft regelte nämlich nicht nur den Verbrauch, wie es mit dem Liebeskommunismus in der Apostelgeschichte beschrieben wird, es gestaltete auch — und das ist entscheidend — den gesamten Bereich der Produktion. Es wurde, da es keinen Privatbesitz an Produktionsmitteln gab, gemeinsam landwirtschaftlich und gewerblich produziert. Bedeutsam waren vor allem die großen und arbeitsintensiv aufgezogenen Gewerbebetriebe, denen das Zunfthandwerk in den mährischen Städten nicht das Wasser reichen konnte. Mit der Kombination von landwirtschaftlicher und gewerblich-manufaktureller Produktion entfalteten die Huterer eine „Wirksamkeit, welche die frühkapitalistische Wirtschaftsweise ihrer Zeit überflügelte und auf eigenen Wegen bereits Züge manufaktureller Produktion aus dem übernächsten Jahrhundert vorwegnahm."[39] Sie konnten die Produktion so intensiv gestalten, weil den Mitgliedern der Bruderhöfe zusätzlich zu einer religiös motivierten Genügsamkeit und Arbeitswilligkeit die Sorge um die Ernährung, Bekleidung und Erziehung der Familie und der Kinder von der gesamten Gemeinschaft abgenommen wurde. Es wurde gemeinsam in großen Refektorien gegessen, streng nach Geschlecht getrennt, für die Kleidung wurde in Schneiderstuben und Wäschereien gesorgt, und die Kinder wurden in Kindergärten und Schulen, vorbildhaft in einer weitgehend analphabetischen Umgebung, für das Leben in der Gemeinschaft erzogen. So konnten die meisten Eltern voll als Arbeitskräfte im Produktionsprozeß eingesetzt werden. Auch diejenigen Mitglieder der Bruderhöfe, die im Dienst der Grundherren außerhalb der Höfe standen oder sich als Ärzte betätigten, waren hochqualifiziert und sorgten für den guten Ruf der Huterer. Die intensive Nutzung der Arbeitskraft und die Möglichkeit, das erwirtschaftete Kapital mehr als sonst in Betrieb und Produktion, ja, in einem ausgedehnten Produktionsnetz zu investieren, trugen zum wirtschaftlichen Erfolg der Bruderhöfe bei und ließen sie zu einem bedeutenden, oft wegen dieses Erfolgs auch angefeindeten Wirtschaftsfaktor in Mähren werden. Manche Einrichtungen dieses gemeinsamen Lebens, dazu gehören auch die strengen Arbeitsanweisungen und die autoritäre Führung, trugen Züge, die aus den zeitgenössischen Utopien bekannt sind und die Absicht zu gesamtgesellschaftlicher Alternative anzeigen.[40]

Die Huterer haben einen Weg gefunden, die individualistisch ausgerichtete mystische und apokalyptische Frömmigkeit Huts, die das tiroler Täufertum geprägt hatte, mit Hilfe der Gütergemeinschaft kollektiv zu binden. Diese Gemeinschaft, die soziologisch gesehen ihre Kraft aus ihrer straff organisierten Geschlossenheit bezog und sich ihres grundsätzlichen Gegensatzes zur ,,Welt" bewußt war, stellt vor allem und zuerst eine Metamorphose des Hutschen Täufertums dar und geht nicht aus einer Aufnahme oder Radikalisierung des Schweizer Separatismus hervor.[41] Sie war aber in der Lage, geistliche Impulse, wie die Wehrlosigkeit, vielleicht sogar ganz junge Ansätze zur Gütergemeinschaft, aus dem Schweizer Täufertum aufzunehmen und zu verarbeiten. Das zeigt die zeitweise, wenn letztlich auch gescheiterte Tätigkeit Wilhelm Reublins in Mähren.[42] Religiös, sozial und ökonomisch blieben die Huterer Fremde in einer latent feindlichen Gesellschaft. Und das war ihr Vorteil. Denn als Fremde konnten sie sich unter dem zeitweiligen Schutz einiger Grundherren behaupten, indem sie die Chancen nutzten, die eine wirtschaftliche Umbruchsituation Fremden gewährte, denen es leichter fällt, in wirtschaftliches Neuland aufzubrechen, als dem traditionell gebundenen Gewerbe.[43] Das religiöse Sendungsbewußtsein und das wirtschaftliche Selbstbewußtsein waren so stark, daß die Huterer überzeugt waren, als einzige Gemeinschaft, auch gegenüber den Schweizer Täufern, unter denen sie fleißig für ihre Bruderhöfe warben, die wahre Kirche vor dem Ende der Welt zu sein.

Offener Gesprächskreis

Eine andere Metamorphose des Hutschen Täufertums stellt der soge-
nannte Marpeck-Kreis dar. Seine Umrisse wurden erst in den letzten Jahrzehnten so richtig sichtbar, nachdem das „Kunstbuch", eine Sammlung
täuferischer Briefe und Sendschreiben, in Bern entdeckt worden war.[44]
Pilgram Marpeck war Ratsherr und Bergrichter in Tirol, er gab sein ein-
flußreiches Amt jedoch auf, als die harten Verfolgungsmaßnahmen gegen
die Täufer, denen er von Amts wegen nachspüren sollte, sein Gewissen
zu stark belasteten. Eine ähnliche Entscheidung, den obrigkeitlichen
Dienst zu verlassen und auf die Seite der Bedrängten zu treten, hatte
übrigens zwei Jahre früher Michael Gaismair, der bekannte Führer im
Tiroler Bauernkrieg, getroffen.[45] Der unmittelbare Anlaß für Marpeck,
sich dem Täufertum zuzuwenden, wird die Hinrichtung Leonhard Schiemers im Januar 1528 gewesen sein, die großes Aufsehen in der Gegend
erregt hatte. Als Hans Schlaffer, der andere Täuferapostel im Inntal, drei
Wochen später enthauptet und verbrannt wurde, hatte Marpeck seine
Heimat bereits verlassen und war auf dem Weg nach Straßburg.

Dort trat er in den Dienst des Rates. Er baute die Wasserversorgung
aus und erschloß einen Wasserweg, auf dem die Stadt mit Holz aus dem
Schwarzwald beliefert werden konnte. In Straßburg fand er auch viele
Täufer vor, die sich dort zwar aufgrund einer gemäßigten Ratspolitik
gegenüber den Radikalen gehalten hatten, aber seit dem Weggang von
Sattler, Reublin und Denck führungslos zurückgeblieben waren. Es gelang Marpeck schnell, eine Führungsrolle zu übernehmen und die Polemik
der Straßburger Reformatoren auf sich zu lenken, bis er nach langen
Verhandlungen 1531 schließlich aus der Stadt gewiesen wurde.[46] In
Straßburg wird er Johannes Bünderlin und Kaspar von Schwenckfeld begegnet und mit den Gedanken der Schleitheimer Brüder in Berührung
gekommen sein. Hier hat er auch von der Kontroverse zwischen Zwingli
und Luther über das Verständnis des Abendmahls erfahren. Marpeck
hat sich erstaunlich schnell mit großem Sachverstand in die religiösen
Streitigkeiten eingedacht und Position bezogen. Dem Spiritualismus
Bünderlins und Schwenckfelds, der die sichtbare Gestalt der Kirche ab-
wertete, hat er genauso widersprochen wie dem Biblizismus der Schweizer Brüder, der in seinen Augen die Freiheit des Glaubens an den Buchstaben der Schrift verriet. „So wir den weltlichen satzungen mit Christo
abgstorben send warum sollen wir uns dann mit solchenn satzungen
wider fachen und binden lassen als leptenn wir der welt nach so si sagen
beruer diss nit, versuch das nit, greiff das nit an."[47] Aus demselben
Grund hat er das Prinzip der Gütergemeinschaft bei den Huterern abge-
lehnt. Kritisiert hat er auch den extremen Sakramentalismus Luthers und

den spiritualistischen Symbolismus Zwinglis. Er selber war aus dem Hutschen Täufertum, das von Schiemer und Schlaffer im Inntal verbreitet wurde, hervorgegangen und ist in seiner Stellung zur Obrigkeit der stäblerischen Tradition gefolgt. So verstand er sich in Straßburg denn auch gemeinsam mit Leupold Scharnschlager als Beauftragter der „Kirche von Mähren", die zu einer nichthuterischen Richtung gehörte. Die aktive Teilnahme an den theologischen Auseinandersetzungen seiner Tage jedoch, besonders die Erfahrungen, die er auf seinem Weg zwischen Spiritualismus und Gesetzlichkeit sammelte, ließen ihn zu einem theologischen Denker werden, der sich von seiner Hutschen Position zu souveräner Eigenständigkeit entfalten konnte und in der Frage nach dem Verhältnis von Geist und Schrift, den Vorstellungen von Gnade und Freiheit Christi und dem politisch unabgesicherten Lauf des Evangeliums beispielsweise zu Auffassungen gelangte, die sehr stark an den frühen Luther erinnerten. Marpeck hat diese Gedanken nicht allein, sondern im Gespräch mit Gleichgesinnten gewonnen und oft auch schriftlich geäußert. Mehr als das Schweizer Täufertum hat sein Kreis von der theologischen und praktischen Bedeutung des Konsenses gelebt, der im Gespräch erreicht wird. Der Gesprächskreis erhielt eine ekklesiologische Qualität, „auf das wir unsere selen aneinander helfen errethen vor aller arglistigkeit des teufels".[48]

Marpeck hielt sich nach seinem Straßburger Weggang in der Schweiz und in Mähren auf, wo sein Wirken allerdings im Dunkeln bleibt, und tauchte 1544 für die letzten zwölf Jahre seines Lebens in Augsburg auf. Hier fand er, wie einst in Straßburg, eine Anstellung als Ingenieur der Stadt und kümmerte sich nebenher, was wiederholt zu Spannungen mit dem Rat führte, um die Täufer. Seine Haltung gegenüber der Obrigkeit, die von einem Kreis verstreuter Anhänger und Gemeinden geteilt wurde, ist von einer großen Unabhängigkeit gegenüber anderen täuferischen Bewegungen gekennzeichnet. Er trat für eine Trennung von Kirche und Obrigkeit ein, doch er ging nicht soweit, der Obrigkeit jede Mitarbeit zu versagen. Er wollte nur die Freiheit der Evangeliumsverkündigung sicherstellen und zog die Grenze der Mitarbeit da, wo diese Freiheit und der Gehorsam gegenüber dem Evangelium gefährdet waren. Der grundsätzliche Dualismus zwischen Gemeinde und Welt, den die Schleitheimer Artikel lehrten, wurde verworfen. Wie James M. Stayer herausgearbeitet hat, lag der Marpeck-Kreis auf einer Linie, die sich am ehesten mit der Haltung Hans Dencks in Verbindung bringen läßt.[49] Er bemühte sich, der Obrigkeit zu zeigen, daß das Täufertum nicht aggressiv sei. „So geburt uns ouch, ir (die Obrigkeit) zu verschonen, damit sie sich an den gloubigen nit vergreiffen"[50], sondern das Täufertum sich in einer freien und offenen Weise, durchaus nicht zum Nachteil des Gemeinwesens, der Gesellschaft zuordnen könne. Wie zwischen Spiritualismus und Gesetzlichkeit, so nahm der Marpeck-Kreis auch zwischen obrigkeitlich verfügtem Konformismus und rigoroser täuferischer Absonderung eine vermittelnde Haltung ein. Aufgrund seiner Erfahrungen in einer kirchenpolitisch entspannteren Situation, wie er sie in Straßburg und Augsburg vorfand, hat er einerseits versucht, das Täufertum aus der früheren Konfrontation mit der Obrigkeit herauszuführen, und sich andererseits bemüht, das in sich zerrissene Täufertum zur Einheit zu führen. Ansätze zur Einigung hat es gegeben, letztlich konnte Marpeck sich mit seiner theologischen Haltung jedoch nicht durchsetzen. Sein Kreis löste sich später genauso auf wie das Hutsche Täufertum vorher. Und so geriet dieser theologisch attraktive Denker unter den Täufern schon früh in Vergessenheit.

Wege ins Neue Jerusalem

Ganz anderer Art schließlich war das Täufertum, das im niederdeutschen Sprachgebiet verbreitet wurde. Dies Täufertum geht auf den gelehrten Kürschner Melchior Hoffman aus Schwäbisch-Hall zurück, der in den Sturmjahren der Reformation als Laienprädikant durch Livland, Schweden und Schleswig-Holstein zog, um für die Sache Luthers zu werben. Er suchte besonders jene Orte auf, „in denen der Kampf zwischen dem alten und neuen Glauben noch in der Schwebe hing"[51], und fand je nach politischer Interessenlage das eine Mal im einfachen Volk und das andere Mal im Patriziat oder bei Hofe Resonanz. Sein kämpferischer Antiklerikalismus, seine Neigung zum Spiritualismus in der Abendmahlsfrage, von Andreas Karlstadt entfacht, seine radikalreformatorischen Ambitionen, von Prädikanten in Livland übernommen[52], und seine apokalyptischen Visionen haben schließlich zum Bruch mit dem Wittenberger Reformator geführt. Über Ostfriesland gelangte Hoffman bald nach Straßburg, jener vorübergehenden Zufluchtsstätte bekannter Freigeister. In dieser Stadt kam er mit Täufern in Berührung, vor allem mit Anhängern Hans Dencks und dem Gärtner Clemens Ziegler, der dem Täufertum nahestand und dessen sozialkritischer Spiritualismus für Unruhen in der Stadt gesorgt hatte. Hier fand Hoffman die theologischen Argumente, die ihm halfen, die endgültige Abkehr von der offiziellen Reformation, von der er sich auch in Straßburg enttäuscht sah, zu artikulieren. Darüber hinaus bestätigten die ekstatischen und bizarren Prophezeiungen Lienhard und Ursula Josts seine apokalyptische Grundstimmung und gaben seinen endzeitlichen Spekulationen neuen Auftrieb. Er übernahm von den Täufern die Taufe auf das Bekenntnis des Glaubens und stieß mit dem Glauben an den Universalismus der göttlichen Gnade und die Lehre von der Willensfreiheit des Menschen, wie Denck und Ziegler sie teilweise auch unters Volk getragen hatten, die letzten Reste lutherisch geprägter Glaubensvorstellung ab. Sein endzeitliches Sendungsbewußtsein war aber so ausgeprägt, daß er nicht bereit war, sich einer Täufergruppe in Straßburg anzuschließen. Er sammelte dort vielmehr einen eigenen Kreis um sich und bemühte sich, die Menschen zu innerer Läuterung und Glaubensgewißheit zu führen und durch die Taufe, den Bund zwischen Gott und Mensch, in die endzeitliche Gemeinde der Heiligen einzugliedern. Er sah große apokalyptische Auseinandersetzungen voraus und propagierte die Wiederkunft Christi, die durch die Säuberung der Welt von den Gottlosen und die Aufrichtung eines Friedensreiches vorbereitet werden mußte. Eine entscheidende Rolle in diesem Endkampf wurde den freien Reichsstädten, allen voran Straßburg, zugewiesen. Sie sollten sich zum Krieg gegen Kaiser, Papst und Irrlehrer rüsten, die Täufer hingegen sollten nicht zu den Waffen greifen. Sie hätten vielmehr die Aufgabe, als die „apostolischen Sendboten" gemeinsam mit den „beiden Zeugen" der Offenbarung den „Kuß vom ewigen Frieden in alle Welt" zu bringen und das geistliche Jerusalem, in dem König und Prophet in frommer Eintracht herrschen würden, durch die Taufe aufzubauen. Der Grundstein für die spätere Theokratie in Münster war gelegt.

Hoffman sollte in Straßburg verhaftet werden, weil er den Rat aufgefordert hatte, den Täufern eine Kirche zur Verfügung zu stellen und weil er mit dem Titelbild seiner Auslegung der Offenbarung des Johannes den Kaiser beleidigt hatte, der dort die Hure Babylon anbetet. Hoffman konnte fliehen und zog 1530 nach Emden in Ostfriesland, gründete in dieser Stadt eine Gemeinde und fand schnell auch Eingang in die Niederlande. Die holländische Bevölkerung war, durch die vorreformatorische Sakramentskritik in weitem Maße der alten Kirche entfremdet, für die Lehren Hoffmans offensichtlich besonders empfänglich. Und so wurde sein Täufertum die erste weitgestreute reformatorische Bewegung in den Niederlanden. In Ober- und Mitteldeutschland hatten die großreformatorischen Bewegungen dem Täufertum vorgearbeitet, in den Niederlanden war es, wie vorher in Tirol, umgekehrt. Klaus Deppermann, der neue Biograph Hoffmans, erklärt den Zulauf, den der Kürschner fand, auch mit der verschlechterten wirtschaftlichen und sozialen Situation in diesem Land. „Seine Jünger rekrutierten sich in Holland vornehmlich aus notleidenden, arbeitslosen Handwerkern, die unter den Folgen einer enormen Verteuerung der Lebensmittel und einer schweren Konjunkturflaute in den Jahren von 1529 bis 1535 litten, hervorgerufen durch aufeinanderfolgende Mißernten und durch die Unterbindung des Ostseehandels infolge des Krieges zwischen Karl V. und Dänemark".[53] Auch das melchioritische Täufertum korrespondierte, ähnlich wie schon das mittel- und oberdeutsche, mit politischen und sozialen Erfahrungen. Es bot mit der Verkündigung vom Anbruch der neuen Welt all jenen Trost und Zuversicht, die in der Misere der alten Welt zu scheitern drohten.

Hoffman, der in Straßburg das Neue Jerusalem erwarten wollte, wurde dort 1533 schließlich für die restlichen zehn Jahre seines Lebens ins Gefängnis geworfen. Seine Bewegung wuchs im Norden jedoch weiter und fand in dem „Königreich von Münster" 1534/35 einen besonders prägnanten und berüchtigten Ausdruck. Den Täufern war es gelungen, unterstützt von Flüchtlingen aus den Niederlanden, die labile Situation im Kampf um die Reformation, in der lutherische und reformierte Impulse rivalisierten, gemeinsam mit den um die Ratsherrschaft ringenden Gilden für sich zu nutzen und auf legale Weise an die Macht zu kommen. Jetzt wurde Münster unter der Führung des Propheten Jan Matthys aus Haarlem, der in den Niederlanden zu den Melchioriten zählte, zum verheißenen Ort der Gottesherrschaft ausgerufen. Der Ausbau dieser Kommune zu einer Theokratie indessen geriet bald unter den Druck der Belagerung durch reichsständische Truppen und führte, nicht ganz ohne Widerstand im Inneren, zu manchen Exzessen in der Stadt: zu Terror und Willkürherrschaft, zu abschreckenden Exekutionen und rigorosem Konformismus, auch zu neuen sozialen Einrichtungen wie Konsumgütergemeinschaft und Vielweiberei. Die Andersgläubigen wurden, wenn sie nicht vorher schon geflohen waren, aus der Stadt getrieben, und die herkömmliche Ratsherrschaft wurde, um die täuferische Macht zu stabilisieren, in eine theokratische „Ordnung der zwölf Ältesten" umgewandelt, und bald danach in eine Königsherrschaft (September 1534) mit dem Propheten Jan van Leiden, der nach dem bei einer Attacke gegen die Gottlosen umgekommenen Haarlemer Propheten die Führungsrolle für sich beanspruchte, an der Spitze. Geschickt wußte Jan van Leiden die Enttäuschung des Volkes über den Tod des Propheten zu beschwichtigen und die Kontinuität der charismatischen Führung zu sichern. In einer Predigt soll er gesagt haben: „Liebe Brüder und Schwestern, ihr sollt um des Willen nicht verzagt sein, daß Jan Matthys, unser Prophet, tot geblieben ist. Denn Gott wird uns einen anderen auferwecken, der noch größer und höher sein soll, denn Johann Matthys gewesen ist. Denn das ist so Gottes Wille gewesen, daß er so sterben sollte. Seine Zeit war gekommen. Gott hat das nicht ohne Ursache getan, daß er so sterben sollte, daß ihr nicht zu sehr an ihn solltet glauben, daß ihr ihn nicht über Gott solltet halten. Gott ist mächtiger, als Johann Matthys war. Was Johann Matthys getan und prophezeit hat, das hat er durch Gott getan, das hat er nicht aus sich getan. So kann uns Gott wohl wieder einen Prophe-

3. Jan van Leiden mit den Insignien seiner Herrschaft
Federzeichnung eines unbekannten niederländischen Künstlers

ten erwecken, durch den Gott seinen Willen offenbaren wird."[54] Größer als der Prophet wurde dann der König. Johann van Leiden, der einstige Schneidergeselle, sah in den alttestamentlichen Königen David und Salomo sein Vorbild; die Stadt war eine theokratische Königsherrschaft geworden. Die Regierungsgeschäfte wurden von Mitgliedern des Hofstaats geführt; und Bernhard Rothmann, der einstige Reformator Münsters, wurde zum „Worthalter" des Königs. Er hatte zwar die geistliche Initiative eingebüßt, durfte aber doch die politischen Maßnahmen des Königs theologisch rechtfertigen. Er begriff das neue Reich als die endzeitliche Restitution der apostolischen Christenheit und die Sendung der Täufer als Rache an den Gottlosen. Der melchioritische Pazifismus begann in der Situation erlangter Herrschaft und unter dem Belagerungsdruck, sein militantes Gesicht zu zeigen. Insgesamt verstand das Täuferreich sich als „Gegenwelt" zum alten Reich: Das alttestamentlich-endzeitliche Königtum mit neuen Insignien und Hoheitszeichen, mit Hofzeremoniell, hoher Gerichtsbarkeit und dem Anspruch, „über Kaiser, Könige, Fürsten und alle Gewalt der Erde" zu herrschen, die Gütergemeinschaft, die Prägung eigener Münzen und der Verzicht auf Geldverkehr im Innern, die Vielweiberei mußten von außen her als gesamtgesellschaftliche Provokation empfunden werden. Das war eine Alternative, die aus den spätmittelalterlichen Kämpfen um die politische Mitbestimmung in den Städten[55], vermischt mit spiritualistisch-apokalyptischen Anschauungen von Gottesvolk und Gottesherrschaft unter dem Druck der Belagerung entstanden war. Münster ist ein weiteres Beispiel dafür, wie eng politische Erfahrungen und täuferisches Gedankengut miteinander korrespondierten. Den Täufern war es nicht gelungen, rechtzeitig Hilfe in den Niederlanden zu mobilisieren, um die Belagerung zu brechen. Die Stadt fiel, ausgehungert und erschöpft, durch Verrat; und über die Täufer brach das Strafgericht herein. Ihr Reich blieb als das diabolische Exempel einer Schreckensherrschaft in Erinnerung.

Zeit der Gnade

Nach der Katastrophe von Münster wurden unterschiedliche Richtungen im melchioritischen Täufertum sichtbar. Die revolutionären Ambitionen wurden von den Täufern in den Niederlanden wachgehalten, die bereits vor dem Fall Münsters einige Klöster gestürmt und Aufläufe angezettelt hatten. Am bekanntesten sind der Sturm auf das Oldeklooster bei Bolsward in Friesland und der Angriff auf das Rathaus in Amsterdam. Auch nach Münster kam es noch zu Aufläufen. Besonders militant trat Jan van Batenburg auf, der sich überreden ließ, die Nachfolge Jan van Leidens zu übernehmen, mit einer Gruppe marodisierender Desperados Westfalen und die Niederlande brandschatzte und mit Mord und Totschlag überzog. Er war davon überzeugt, daß die Zeit der Gnade endgültig vorbei und die Zeit der Rache angebrochen sei, in der das Gericht an den Gottlosen erbarmungslos vollstreckt werden müßte. Er fand einigen Rückhalt in Kreisen des revolutionären Täufertums. Die Flüchtlinge aus Münster, die sich mit ihrer Situation noch nicht abfinden konnten und an einer gewaltsamen Errichtung des in Münster vereitelten Gottesreichs festhielten, das Treiben Batenburgs allerdings verurteilten, sammelten sich um Heinrich Krechting, den einstigen Kanzler des münsterischen Königs, und die Melchioriten, die sich von den revolutionär-militanten Täufern abwandten, um Obbe und Dirk Philips aus Leeuwarden. Eine andere Gruppe schließlich, die bald nach England entwich, hat sich um Jan Matthijs aus Middelburg gebildet und bewahrte die ursprünglichen melchioritischen Ideen gemeinsam mit Melchioriten in Straßburg, Hessen und Ostfriesland wohl in ihrer reinsten Gestalt. Dies Auseinanderfallen in verschiedene Gruppen war Ausdruck einer Identitätskrise, in die das melchioritische Täufertum geraten war. Auf einer Zusammenkunft in Bocholt 1536 wurde bald versucht, die auseinanderstrebenden Täufer zu vereinigen. Doch die Aussicht auf Erfolg war nicht groß, denn die eigentlichen Anführer waren nicht erschienen, die Brüder Philips und Heinrich Krechting nicht, weil sie die Nachstellungen der Obrigkeit fürchteten, und Jan van Batenburg nicht, weil er eine Verurteilung seiner Pläne und Aktionen durch die übrigen Täufer befürchten mußte. In Bocholt kam es zu einer scharfen Auseinandersetzung zwischen den militanten und den friedfertigen Täufern, zwischen denen allerdings David Joris zu vermitteln suchte. „Den revolutionären Täufern konnte er sagen, daß Gott und seine Heiligen tatsächlich noch zu ihrer Rache kommen würden, nur nicht vor der richtigen, in der Schrift vorhergesagten Zeit. Den friedlichen Täufern und den Außenstehenden konnte er mit ebensolcher Aufrichtigkeit versichern, daß er sich schon immer der Gewalt widersetzt habe, weil sie dem Geist Christi und der Apostel entgegen sei."[56] David Joris, der dem Kreis um Obbe Philips entstammte, hatte eine dermaßen starke Neigung zum Spiritualismus entwickelt, daß es ihm nicht schwerfiel, sich den jeweiligen Tendenzen im Täufertum anzupassen. Darin bestand das Geheimnis seiner vermittelnden Wirkung in jenen desolaten Jahren nach Münster. Doch es gelang weder ihm noch Obbe Philips, die Militanz des melchioritischen Täufertums endgültig zu brechen.[57] Stärker als die Bemühungen um Ausgleich sorgten schließlich die obrigkeitlichen Verfolgungsmaßnahmen und die Enttäuschung über das Ausbleiben des neuen Reichs dafür, daß die radikalen Gruppen allmählich zurückgedrängt wurden. Zerfallen sind sie erst sehr spät. Noch 1580, so wird berichtet, wurde ein Täufer auf dem Scheiterhaufen verbrannt, weil er als verheißener König David sein Unwesen getrieben hatte. Die revolutionären Melchioriten traten nur langsam von der Bühne der Geschichte ab.[58]

In der Situation der Krise erwuchs den Täufern in Menno Simons, einem ehemaligen Priester aus dem westfriesischen Witmarsum, ein neuer Führer.[59] Zweifeln an der herkömmlichen Sakramentslehre, Anregungen aus reformatorischen Schriften und Berührungen mit dem melchioritischen Täufertum um Obbe und Dirk Philips haben ihn zum „Ausgang aus dem Papsttum" bewogen.[60] Er gehörte zu jenen Täufern, die den Melchioriten eine neue Identität, teilweise gegen den entschiedenen Widerstand der Anhänger des David Joris, gaben. Das endzeitlich motivierte Sendungsbewußtsein wurde durch das Bewußtsein ersetzt, jetzt schon in der „Zeit der Gnade" zu leben, die mit Jesus Christus angebrochen sei. Im Zentrum seines Denkens stand eine Christologie, wie Melchior Hoffman sie gelehrt hatte: Christus ist Mensch geworden, ohne das Fleisch Marias anzunehmen, und hat in seinem sündlosen Wesen mit dem Menschen nichts gemein. Damit ist ein Dualismus begründet, der individualistische und kollektive Konsequenzen hat. Der Einzelne muß sich von seinem fleischlichen Leben abkehren und wiedergeboren werden; die Kirche muß sich als eine Gemeinschaft der Wiedergeborenen von allem sündhaften Wesen dieser Welt absondern, also auch von militanter Selbstbehauptung, und eine Gemeinde „ohne Flecken und Runzeln" werden. Zu solchen Gemeinden hat Menno Simons die versprengten Täufer gesammelt; und viele Gemeinden konnten trotz Anfechtung und Leiden überleben, nicht zuletzt deshalb, weil das Leiden in der Nachfolge Christi als ein Grundmerkmal der Kirche begriffen wurde. Unermüdlich hat Menno Simons im Nord- und Ostseeraum gewirkt. Er hat sich gegen großkirchliche Reformatoren ebenso behaupten müssen wie gegen jene Geister aus der radikalen Reformation, den bizarren David Joris beispielsweise, die nicht bereit waren, seinen christozentrischen Dualismus anzuerkennen. Die Täufer, die ihm folgten, wurden bald „Mennoniten" genannt und fanden sich in freikirchlich verfaßten Gemeinden zusammen.

Menno Simons hat die Weichen für ein Täufertum gestellt, das seinen aggressiven Charakter allmählich ablegen, seine freikirchliche Alternative unter dem Schutz toleranter Obrigkeiten aber in aller Abgeschiedenheit ausleben konnte. Aus den „Aufrührern" wurden die „Stillen im Lande". Auch das war eine Entwicklung, in der politische und soziale Erfahrung mit theologischer Überlegung korrespondierte. Freilich verlief diese Entwicklung darüber hinaus nicht ohne bittere Enttäuschungen, die diese Täufer sich selber zufügten. Mit dem Gebot zu rigoroser Heiligung standen sie nämlich immer wieder vor der Notwendigkeit, ihre Gemeinden rein zu erhalten. Die melchioritische Vorstellung von der Säuberung der Welt wurde in eine intensive Bannpraxis innerhalb der Gemeinden zurückgenommen. Verbunden mit einer ausgeprägten „Ältesten-Oligarchie"[61] hat diese Praxis oft zu Spaltungen geführt und der Vielfalt des Mennonitentums bis in die Gegenwart hinein ein gutes Gewissen verschafft. Menno Simons wurde selber Opfer dieser Entwicklung. Vereinsamt ist er 1561 in Wüstenfelde bei Bad Oldesloe gestorben. Sein Täufertum, das sich von der eigenen militanten Vergangenheit trennen mußte, erinnert in manchem an das Täufertum der Schleitheimer Artikel, so wenig Menno Simons auch die Autorität der Schweizer Täufer anerkannt hatte. Gemeinsam ist den Mennoniten und den Schweizer Brüdern ein, wenn auch unterschiedlich begründeter, Dualismus von Kirche und Welt, der zu abgesonderten, weltabgewandten Gemeinden führte. Wo beide Strömungen des Täufertums später aufeinandertrafen, haben sie sich deshalb auch schnell miteinander vermischen können.

Die Geschichte des Täufertums konnte nur mit einigen Strichen skizziert werden. Es dürfte aber deutlich geworden sein, daß das Täufertum nicht aus einer, sondern aus mehreren Wurzeln zu ganz verschiedenen täuferischen Bewegungen und Gemeinschaften herangewachsen war. Unter den Täufern kam es zwar zu Begegnungen, Gesprächen und Streitigkeiten, gelegentlich haben sie sich auch gegenseitig beeinflußt, aber

diese Berührungspunkte weisen nicht auf eine frühe Urgestalt des Täufertums zurück, die sich allmählich entfaltet, verändert oder gelegentlich
pervertiert, im Kern aber fast überall erhalten hätte. Ein „eigentliches"
Täufertum hat es nicht gegeben. Ein solches Täufertum wäre auch kaum
in der Lage gewesen, die historische Bedeutung zu erlangen, die ihm
allgemein zugebilligt wird. Sebastian Franck hatte bereits in seiner
„Chronika" von 1531 über die Täufer geschrieben, „daß ihre Lehre bald
das ganze Land durchkroch" und die Welt in Angst vor Aufruhr versetzte.[62] Nur unabhängig voneinander konnten die Täufer so empfind-
lich auf die kirchlich-gesellschaftlichen Unfreiheiten in den verschiedenen
Städten und Territorien des Reiches reagieren und die Unzufriedenheit
des gemeinen Mannes zum Ausdruck bringen, daß sie den Zorn der Obrigkeiten auf sich lenkten und rechtliche Reaktionen auf höchster Ebene
auslösten. Aus diesem Grunde wurde in der Übersicht auch nicht von
der Alternative des Täufertums, sondern von den Alternativen der Täufer
gesprochen.

Zweites Kapitel

Antiklerikalismus und „Besserung des Lebens"

Die Täufer sind nicht mit einem Schatz ererbter oder selbstgefaßter Vorstellungen in die Reformation gegangen. Was sie gedacht und verwirklicht haben, mußte in leidgeprüfter Erfahrung Schritt um Schritt errungen werden. Das war das Ergebnis der Übersicht über die Alternativen der Täufer. Daran ist auch zu denken, wenn jetzt einige Grundanschauungen des Täufertums ausführlicher dargestellt werden. Es ist allerdings nicht möglich, diese Anschauungen hier in allen täuferischen Gruppen gleichmäßig zu verfolgen. Das würde nämlich eine kurzgefaßte Deutung des Täufertums überlasten. Sowohl die Anzahl der Themen als auch der Kreis der Gruppen, in denen diese Themen besprochen wurden, müssen beschränkt werden. In beiden Fällen habe ich mich aber bemüht, für eine sachgemäße Auswahl zu sorgen.

Im Fahrwasser des Antiklerikalismus

Tumulte und Geschrei, Klostersturm und Pfaffenmord: diese spektakulären Ereignisse trieben die Reformation in Stadt und Land oft ebenso voran wie Flugschrift, Predigt und Disputation. Priester, Mönche und Nonnen wurden beschimpft, Prälaten und Bischöfe bis aufs Blut gehaßt, der Papst wurde „Antichrist" genannt. Erasmus von Rotterdam fragte den Leser seines „Handbüchleins des christlichen Streiters", das 1503 in lateinischer und 1520 erstmals in deutscher Fassung erschienen war: „Hörst du nicht täglich, wie erboste Laien uns anstatt eines wütenden Schimpfwortes die Worte „Kleriker, Priester und Mönch" ins Gesicht schleudern, und wie sie das in der Absicht und in dem Ton tun, als wollten sie uns Unzucht und Kirchenschändung vorwerfen?"[1] Eine antiklerikale Stimmung war damals im Volk, unter Bauern, Bürgern und im Adel, weit verbreitet. Liederlicher Lebenswandel und heuchlerische Amtsführung werden tatsächlich Gründe für den Antiklerikalismus gewesen sein, wichtiger noch waren Geldgier, prunkvolle Machtentfaltung und ein autoritärer, selbstgefälliger Umgang mit den Gläubigen und Untertanen. Der Reichtum des Klerus wollte sich in den Köpfen der einfachen Leute nicht mehr auf die Armut Jesu Christi reimen.

Dieser Antiklerikalismus ist nicht erst kurz vor der Reformationszeit entstanden, Aggressionen gegen den Klerus hatten sich bereits im 14. und 15. Jahrhundert angestaut und gelegentlich auch, wie in dem „Hussitensturm", entladen. Günther Franz gibt in seinem Buch über den Deutschen Bauernkrieg ein Volkslied wieder, das schon am Ende des 14. Jahrhunderts im Bistum Würzburg gesungen wurde:

> „Wenn wir die Pfaffen hier vertreiben
> Und selber Herrn im Stifte bleiben,
> Unsere Söhne zu Domherrn machen,
> Des werden sie gar fröhlich lachen . . .
> Der Pfaffen und der Juden Gut
> Das macht uns allen einen freien Mut."[2]

Bekannter als dies Lied ist der Zulauf, den der „Pfeifer von Niklashausen" auf der Wallfahrt 1476 im Taubertal fand. Er hatte Haß und Aufsässigkeit gegenüber der geistlichen Grundherrschaft geschürt, und das herbeigeströmte Volk hat enthusiastisch geantwortet:

> „Wir wollen es Gott im Himmel klagen!
> Kyrie Eleison!
> Daß wir die Pfaffen nicht zu tod sollen schlagen!
> Kyrie Eleison!"[3]

Seither waren blutrünstige Ausfälle gegen den Klerus nicht mehr selten, und sie vermengten sich bald in einer religiös sehr aufgewühlten Zeit mit der Furcht vor dem Erscheinen des Antichrist und mit Visionen von Hungersnot, großem Krieg und tödlicher Rache an den Gottlosen am Ende der Tage. Dieser Hinweis auf eine antiklerikale Stimmung im Volk, deren tatsächliches Ausmaß allerdings schwer zu bestimmen ist, braucht nicht im Gegensatz zu der Beobachtung Bernd Moellers zu stehen, daß die kirchliche Frömmigkeit um 1500 nicht verfallen und verflacht gewesen sei, wie es oft dargestellt wurde, sondern umgekehrt ihre höchste Steigerung im mittelalterlichen Deutschland erfahren hatte. Der Antiklerikalismus läßt sich geradezu mit den Worten Moellers selbst als ein „Akt der Notwehr" deuten, in dem die Laien ihre Enttäuschung darüber zum Ausdruck brachten, „daß die Geistlichkeit den Ansprüchen und Erwartungen der Frommen so wenig entsprach."[4] Die Klage über die finanzielle Ausbeutung der Territorien und Reichsstädte durch die römische Kurie, wie sie in den „Gravamina deutscher Nation" auf den Reichstagen immer wieder laut wurde, die Invektiven der Humanisten gegen einen geistig beschränkten Klerus, mit denen die „Dunkelmännerbriefe" gespickt wurden, und die Reformbegeisterung, wie sie von der Kritik Martin Luthers am Ablaßhandel und von seinen Schriften „An den Adel deutscher Nation von des christlichen Standes Besserung" und „Von der Freiheit eines Christenmenschen" ausging, haben den Antiklerikalismus schließlich noch gesteigert. Er wurde aggressiver und alltäglicher. „So wir Diebe mit Schwert, Mörder mit Strang, Ketzer mit Feuer strafen, warum greifen wir nicht vielmehr an diese schädlichen Lehrer des Verderbens, als Päpste, Kardinäle, Bischöfe und das Geschwärm der römischen Sodoma mit allerlei Waffen und waschen unsere Hände in ihrem Blut?" Das hatte Luther selber 1520 geschrieben. Außerdem: Satiren, Schmähschriften und Spottgedichte wurden geschrieben und Holzschnitte in Umlauf gesetzt: Luther als keulenschwingender Herkules, der mit den Würdenträgern der römischen Kirche martialisch ins Gericht geht (Hans Holbein d.J.); ein bewaffneter Bauer in zerschlissenen Kleidern, der einem Mönch das kurze Stirnhaar knufft und die Heilige Schrift erbarmungslos in den Mund schiebt, damit dieser sie endlich verschlinge (Sebald Beham); Kontrastbilder aus der Werkstatt Lucas Cranachs d.Ä., die zeigen, wie sehr die Hofhaltung des Papstes und die kultischen Handlungen der Priester in Gegensatz zu dem einfachen Leben Jesu und seiner Jünger geraten sind (Passional Christi und Antichristi).

Doch es blieb nicht bei propagandistischer Agitation, es kam an vielen Orten auch zu handgreiflichen Aktionen. In der Pfarrkirche zu Wittenberg haben Studenten und Bürger die Priester während einer Messe mit Messern bedroht und von den Altären vertrieben; Betrunkene haben am Vorabend des berühmten Weihnachtsgottesdienstes 1521, in dem Karlstadt das Abendmahl in beiderlei Gestalt reichte, in den Straßen Wittenbergs randaliert und den altgläubigen Priester der Pfarrkirche einzuschüchtern versucht[6]; Anhänger Thomas Müntzers haben 1524 die Kapelle in Mallerbach bei Allstedt, in der ein angeblich wundertätiges Marienbild verehrt wurde, zerstört.[7] An anderen Orten wurden Domherren, Mönche und Nonnen aus ihren Häusern, Klöstern und Stiften vertrieben. Am bekanntesten wurde der Erfurter „Pfaffensturm".[8] Kruzifixe wurden von den Altären gestürzt, Bilder gestürmt, Priester in den Predigten durch Zwischenrufe unterbrochen oder gar von den Kanzeln gezerrt. Der antiklerikalen Phantasie waren keine Grenzen gesetzt.

Diese Aktionen brachen gelegentlich spontan aus, oft wurden sie auch sorgfältig geplant, um die Stimmung im Volk für die Sache der Reformation zu beeinflussen oder die weltliche Obrigkeit zu politischen Entscheidungen zu nötigen, die zur Einführung der Reformation notwendig waren. Die Reformatoren gingen gegen solche Ausbrüche des Volkszorns nicht immer gleich energisch vor. Am frühesten und entschiedensten distanzierte sich Luther von solchen Unruhen in den berühmten Invokavitpredigten 1522. Heinold Fast hat gezeigt, wie sehr Ulrich Zwingli die Radikalität seiner Freunde, das provokatorische Überschreiten des

Fastengebots und die Störungen altgläubiger Predigten, zunächst nutzen konnte, um die Reformen in Zürich voranzutreiben. Als die antiklerikalen Aktionen den Gang der Reformen aber politisch in Mißkredit zu bringen drohten, hat er sich dagegen gestellt. Die Radikalen hielten jedoch nicht ein. Sie setzten das übrigens schon im Mittelalter praktizierte Mittel der Predigtstörung[9] vielmehr weiter ein, um eine Disputation zu erzwingen, auf der über die strittigen Fragen der Reformation öffentlich diskutiert werden sollte.[10] Nach dem offenen Bruch mit Zwingli wandten sie dieses Mittel dann schließlich gegen den Reformator und seine Prädikanten selber und versuchten, sich auf diese Weise weiterhin Gehör zu verschaffen. Sie bewegten sich im Fahrwasser des Antiklerikalismus. An einige besonders eindrückliche Beispiele antiklerikalen Verhaltens ist in letzter Zeit wieder erinnert worden. Simon Stumpf, Pfarrer in Höngg bei Zürich, soll sich einmal Zwingli gegenüber sehr pessimistisch über den Verlauf der Reformation geäußert und gemeint haben, eine Aussicht auf Erfolg bestünde nur, „man schluege dann die pfaffenn ze tod".[11] James M. Stayer sieht zwischen dieser Äußerung und dem Traktat Karlstadts „Ob man gemach verfahren und die Schwachen mit Ärgernissen verschonen soll in Sachen, so Gottes Willen angehen", der antiklerikalen Geist atmet und 1524 von dem Täufer Felix Mantz in der Schweiz verbreitet wurde, einen Zusammenhang. Karlstadt hatte in diesem Traktat nämlich im Anschluß an 5. Mose 13 und 17, wie wörtlich das auch gemeint gewesen sein mochte, die Hinrichtung der Götzendiener als der „abgöttischen und geistlichen Ehebrecher" gefordert.[12] Wie Karlstadt übertrug auch der Kreis um Grebel, dem das schonungsvolle Vor-

4. Frauen vertreiben Mönche, Federzeichnung von Lucas Cranach d.Ä. 1530/40

gehen Zwinglis ebenso ein Dorn im Auge war, die antiklerikale Animosität auf die Reformatoren. Dem „pfäffischen Brauch des Antichristen" mit „pfäffischer Kleidung und Meßgewand, Gesang und Zusatz" stellt er in dem Brief an Thomas Müntzer vom September 1524 die „Bräuche der Apostel" gegenüber und spricht von den „verführerischen Gelehrten", die täglich von einer „Schriftverkehrung" in die andere fielen und im Begriffe seien, „wahre Päpstler und Päpste" zu werden.[13] Das sind ganz eindeutig antiklerikale Töne; sie wurden nicht nur zufällig angeschlagen sondern ganz bewußt. Bereits Karlstadt hatte in dem erwähnten Traktat Luther und seinen Anhang „Papisten" genannt und die „Verwüster der Schrift und Seelenhäscher" angegriffen.[14] In seiner Protestation von 1524 erinnert Felix Mantz vorwurfsvoll an den „Streit über die Götzen", bei dem Klaus Hottinger, der gemeinsam mit anderen das Kruzifix in Stadelhofen vor den Toren Zürichs umgestürzt hatte, durch das wetterwendische Verhalten des Rats („Zeitweise war er (der Streit) erlaubt, zeitweise galt er als unrecht") schließlich nach der Verbannung aus Zürich in die Hände der katholischen Obrigkeit gefallen und im Jahr darauf in Luzern hingerichtet worden war.[15] Vom antiklerikalen Treiben in St. Gallen 1524 wird in den Täuferakten der Ostschweiz berichtet: Ein Pfarrer wird „Seelenmörder" gescholten, Weihwasserstöcke werden auf einem Friedhof zerschlagen, ein Bildersturm wird inszeniert. Beteiligt waren daran Radikale, die teilweise später zum Täufertum stießen.[16] Eine interessante Wendung gab Balthasar Hubmaier der antiklerikalen Leidenschaft. Er richtete sie, mit Wollust fast, gegen sein eigenes Vorleben in der alten Kirche: „Ich bekenne aufrichtig, daß ich gegen den Himmel und gegen Gott gesündigt habe, nicht allein mit meinem sündigen Leben, das ich in aller Hoffart, Hurerei und weltlicher Üppigkeit bei Euch entgegen der Lehre Christi geführt habe, sondern auch mit falscher, unbegründeter und gottloser Lehre, in der ich Euch unterwiesen, gespeist und geweidet habe außerhalb des Wortes Gottes, vor allem, wie ich mich wohl noch erinnere, daß ich viel unnützen Tand von der Kindertaufe, Vigilien, Jahrtagen, Fegefeuer, Messen, Götzen, Glocken, Läuten, Orgeln, Pfeifen, Ablaß, Prozessionen, Bruderschaften, von Opfern, Singen und Brummen gesagt habe."[17] Doch es blieb nicht bei der Selbstbezichtigung. Offen klagte er die geistlichen und weltlichen Autoritäten an, der Christenheit „kunstloß hirten vnd seelsorger" aufgezwungen zu haben, nämlich „Cortisanen, Eselstrigler, Hurer, Eebrecher, Kupler, Spiler, Sauffer vnnd Schalckßnarren, denen wir fürwar die Sauen vnd Gayssen zehietten nit vertraut hetten, noch musten wirs für vnnser seelhirten annemen."[18] Genauso wie der Grebelkreis konnte auch Hubmaier den Zürcher Reformator beschuldigen, „ein new Papsttum" aufrichten oder ein „new Laruen Bistumb" anfangen zu wollen.[19] Bemerkenswert ist auch, daß er die Frage der Taufe in den antiklerikalen Streit zieht und in der Preisgabe des ursprünglichen Taufgelübdes den Grund dafür sieht, daß „all München, pfaffen vnnd Nonnen gelübden vnd pflichten" in die Kirche eingedrungen sind.[20] Ein besonders eindrückliches Dokument, das den antiklerikalen Zug unter den Schweizer Brüdern in späteren Jahren belegt, ist die Rechenschaft, die Martin Weninger 1535 geschrieben hat, um das Fernbleiben vom reformierten Gottesdienst und die Absonderung zu begründen. Die Prädikanten schwächen das Leiden Christi ab und gebrauchen es „zur geilheit und deckmantel der boßheit", um nur ein Beispiel aus einer ganzen Reihe schwerwiegender Vorwürfe herauszugreifen, sie stehen so sehr im Gegensatz zur Lehre Christi und der Apostel, daß keine andere Wahl bleibt, als sie zu meiden und sich von ihren „bösen werchen" abzusondern.[21] Von diesem Zeugnis fällt auch ein bezeichnendes Licht auf die Absonderung zurück, wie sie in dem sogenannten Gründungsdokument der Schweizer Brüder, den Schleitheimer Artikeln, vorher gefordert wurde: „Aus dem allen sollen wir lernen, daß alles, was nicht mit unserem Gott und mit Christus vereinigt ist, nicht anderes ist als die Greuel, die wir meiden und fliehen sollen. Damit sind gemeint alle päpstlichen und widerpäpstlichen Werke und Gottesdienste, Versammlungen, Kirchenbesuche, Weinhäuser, Bündnisse und Verträge des Unglaubens und anderes dergleichen mehr, was die Welt für hoch hält und was doch stracks wider den Befehl Gottes durchgeführt wird, gemäß all der Ungerechtigkeit, die in der Welt ist."[22] Die Schleitheimer Artikel tragen sonst offen ausgesprochen keine antiklerikalen Züge, doch korrespondiert der Akzent, der in Weningers Rechenschaft auf dem Gegensatz von der Gemeinschaft des Teufels, in der sich die Prädikanten befinden, und der Bruderschaft Christi auffallend mit dem Dualismus, der für alle Artikel des Schleitheimer Bekenntnisses konstitutiv ist. Also: Die Kritik am Götzendienst der Priester gleitet über zur Kritik an der Schriftgelehrsamkeit oder dem verführerischen Wirken der reformierten Prädikanten, sie bezieht die Kritik an den „Bräuchen", besonders an der Kindertaufe, ein und steht hinter dem Programm der Absonderung. Das Schweizer Täufertum ist, was sich im weiteren an einzelnen Lehrauffassungen zeigen wird, ein Kind des Antiklerikalismus.

Auffallender noch als in den Äußerungen der Schweizer Täufer durchziehen antiklerikale Töne das Täufertum, das auf das Wirken Hans Huts zurückgeht. Hier macht sich der Einfluß Thomas Müntzers bemerkbar, der den Antiklerikalismus zu einer verbalen Gewalttätigkeit sondergleichen gesteigert hatte. Müntzer verschob seinen antiklerikalen Affekt nach und nach von den Altgläubigen auf Luther, den „Bruder Sanftleben", und schließlich sogar auf die weltlichen Herren und Fürsten. Außerdem zeigte sich schon in seinem Prager Manifest von 1521, daß der Antiklerikalismus nicht nur Taktik sondern auch Programm war. Die Begründung erhielt dies Reformationsprogramm im einzelnen aus dem Geist der mittelalterlichen Mystik.[23] Dieser mystisch begründete Antiklerikalismus ist nun von Hut und seinen Anhängern aufgenommen und ebenfalls sehr scharf gegen die Reformatoren gewandt worden: „Es haben unsere neuevangelischen, die zarten Schriftgelehrten, den Papst, Mönch und Pfaffen vom Stuhl gestoßen. Nun, so es ihnen gelungen ist, huren sie aufs neue mit der Bübin Babylon in aller Lust, Pracht, Ehre, Geiz, Neid und Haß zum Ärgernis der ganzen Welt und richten, Gott erbarms, ein ärger Papsttum gegen den armen Mann auf als vorher, können nicht hören und leiden, daß sie mit Schriftstellen überzeugt werden."[24] Wie Müntzer so meint auch Hut, daß die evangelischen Theologen sich gegen das schmerzhafte Erleiden des göttlichen Werkes in ihren Seelen sperren und deshalb zum Schein ihrer Gläubigkeit vor dem Volk den Buchstaben aus der Schrift stehlen (weshalb sie „Schriftstehler" genannt werden) und auf diese Weise den gemeinen Mann von ihrer Auslegungskunst abhängig machen. Um die Laien von dieser Bevormundung herrschsüchtiger Gelehrter zu befreien, die im übrigen alles verkehrt sehen, weil sie selber verkehrt seien, und Arme und Reiche verführen[25], kann Hut sie auf das Buch der Schöpfung verweisen, daß ihnen ohne fremde Hilfe den Weg zum Heil zeigt. „Den armen Mann hat er (Jesus) nicht auf die Bücher verwiesen, wie jetzt unsere Schriftgelehrten ohne Verstand tun, sondern hat das Evangelium bei ihrer Arbeit gelehrt und bezeugt, den Bauern bei Acker, Samen, Disteln, Dornen und Fels."[26] Wie alle Kreatur das Werk des Menschen erleiden muß, um zu ihrer schöpfungsmäßigen Bestimmung zu gelangen, so muß auch der Mensch das Werk Gottes erleiden, um Besserung und Seligkeit zu erreichen. Hier fließt der Antiklerikalismus in einen Antiintellektualismus ein, der den einfachen, um sein Heil bekümmerten Menschen anziehen mußte, und findet in dem Affront Leonhard Schiemers gegen die hohen Schulen und in dem sogenannten Kunstbuch des Marpeck-Kreises, das mit einem Gedicht Valentin Icklsamers über das damals geläufige Sprichwort „Die Gelehrten – die Verkehrten" eingeleitet wurde[27], einen Nachhall. Auch für das Hutsche Täufertum wird noch zu zeigen sein, wie intensiv sich die antiklerikalen Impulse auf die Entfaltung einzelner Grundanschauungen über diese Andeutungen hinaus ausgewirkt haben.

Recht phantasiereich ist das antiklerikale Vokabular schließlich in den Schriften Melchior Hoffmans. Dieser Laienprädikant war in den frühen Jahren seines Wirkens stets in Gebieten unterwegs, in denen wilde antiklerikale Stürme tobten, in Livland genauso wie in Schleswig-Holstein. Klaus Deppermann hat markante Etappen des antiklerikalen Kampfes, an dem Hoffman teilnahm, eindringlich beschrieben. Besonders drastisch

wandte Hoffman sich gegen Nicolaus von Amsdorf, der die Legitimität
des Kürschners als Prediger angezweifelt und dessen Anhänger zum Abfall aufgerufen hatte: „In immer neuen Varianten beschimpfte Hoffman
den Magdeburger Kirchenherren als „Schelm, Gockel, Narrenfex, als
geschmierten Larvengeist, groben Esel, öden Wäscher und unverschämten
Rülz, als Gottes Ehrendieb, aufrührerischen, mörderischen Bösewicht
und Schänder der göttlichen Wahrheit." Auf Gottes Wort verstehe er
sich „wie die Kuh auf den Muskatwein."[28] Ganz im Ton antiklerikaler
Vorwürfe kann Hoffman in Kiel auch, wo er vom dänischen König als
Prediger eingesetzt worden war, gegen die Ratsherren zu Felde ziehen,
die sich an den Kirchengütern schadlos halten und das Volk leer ausgehen
lassen wollten. Als der Organist zur Mäßigung mahnte, soll der Kürschner
erwidert haben: „Ey ir verstaht es nycht, man muß sie schlachten."[29]
Das erinnert an die Aufforderung zum Abschlachten der Pfaffen, wie
sie bei Karlstadt, unter den Bauern und bei Thomas Müntzer lautgewor-
den war. Sein Antiklerikalismus erhält hier, auf den politischen Bereich
hinübergleitend, eine sozialkritische Note.

Auch Hoffmans Antiklerikalismus ist mehr als Taktik. Schon in Livland wurde der Herrschaftsanspruch der „gelehrten Bauchdiener" über
die Laien zurückgewiesen und der Gegensatz zwischen dem Geistlichen
und dem Laien in einem eindrucksvollen Bild beschrieben: „Ye höher
der mensch von adel, gewalt, und weißheit der welt ist, ye weniger gottis
weißheit, und Christus die clare sunn, yn erwärmen kann (wie die hochra-
genden Berge kalt und unfruchtbar bleiben). Aber ye dieffer die täler
seindt, ye fruchtbarer, und ye wermer die sunn in sie scheint, also ist es
auch mit den menschen."[30] Dieser Gegensatz wird, wie Deppermann
gezeigt hat, schon sehr früh programmatisch in die Vorstellung einer
charismatischen Gemeinde überführt und geht wohl auf den Einfluß
Karlstadts zurück, der ja als Bruder Andres seinen Gelehrtentalar ab- und
das graue Bauerngewand angelegt hatte und dem Laien das Mitspracherecht in der Gemeinde sicherte, das in der lutherischen Reformation
nicht zum Durchbruch gekommen war.[31] Gesteigert wurde Hoffmans
antiklerikale Haltung vor allem, nachdem er in Straßburg mit furiosen
apokalyptischen Visionären zusammengetroffen war, durch seine drän-
gende endzeitliche Verkündigung. Im Grunde ist das Bild, das er von dem
Ringen am Ende der Tage entwirft, so etwas wie der ins Gigantisch-
Apokalyptische gewendete antiklerikale Kampf der frühen Jahre. „Aber
es sey nach der h. schrifft gantzer welt ein uffrur und rumoren zu besor-
gen, sey vorhanden. Es muß der gantz pfaffenhauff zu grund gan. Es
könn das recht Hierusalem nit uffgebauwen werden oder uffgeen,
Babilon sey dann mit allem seinem hauffen und anhang vor zu grund
gangen und gestürzt."[32]

Antiklerikale Stimmungen herrschten auch in Münster, wo das melchioritische Täufertum für kurze Zeit die Vision Hoffmans von einer
irdischen Theokratie vor der Wiederkunft Christi in Erfüllung gehen sah.
Die Stimmungen, die in einem langwierigen Machtkampf zwischen dem
Bischof und dem Rat geschürt worden waren und mit den sozialen Unruhen in der Stadt einhergingen, haben für einen Umschwung vom alten
zum neuen Glauben gesorgt, und sie haben schließlich, von radikalen
Elementen geschickt genutzt, dafür gesorgt, daß Münster bald dem Täufertum zufiel. Auch der Kampf gegen die Gottlosen, in dem die Täufer
vor physischer Gewalt nicht zurückschreckten, läßt sich als ein Übertragen des antiklerikalen Feindbildes auf diejenigen verstehen, die der
täuferischen Lehre Widerstand entgegensetzten. Antiklerikale Motive
standen ebenfalls hinter den Klosterstürmen der Melchioriten in den Niederlanden und den marodisierenden Feldzügen Jan van Batenburgs nach
der Eroberung Münsters. Und schließlich dürften auf andere Weise auch
der ernste Ruf zur Buße und der rigide Puritanismus eines Menno Simons
ihren Nährboden in der Kritik am Klerus der alten Kirche gehabt haben,
dem er selber entstammte. In seinem „Ausgang aus dem Papsttum"
schrieb er später einmal: „Ich dachte über mein eigenes unreines, fleisch-
liches Leben nach, sowie über meine heuchlerische Lehre und Abgötterei,
die ich täglich zum Schein, ohne innere Neigung meiner Seele zuwider
trieb." Er schildert weiter, wie die Sorge um die „unschuldig irrenden
Schafe" ihn zu plagen und der Auftrag, diese Schafe zur „rechten Weide
Christi" zu führen, sich ihm allmählich aufzudrängen begann.[33] Sein
neuer Beruf, den Unglauben zu bekämpfen und als Seelsorger der versprengten Täufer zu wirken, bildete sich ihm als Gegenbild zur schein-
heiligen Amtsführung des Klerus heraus, die er auch in seinem „Fundamentbuch" recht eindrücklich beschrieben hat.[34]

Diese Andeutungen genügen, um die Behauptung zu stützen, daß
die täuferischen Gruppen nicht nur zufällig oder lose mit dem Antiklerikalismus der Reformationszeit in Verbindung standen, sondern geradezu
aus ihm erwuchsen, aus der Reaktion auf die Mißstände der alten Kirche
und der Aktion für die Erneuerung des christlichen Lebens. In diesem
antiklerikalen Kampf traten für die Täufer bald drei Themenkreise in
den Vordergrund: Das Bild vom rechten Hirten, wie es als Gegenbild
zum Priester der altgläubigen Kirche oder zum Gelehrten des neuen Glaubens entstand, der Umgang mit der Heiligen Schrift, wie er sich aus der
Kritik an dem Mißbrauch der Schrift als Herrschaftsinstrument ergab,
und die „Besserung des Lebens"[35], wozu Hirten und Schrift die Menschen anleiteten. Die Besserung des Lebens ist überhaupt das Ziel der täuferischen Reformation.

Hirten und Schafe

Das biblische Bild vom Hirten, der die Schafe auf gute Weide und zu frischem Wasser führt, ist das Gegenbild zum Priester oder Gelehrten, der das Volk verführt. In diesem Sinne äußerte sich Konrad Grebel bereits im Anschluß an die zweite Zürcher Disputation im Oktober 1523 kritisch über Ulrich Zwingli: „wer meint, glaubt oder sagt, Zwingli handle gemäß dem Amt des Hirten, meint, glaubt oder sagt dies in gottloser Weise."[35a] Der Hirt ist anders als der Priester, Prädikant und Gelehrte, auch seine Aufgaben sind andere.

Im Hutschen Täufertum wird ganz im Sinne Thomas Müntzers die Forderung erhoben, daß nur derjenige die Schafe recht weiden könne, der selber das Werk Gottes im Inneren der Seele erfahren habe und durch Leid und Kreuz zur Erkenntnis Gottes gelangt sei. Dieser Erkenntnisprozeß schließt die Läuterung von Unreinheit und Sünde (mortificatio) ein, die sich nach außen hin in einem moralisch einwandfreien Lebenswandel zeigt. Bereits hier wird deutlich, daß die Täufer nicht eigentlich einem rigiden Moralismus verfallen sind, sondern mit ihrer Kritik an der Moral des Klerus im Grunde eine Kritik an seiner Kenntnis von Gott verbinden. Nur wer Gott wirklich kennt, behaupten die Täufer, sei in der Lage, Menschen zu Gott zu führen, nur wer von Gott gelehrt wird, könne auch die Menschen lehren. Wer jedoch sein Heil nicht in Gott erfahren habe, gleiche einem Blinden, der sich anmaßt, Blinde zu führen.[36] Auch im Schweizer Täufertum wird vom Hirten ein untadeliger Lebenswandel erwartet. Die Schleitheimer Artikel fordern von ihm sogar, daß er „einen guten Leumund von denen hat, die außerhalb des Glaubens sind". Ganz offensichtlich soll auf diese Weise die Glaubwürdigkeit der christlichen Gemeinde vor aller Welt sichergestellt werden. In Schleitheim wird deshalb auch eine „Disziplinarordnung" für die Hirten und Vorsteher beschlossen: „Wenn aber ein Hirte etwas tun sollte, was der Zurechtweisung bedarf, soll mit ihm nur vor zwei oder drei Zeugen gehandelt werden. Und wenn sie sündigen, sollen sie vor allen zurechtgewiesen werden, damit die andern Frucht haben."[36a] Auch hier geht es nicht nur um ein moralisches Argument. Mit der Forderung nach einem einwandfreien Lebenswandel der Hirten soll vielmehr die Zugehörigkeit der Gemeinde zu Christus dargestellt und die Absonderung von den Kräften der Finsternis begründet werden. „Denn die zu Christus gehören, die haben ihr Fleisch gekreuzigt mitsamt allen Lüsten", alle anderen sind des Teufels, sie sind zu meiden und zu fliehen.[37] Außerdem soll die Untadeligkeit der Hirten die Gewähr dafür bieten, daß die Schafe auf ordentliche Weise ermahnt werden, denn niemand könnte für Zucht und Ordnung sorgen, der sich nicht selber eine solche Disziplin auferlegte. Verband sich mit dem moralischen Argument im Hutschen Täufertum eine soteriologische, so tritt im Schweizer Täufertum eine ekklesiologische Absicht zutage. Auf die Gefahr, die in der Schleitheimer „Disziplinarordnung" lauerte, hat übrigens Pilgram Marpeck aufmerksam gemacht, wenn er über die rigorose Bannpraxis, der oft auch die Hirten zum Opfer gefallen sind, klagt und die Gemeinden zur Raison ruft: „Das ist jee wider die arth Christi, das die herd den hirten straffen, sonder der hirt soll die schaf waiden."[38] Ein übertriebener Purismus hat sich in späteren Jahren auch verhängnisvoll auf die Mennonitengemeinden ausgewirkt und eine leidvolle Geschichte der Spaltungen eröffnet.

Die Aufgaben des Hirten werden in den Schleitheimer Artikeln kurz und bündig beschrieben: „Sein Amt soll sein Lesen und Ermahnen und Lehren, Mahnen, Zurechtweisen, Bannen in der Gemeinde und allen Brüdern und Schwestern zur Besserung vorbeten, das Brot anfangen zu brechen und in allen Dingen des Leibes Christi achthaben, daß er gebaut und gebessert und dem Lästerer das Maul verstopft wird."[39] Auf den ersten Blick scheint der Hirte mit einer beherrschenden Macht über die Gemeinde ausgestattet zu sein. Mahnen, Zurechtweisen und Bannen sind geistliche Machtmittel, die in dieser massiven Zusammenstellung ein eindrückliches Zeugnis von der Unfreiheit der Gemeindeglieder ablegen könnten. Doch so ist dieser Aufgabenkatalog nicht gemeint. Auf dem Hintergrund des antiklerikalen Leitbildes bedeutet er vielmehr eine Einschränkung der geistlichen Herrschaft über den Einzelnen. Der Hirt legt nicht die Heilige Schrift in der Predigt mit verbindlicher Autorität aus, sondern liest nur aus der Schrift vor, so daß Spielraum für das gemeinsame Finden der Wahrheit in der Schrift bleibt. Das Predigen wird interessanterweise überhaupt nicht erwähnt. Der Hirt stellt sich beim Abendmahl auch nicht zwischen die Gemeinde und Gott, sondern beginnt nur, das Brot zu brechen und weiterzureichen. Dadurch wird der Charakter des Gemeinschaftsmahls unterstrichen. Der Hirt staucht die Gemeindeglieder nicht zusammen, sondern kümmert sich um jedes einzelne Schaf, ermahnt und hilft und spricht den Bann nur über die unverbesserlichen Sünder, um den Leib Christi reinzuerhalten. Antiautoritär und besorgt: dies antiklerikale Leitbild steht hinter dem Schleitheimer Aufgabenkatalog. Es steht auch hinter der Regelung, daß die Gemeinden für den Unterhalt ihrer Hirten aufzukommen hätten. Auf diese Weise sollte zum Ausdruck kommen, wie wenig ihre Hirten in der Versuchung stehen, um des Geldes wegen, was sie ja den Prädikanten vorwarfen, predigen zu müssen. Die Gemeindeglieder trugen ihre Hirten und Ermahner.

Allerdings ist es in vielen Gemeinden dann doch bald zu einer Herrschaft der Hirten gekommen. Eine ähnliche Entwicklung stellte sich im niederdeutschen Raum ein. Das lag nicht so sehr an starken und eigensinnigen Persönlichkeiten, die dort auftauchten, sondern vor allem daran, daß sich in der Theologie des späten Melchior Hoffman unter mystisch-apokalyptischem Einfluß ein Sinn für charismatische Führung herausgebildet und den früheren Ansatz einer demokratischen Gemeinde- und Leitungsstruktur zurückgedrängt hatte. Sehr schnell hat hier eine „Ältestenoligarchie" die Führung übernommen und das oligarchische Prinzip auch für jene Zeit vererbt, in der die apokalyptische Stimmung allmählich zu erlöschen begann., Ein anderer Führungstyp bildete sich im Hutschen Täufertum heraus. Hier wurde das Leitungsamt nicht vom Charakter der Gemeinde, wie in der Schweiz, sondern von der prophetischen Sendung her konzipiert. Boten wurden ausgesandt und durchzogen missionierend die Lande. Dem altgläubigen Priester oder dem evangelischen Pfarrer, die sich auf ihre Parochie beschränkten, trat der Missionar gegenüber, der überall einfiel, in Winkeln und Gassen, in Wirtshäusern und auf Feldern die Zeugen der Apokalypse sammelte und für das Gericht am Ende der Tage versiegelte. Da das Hutsche Täufertum in seiner ursprünglichen Form nur kurze Zeit bestand, hat es zwar beeindruckende Führergestalten hervorgebracht, blieb jedoch von allzu krassen autoritären Fehlentwicklungen verschont. Anders freilich sah es in den huterischen Gemeinden aus, in denen die „Diener am Wort" oder die „Regirer" (Peter Riedemann) die geistlichen und die „Diener der Notdurft" die wirtschaftlichen Belange wahrnahmen. In diesen Gemeinden hat Jakob Huter beispielsweise mit fester Hand für Zucht und Ordnung gesorgt und eine autoritäre Tradition begründet.

Martin Luther hatte mit seiner Auffassung vom Priestertum aller Gläubigen den geweihten Stand des Priesters erschüttert und die geistliche Würde der Laien zur Geltung gebracht. Das gab dem Antiklerikalismus der frühen Reformationsjahre zweifellos einen großen Auftrieb. Im Täufertum wirkte sich diese Auffassung so aus, daß das Gefälle zwischen dem Hirten und den Schafen nivelliert wurde. Die Täufer verwarfen die reformatorische Lehre von der Berufung zum Amt, die in ihren Augen wieder zu einem Abstand zwischen dem Prediger und dem gläubigen Laien führen mußte. Sie meinten, daß jeder berufen sei, das Evangelium zu verbreiten, der nach der „Ordnung Gottes", wie es oft heißt, zum Glauben gekommen war und sich nach dieser Ordnung den Glauben bewahrte. Sehr deutlich sprachen hessische Täufer aus, „das ein iglicher predigen möge, der ein rechten glauben habe, wan er auch von niemand gesant sei; dan Christus habe einem jeden zu predigen mit diesem spruch Gewalt geben: Gehet hin, leret alle Völker."[40] Der Hirte, Vorsteher oder Älteste übernahm Aufgaben, die zwar wichtig waren, von ihm aber dem Laien gegenüber keine besondere Dignität forderten, so wenig wie sie ihm

eine solche zuwiesen. Das schloß auch die Amtsautorität ein. Im Hutschen Täufertum wurden die Qualitäten eines Boten oder Apostels im
Prinzip genauso beschrieben wie die Eigenschaften, die einen wahren
Christen ganz allgemein auszeichnen. Hans Schlaffer beispielsweise nutzt
das antiklerikale Feindbild, um das Wesen des Christen zu beschreiben,
so daß zum Gegenbild des Priesters oder Gelehrten nicht eigentlich der
täuferische Bote oder Hirte sondern der Laie oder das Schaf wird: „Dann
gailig, fresser, saufer, lesterer und abgötterei (Paulus haist die geitzigkeit
ein dienst der abgötterei usw.), wer nun mit diesen lastern lange zeit in
der welt beladen ist geweesen für andern und noch . . . solche seindt nit
Christen . . . Herwiderumb seind das Christen, die also gesünnet sein wie
Christus, wie auch Paulus sagt, und wappnen sich zu leiden, mischen sich
nit in das gemeng der welt, habén kain gmainschaft mit den werken der
fünsternus sonder mit den werken des liechts, schämen sich ihres maisters
Christi noch seiner wort nit, im in den selben (ein ieder nach seiner maß
und mit getailter genad) nach zu volgen."[41] Diese Auffassung wird von
dem mystischen Grundgedanken getragen, daß der Auserwählte von niemand anderem als von Gott selber gelehrt und deshalb auch niemand anderes als nur er berufen sei, die göttliche Stimme in dieser Welt laut werden zu lassen. Dies Kriterium, das für jeden wahren Christen gilt, rechtfertigt die Sendung der Täufer und wird zu einer kritischen Herausforderung der kirchlichen Amtsträger, die ihre Berufung, wie Luther es
fordert, auf eine obrigkeitliche (menschliche) Anweisung zurückführen
müssen.

Ähnlich haben, wenn auch mit einer anderen theologischen Begründung, die Schweizer Täufer gedacht. Selbstbewußt trat Jörg Blaurock
einem Prediger, der in Zollikon gerade die Kanzel besteigen wollte, in
den Weg und rief ihm zu: „Du bist nit, sunder ich gesant ze predigen."[42]
Nicht selten haben diese Täufer sich als „Diener" und „Knechte" Gottes
verstanden und, wie Felix Mantz, aus dem Bekenntnis, das sie in angefochtener und bedrängter Situation für ihren Herrn Jesus Christus ableg-
ten, die Rechtmäßigkeit ihrer missionierenden Arbeit in anderen Pfarren
und Gemeinden abgeleitet.[43] Auch später sind die Täufer immer wieder
nach der Rechtmäßigkeit ihrer Berufung gefragt worden. Besonders ein-
drucksvoll wird diese Frage zu Beginn des Gesprächs erörtert, das Berner
Prädikanten mit Täufern 1532 in Zofingen führten. Den Täufern wurde
zwar zugestanden, sich untereinander zu ermahnen und zu besprechen,
ihnen wurde aber das Recht abgesprochen, in der Gemeinde oder hinter
dem Rücken der Gemeinde zu predigen. Die Täufer indessen beriefen sich
auf die Argumente der Apostel, die einst, wie sie jetzt, auch ihre Berufung rechtfertigen mußten: „Als ouch ich das sigel und pfand in minem
hertzen hab, das ich bereufft bin von gott und nit vom tüffel. Darumb

wird ich mich syner sendung nit entzühen. Wir habend gloubt, darumb
redend wir, 2. Corinth. 4. Wir hand zügknuß unsers labens, das wir uns
von der walt und sünd bekert und uns gebessert. Darumb synd wir ouch
gesandt zu verkünden die tugendt des, der uns berufft hat."[44] Die Prädikanten haben sich zwar bemüht, die Täufer auf den Unterschied zwischen
der inneren Berufung zu einem christlichen Leben und der Berufung zum
Predigtamt hinzuweisen, doch die Täufer ließen diesen Unterschied
ebenso wenig wie die „ungewicht lut und buben", die 1525 während der
antiklerikalen Frühzeit der St. Galler Reformation in den Trinkstuben
und auf dem Tanzboden predigen durften[45], gelten. Sie bestanden, von
ihrer antiklerikalen Frontstellung motiviert, auf einer radikalen Laisie-
rung des Hirtenamts. Nur so glaubten sie verhindern zu können, daß
nicht der Welt und den Menschen nach dem Munde, sondern Gott zu
Lob und Ehre gepredigt würde. Also nicht nur im Hutschen, sondern
auch im Schweizer Täufertum war letztlich der gläubige Laie der „Gegen-
spieler" des offiziell berufenen Prädikanten. Und diese Tendenz setzt
sich, mit unterschiedlichen Argumenten zwar, auch in den übrigen täuferischen Gruppen durch. Das Sendungsbewußtsein der Täufer wurzelte
existentiell für jeden einzelnen in der unmittelbaren Berufung durch
Gott; daß dies Bewußtsein aber erwachte und oft so energisch und über-
spannt zum Ausdruck gebracht wurde, erklärt sich zu einem großen Teil
aus dem antiklerikalen Kampf, in dem die Täufer standen. Elsa Bernhofer-Pippert hat übrigens beobachtet, daß die Berufung zum Hirtendienst
in späterer Zeit an feste Verfahrensregeln in den Gemeinden gebunden
wurde: „Je aufmerksamer die Gemeinde über die Besetzung der Ämter
wachte, umso geringer wurde die Zahl der Brüder, die von sich aus predigend im Lande umherzogen. Der Enthusiasmus der Anfangszeit
schwächte sich mehr und mehr ab."[46] Der antiklerikale Aufbruch erstarrte zu Formen, die allmählich wieder Züge des kirchlichen Gegen-
bildes anzunehmen begannen, ohne allerdings ihren antiklerikalen Ursprung ganz verleugnen zu können.

Claus-Peter Clasen hat den Haß der Täufer gegen die Geistlichkeit der
großen Kirchen mit der Verfolgung erklärt, der sie ausgesetzt waren, und
darin den Grund für die maßlos übertriebene Kritik am Leben dieser
Geistlichkeit, wie er meinte, gesehen. Sicherlich waren die moralischen
und theologischen Vorwürfe überzogen, doch das sollte weniger Anlaß
sein, den Täufern Realitätsverlust zu bescheinigen, als viel mehr die
sprachlich ritualisierte Form dieser Vorwürfe zu erkennen und mit dem
Antiklerikalismus der frühen Reformationsjahre in Verbindung zu bringen, denn dieser Antiklerikalismus ist dafür verantwortlich, daß die
Täufer eine „ganz andere Vorstellung vom geistlichen Dienst"[47] ent-
wickelten als die Reformatoren. Der Antiklerikalismus ist also nicht

Folge, sondern Ursache dieser ganz anderen Vorstellung. Verkehrt haben mag sich dieses Verhältnis dann in den späteren Jahren. Die neue täuferische Vorstellung wird Anlaß zu Befragung und Verfolgung gegeben und den antiklerikalen Affekt der frühen Zeit bestätigt und bestärkt, auf jeden Fall lebendig erhalten haben.

Umgang mit der Schrift

„Eines jeden Bauern Haus ist eine Schule, darin man Neues und Altes Testament, die höchste Kunst, lesen kann."[48] Dieser Bericht aus der Schweiz ist sicher übertrieben, er trifft aber die veränderte geistliche Situation der frühen Reformationsjahre doch recht genau. Die Lehrautorität des Papstes und des Klerus war erschüttert. Der Laie nahm die Heilige Schrift selbst in die Hand, las in ihr oder ließ sich vorlesen. Er fand Nahrung für seinen Glauben und seine Frömmigkeit, die ihm bisher vorenthalten worden war. Er entdeckte auch Formen menschlichen Verhaltens und brüderlicher Kommunikation, die in hartem Gegensatz zu Messe, Ablaß und klerikaler Machtentfaltung standen. Die Bibel wurde zu einer Quelle, aus der kritische Anregungen für Kirche und Gesellschaft und alternative Vorstellungen von christlicher Gemeinschaft strömten. Die Bibel in der Hand des Bauern oder im Gepäck des Wandergesellen war zunächst ein Unterpfand für die Befreiung des Laien aus geistlicher Knechtschaft. Bald wurde sie auch mit dem Ruf nach dem „göttlichen Recht" im Kampf gegen soziale und politische Bedrückung genutzt. Sie setzte antiautoritäre Aggressionen frei.

In den Kirchen begannen reformgesinnte Priester und Prädikanten, die Heilige Schrift wieder in ihr Recht einzusetzen, und gelegentlich geschah das so intensiv, daß sie sich den Spott der Leute zuzogen: „Sy tund nüt denn testamenten unnd testamenten."[49] Eine große Bedeutung für die Einführung der Reformation erlangten in Zürich und St. Gallen, in Memmingen und an anderen Orten auch die Kreise, die sich zu gemeinsamer Lektüre biblischer Schriften zusammenfanden. Unter den Teilnehmern in Zürich, wo man sich seit 1522 im Hause des Buchhändlers Andreas Castelberger traf, um den Römerbrief zu erforschen, und in St. Gallen, wo Johannes Keßler unter dem Argwohn der Altgläubigen Lesungen hielt, saßen auch jene Männer, die in der antiklerikalen Szene auftauchten und den Weg ins Täufertum fanden. Konrad Grebel anerkennt in seinem Brief an Müntzer, daß die Reformatoren dem Volk das Evangelium geöffnet hätten, er läßt aber keinen Zweifel daran, daß auch das Wort der „antipäpstlichen Prediger" noch solange nicht mit dem göttlichen Wort übereinstimme, wie nicht wirklich Konsequenzen

ohne Rücksicht auf menschliche Besorgnis und Schwachheit daraus gezogen würden. Grebel steht auf dem Boden des „sola scriptura", den
Reformatoren aber, die seiner Meinung nach göttliches und menschli-
ches Wort miteinander vermischten, bestreitet er, auf diesem Boden zu
stehen. So betrachtet er den biblischen Aufbruch der Reformation, an
dem er mit seinen Freunden als „Zuhörer" und „Leser" teilgenommen
hatte, nachdem sie die Schrift selber in die Hand genommen hätten und
eines Besseren belehrt worden seien, als einen Irrtum. Ihnen sei auf
einmal klar geworden, „daß wir nämlich Gott nicht täglich ernstlich mit
stetem Seufzen bitten, daß wir aus der Zerstörung alles göttlichen Lebens
und aus den menschlichen Greueln herausgeführt werden und zum wahren Gottesdienst kommen."[50] In der Forschung ist vor einigen Jahren
das Problem der Wende in der Zürcher Reformation sehr heftig diskutiert
worden, ob nämlich Zwingli oder ob die Täufer ihre ursprünglichen Absichten geändert hätten.[51] Im Blick auf die Klage Grebels über den Irrtum, dem er selber erlegen gewesen sei, ist das jedoch gar keine Frage.
Die Täufer haben den neuen Umgang mit der Schrift als ein Erlebnis erfahren, das ihr Engagement für eine Reform der Christenheit von Grund
auf veränderte. Mit dieser Wende haben die Täufer allerdings keine Abkehr von ihren antiklerikalen Absichten vollzogen, ganz im Gegenteil,
sie haben ihr neues Schriftverständnis, wo immer es angegriffen wurde, in
antiklerikaler Manier verteidigt. Das Schmähwort „Schriftgelehrte", das
wird jetzt deutlich, entsprang in Zürich nicht einer spiritualistischen Ab-
wertung des äußeren Buchstabens wie im Hutschen Täufertum, sondern
gerade umgekehrt einer strengen Auslegung des „sola scriptura"-Prinzips.
Wer sich weigert, der Schrift genug Weisheit und Rat dafür zuzutrauen,
„wie man alle Stände, alle Menschen lehren, regieren, weisen und fromm
machen soll"[52], der läßt sie nicht voll zum Zuge kommen. Dieser Streit
gipfelte schließlich in dem Vorwurf, Zwingli habe der Schrift mehr Gewalt angetan als der alte Papst.[53]

Der theologische Gegensatz zwischen Zwingli und den Täufern ist
gelegentlich in dem unterschiedlichen Umgang mit der Schrift gesehen
worden. Den Täufern wurde ein gesetzlicher Schriftgebrauch vorgeworfen, während Zwingli sich bemüht habe, die Schrift evangeliumsgemäß
auszulegen. Bevor auf diesen Vorwurf eingegangen werden kann, muß gesagt werden, daß der täuferische Umgang mit der Schrift, der alle Bereiche des individuellen, kirchlichen und öffentlichen Lebens umschließt,
seine Wurzel im antiklerikalen Erneuerungsimpuls der frühen Reformationsjahre hat. Es ist für die Täufer ja selbstverständlich, daß die Alternative, die sie dem verkommenen Zustand der Christenheit entgegen-
zusetzen versuchten, das individuelle Heilsbedürfnis genauso befriedigen,
wie es die Probleme des kollektiven Wohls lösen mußte. Ihre Reformation

mußte vom antiklerikalen Ansatz her eine Reformation von innerer Frömmigkeit und äußerer Ordnung sein. Und wenn das „sola scriptura"-Prinzip, dessen antiklerikale Brisanz sie unter Anleitung der Reformatoren erfahren hatten, tatsächlich zur Geltung kommen sollte, dann mußte es auf beide Bereiche, auf Frömmigkeit und Ordnung, auf den Glauben und die Bräuche, wie es im Grebelbrief heißt, angewandt werden. Unter diesem Gesichtspunkt tritt die Auseinandersetzung um den Schriftgebrauch in ein neues Licht. Es geht jetzt nicht mehr, wie in der klassischen Diskussion um eine legalistische Hermeneutik, um die Frage, ob die Täufer Stellen der Schrift sklavisch genau auf ihre Gegenwart angewandt hätten oder nicht, sondern darum, in welchem Maße die gesamte Wirklichkeit des Menschen unter den Anspruch des göttlichen Wortes, das auch für die Täufer nicht an der Schrift vorbei zu finden sei, treten müsse. Die Frage der Gesetzlichkeit ist nicht gleich auf dem Felde der Schriftauslegung zu entscheiden.

Das gilt allerdings nur für die Frühzeit des Täufertums. Später haben die Schweizer Brüder oftmals einen recht exzessiven Gebrauch von der Heiligen Schrift gemacht. Sie wollten nur gelten lassen, was ausdrücklich in der Schrift geboten wurde, was nicht geboten oder geregelt wurde, war verboten. So sind auch die belanglosesten Formen menschlichen Verhaltens und Zusammenlebens unter biblischen Zwang geraten. Die Heilige Schrift wurde zum Gesetzbuch. Heinrich Bullinger, der Nachfolger Zwinglis in Zürich, hat das genauso kritisiert wie Pilgram Marpeck, der einen Kreis freierer Täufer um sich sammelte. Die Zürcher Täufer hatten in ihrer Anfangszeit die Bibel mit den Augen von Menschen zu lesen gelernt, die ohnmächtig zusehen mußten, wie ihre Hoffnung auf eine gründliche Reform der Christenheit zunichte wurde. In dieser Ohnmacht erschloß sich ihnen im Umgang mit der Schrift, wie sehr die Reformatoren diese Schrift immer noch als Macht- und Herrschaftsinstrument verwandten, um sich kirchenpolitisch durchzusetzen. Offensichtlich war die neue Erfahrung mit der Heiligen Schrift bei den Täufern nicht so durchschlagend, daß ihre Nachfolger in späteren Jahren davor gefeit gewesen wären, die Schrift je selber einmal als ein Herrschaftsinstrument in den eigenen Gemeinden zu gebrauchen. Clarence Bauman meinte, daß im Täufertum „nicht die Macht, sondern die Leidensbereitschaft kennzeichnend für die Wahrheit war"[54], die in der Heiligen Schrift gefunden werden konnte. Dieser Satz muß sehr stark eingeschränkt werden.

Michael Sattler hat den Übergang zur gesetzlichen Schriftauslegung unter den Schweizer Brüdern markiert: „Und laßt euch durch niemanden von der Grundlage abbringen, welche durch den Buchstaben der Schrift gelegt und mit dem Blute Christi und vieler Zeugen Jesu besiegelt ist."[55] In diesem Satz aus dem Brief an seine Anhänger in Horb

5. Satire auf das üppige Mönchtum von Sebald Beham 1521

könnte man bereits einen gesetzlichen Umgang mit der Schrift herauslesen. In der antiklerikalen Situation konnte dieser Satz freilich auch als eine Aufforderung gehört werden, sich die Freiheit zu nehmen und mit der Schrift gegen alle menschlichen Zusätze zum Evangelium vorzugehen. Der Hinweis auf den Buchstaben der Schrift könnte im Sinne des Protests verstanden werden, den Felix Mantz beim Zürcher Rat einlegte, das Wort Gottes „frei" und die „Wahrheit Wahrheit sein" zu lassen.[56] Eine Sicherung gegen eine gesetzliche Schriftauslegung wird zunächst auch die Unterscheidung gewesen sein, die die Täufer zwischen dem Wort Gottes, das im Inneren des Menschen in der Gestalt des Heiligen Geistes wirkte — Mantz sprach von der inneren Reinigung durch den Heiligen Geist oder davon, daß der Geist die Schrift öffne[57] — und dem geschriebenen Wort machten. In den Quellen der frühen Zürcher Täufer finden sich allerdings kaum Anzeichen dafür, mit welcher theologischen Begründung Geist und Buchstabe zusammengehalten werden. John H. Yoder wird Recht haben, wenn er schreibt: „Weder als Innerlichkeit noch als Sonderoffenbarung steht der Geist der Schrift gegenüber, sondern er ist es, der einen allgemeinen biblischen Imperativ auf einen bestimmten Ort und einen bestimmten Augenblick beziehen lehrt und so das Verständnis dafür öffnet, daß die Schrift Realität ist."[58] Eine wichtige Klammer für den Zusammenhalt von Geist und Schrift scheint mir die antiklerikale Situation zu sein: Sie fördert die Hinwendung zum Geist genauso wie die Berufung auf den Buchstaben der Schrift. Beide verheißen den Täufern Freiheit von kirchlicher Hierarchie und gelehrter Auslegung der Schrift. So intensiv die deutlichen und klaren Stellen der Schrift unterstrichen wurden, so kräftig schlug das Pendel gelegentlich doch auch auf der Seite des Geistes aus, vor allem bei den Enthusiasten im Gebiet von St. Gallen, gegen die sich bald die Täufer in Schleitheim wandten. Das frühe Täufertum hat die Balance zwischen Geist und Schrift nicht immer halten können. Theologisch reflektiert wird das Verhältnis von Geist und Schrift erst bei Balthasar Hubmaier. Mit reformatorischer Wucht betont er das Hören des äußeren Wortes, doch in der entscheidenden Phase des Heilsprozesses tritt unter dem Einfluß des augustinischen Spiritualismus die Wirkung des äußeren Wortes (signum) zugunsten des inneren Geistwirkens (res) zurück.[59] Hubmaier stieß ebenso wenig wie Zwingli ganz zum reformatorischen Wortverständnis Luthers durch, in dem Wort und Geist miteinander identifiziert wurden. Denkbar ist, daß auch die frühen Täufer im Umkreis Zwinglis ähnlich wie Hubmaier dachten. Der antiklerikale Drang zum Buchstaben der Schrift hat das augustinische Denkmuster, das sie mit Zwingli und mit Karlstadt teilten, zunächst ein wenig verdeckt. Doch daraus eine Differenz zwischen Zwingli und den Täufern abzuleiten, wie Yoder es tat, ist nicht erlaubt.[60]

Es muß noch auf eine andere Erfahrung hingewiesen werden, die für den täuferischen Umgang mit der Schrift wichtig wurde. In seiner Polemik gegen die Glaubenstaufe ist Zwingli sehr bald auf die Analogie zwischen der Beschneidung im Alten Bund und der christlichen Taufe im Neuen Bund verfallen. Auf diese Weise konnte er die Taufe an unmündigen Kindern biblisch rechtfertigen. Die Täufer haben dies Argument zurückgewiesen und sind nach und nach zu der Einsicht gelangt, daß es nicht statthaft sei, das Alte Testament überhaupt als Autorität in den Angelegenheiten des christlichen Gottesvolkes heranzuziehen. Verbindlich könne nur sein, was im Neuen Testament geboten sei. Je intensiver Zwingli auf dem alttestamentlichen Argument bestand, umso mehr wurden die Täufer genötigt, das Alte Testament fallen zu lassen. Und bald drängte sich den Täufern der Eindruck auf, daß die Reformatoren das Alte Testament brauchten, um ihr ganzes Reformkonzept durchziehen zu können: Die Erneuerung der Kirche mit Hilfe der weltlichen Obrigkeit wurde mit der politisch-theologischen Einheit des alttestamentlichen Gottesvolkes gerechtfertigt. Zwingli befand sich auf dem Weg, Zürich nach dem Muster einer alttestamentlichen Theokratie zu reformieren. Die Täufer mußten also, je länger je mehr, ihre Reformalternative im Gegenzug ausschließlich auf das Neue Testament gründen. Clarence Bauman behauptet, die Unterscheidung der Testamente sei von dem christologischen Grundgedanken ausgegangen: „Christus ist die vollendete Offenbarung des Willens Gottes."[61] Das ist nicht ganz richtig. Die

Täufer sind schließlich zu diesem Grundgedanken geführt worden. Ausgangspunkt aber war der massive Versuch Zwinglis, die Kindertaufe mit dem Alten Testament zu retten, dem sich die Täufer mit der Schrift des neuen Gottesvolkes, dem Neuen Testament, widersetzten. Und erst im Widerstand wird ihnen der christologische Grundgedanke aufgegangen sein. Bestärkt wurden sie darin noch von den Antithesen in der Bergpredigt Jesu, die das für die Täufer immer wichtiger werdende Problem der Eidesleistung und der Gewaltlosigkeit mit der schroffen Alternative zwischen dem alten und dem neuen Bund lösen. Johannes Calvin machte in einem Brief an Wilhelm Farel 1546 seinem Ärger über das „entsetzliche Dogma der Täufer: Abgetan ist das Alte Testament!" Luft.[62] So kann nicht verwundern, daß die Frage nach der Autorität der beiden Testamente in den Gesprächen, die zwischen Reformatoren und Täufern stattfanden, oft als methodische Voraussetzung für die Gesprächsführung erörtert wurde. Am ausführlichsten geschah das im Frankenthaler Gespräch von 1571.[63] Beide Seiten hatten sich bereits in frühen Jahren auf das alternative Rechtfertigungskonzept ihrer Reformabsichten versteift, so daß mit der Lösung dieser Frage praktisch auch schon über den Ausgang der Gespräche zu den einzelnen Streitpunkten entschieden war. Zu einer Lösung ist es freilich nicht gekommen, in mühsamen Diskussionen wurden für die gegenteiligen Positionen nur immer neue Argumente herbeigebracht. Diese Gespräche wurden nicht allein von den Reformatoren, sondern auch von den Täufern blockiert. Die einen waren im Grunde genauso wenig gesprächsoffen wie die andern.

Anders als die frühen Täufer in der Schweiz gingen die oberdeutschen Täufer, die unter dem Einfluß Hans Huts und Hans Dencks standen, mit der Schrift um. In ihnen wirkte das mystisch-spiritualistische Erbe Thomas Müntzers nach. Sie stellten den „Geist" gegen den „Buchstaben" der Schrift, oder in den Begriffen der mittelalterlichen Augustinrezeption gesprochen: „res" gegen „signum". Geist und Buchstabe sind durch eine ontologische Schranke voneinander getrennt. Es führt kein Weg vom Buchstaben zum Geist; der Buchstabe läßt sich nur vom Geist erschließen. „Wer den gayst nit hatt in in der schrifft zu finden sich vermißt, der suchet liecht und findt finsternuß, suchet leben und findet eyttel todt, nitt allain im alten testament, sonder auch im newen; das ist die ursach, das sich die allergelertisten allezeyt am allermaysten ergeren an der warhait, dann sy mainen, ir verstand mög inen nit fälen, den sy so klug und zart auß der heiligen schrifft erlesen haben."[64] Es wird sicherlich nützlich sein, zwischen Dencks und Huts Auffassungen über die Schrift genau zu unterscheiden, doch in den groben Zügen sind sie einer Meinung. So kann Hut diejenigen, die den Glauben in der Schrift zu finden meinen, sehr scharf angreifen, weil sie die Welt „unter dem Deck-

mantel der Heiligen Schrift" mit einem „gedichteten Glauben" betrügen.[65] Die antiklerikale Frontstellung gleitet in diesem Täufertum, wie
bereits oben gezeigt wurde, sehr schnell in eine Kampfstellung gegen die
gelehrten Reformatoren hinüber, die als „Schriftgelehrte" den Buchstaben aus der Schrift „stehlen", und erhält vom mystischen Spiritualismus theologische Argumente und Begründungen.

Die Entwertung der Heiligen Schrift durch den Geist kann nicht stark
genug betont werden: „Also mag eyn mensch, der von Gott erwelet ist,
on predig und geschrifft selig werden."[66] Ähnlich wie Müntzer haben
einige Täufer auch das Recht auf neue Offenbarungen verteidigt, die
ihnen in Träumen oder Gesichten zuteil wurden. Doch diese Täufer
waren nicht sehr zahlreich. An den Rändern der Hutschen Bewegung entstand allerdings aus Enttäuschung über das Ausbleiben des Weltgerichts
die „Träumersekte" und ein ähnlicher Kreis um Augustin Bader.[67] Aus
dieser Tendenz zu neuen Offenbarungen darf jedoch nicht geschlossen
werden, daß die Bibel mit Füßen getreten werde oder, wie Luther es
Müntzer vorwarf, für die Täufer „Bibel, Bubel, Babel" sei. Ganz im
Gegenteil: Die Bibel steht auch in diesem Täufertum hoch im Kurs. Darüber schreibt Denck in dem eben zitierten Widerruf: „Die heilige geschrift halt ich uber alle menschliche schätze", er fügt freilich sofort hinzu: „aber nitt so hoch alß das wort Gottes." Die Schrift kann kein böses
Herz bessern, doch sie kann einem frommen Herzen „zu gutem und zur
seligkeyt" helfen.[68] Andere vertreten in engerem Anschluß an Müntzer
die Meinung, daß die Schrift, teilweise schon das Buch der Natur, den
Weg zeigt, wie man zum Glauben kommt. Die Heiligen Schriften sind von
solchen Männern geschrieben worden, die diesen Weg bereits gegangen
und mit dem Heiligen Geist begabt worden sind. Ihnen könne man sich
anvertrauen, genauso wie man denjenigen vertrauen sollte, denen die
Schrift durch den „Schlüssel Davids", wie es oft heißt, aufgetan worden
sei. Mit diesem geheimnisvollen Begriff, der sich auch bei Erasmus von
Rotterdam und Thomas Müntzer findet, ist wohl gemeint, daß die Schrift
sich nur dem Menschen erschließt, der bereit ist, sich in Trübsal und Leiden von den Sünden reinigen und mit dem göttlichen Geist erfüllen zu
lassen.

Auch im oberdeutschen Täufertum wird den Reformatoren ein selek-
tiver Umgang mit der Schrift vorgeworfen; sie würden die Schrift „trüm-
merweiß auffklauben" und nur das gelten lassen, was ihnen ins Konzept
paßt. Mit diesem Vorwurf wehren die Täufer sich vor allem gegen die
Behauptung, daß das Gesetz Gottes erledigt sei und nicht mehr erfüllt
zu werden brauche. Im Schweizer Täufertum bezog sich der Vorwurf
des selektiven Umgangs auf die Geltung der Schrift in äußeren Dingen,
d.h. genau auf Fragen der Struktur und Ordnung der Kirche. Hier bezieht

er sich auf den Heilsprozeß im Inneren des Menschen. Das Leiden, in das das Gesetz den Menschen führen will, muß akzeptiert, es kann auf keinen Fall unter Hinweis auf das erledigte Gesetz, den Inbegriff des Alten Testaments, umgangen werden. Die „ganze" Heilige Schrift muß erfüllt werden. So wird die Schranke zwischen dem Alten und dem Neuen Testament niedergerissen. Besondere Konsequenzen hat das, wo die apokalyptische Grundstimmung sich mit der Militanz des mosaischen Gesetzes verbindet, also weniger bei Denck als viel mehr bei Hut. Auf diesem Umweg kommt dann freilich die Schrift, sobald apokalyptische Mitverantwortung wahrzunehmen ist, auch in äußeren Dingen zur Geltung. Die Ankündigungen endzeitlicher Wirrnis und Trübsal, die über die Menschen kommen werden, die Drohungen mit dem Strafgericht, die Aufforderung zur großen Scheidung, der Wechsel der Herrschaft von den Gottlosen auf die Auserwählten, dieser ganze apokalyptische Vorstellungskreis berührt die Verfassung der Gesellschaft genauso, wie er die soziale Gestalt der täuferischen Bewegung prägt. Er wird am Anschauungsmaterial der Bibel gebildet und mit ihm gerechtfertigt. Eine Abschwächung der alttestamentlichen Schriften ist allerdings bei Leonhard Schiemer zu beobachten, wenn er sagt, daß alles, was im Alten Testament stünde, auch im Neuen zu finden sei.[69] Doch im Grunde bestätigt auch Schiemer, wenn er das Alte in das Neue Testament hineinzieht, daß die Schranke zwischen den Testamenten gefallen ist. Dem Geist steht die „ganze" Schrift gegenüber, ihm dient Altes und Neues Testament. Es gibt kaum Berührungen zwischen dem schweizerischen und dem oberdeutschen Schriftverständnis. Gemeinsam ist beiden Gruppen zwar der antiklerikale Verwendungszusammenhang der Schrift und das geistige Klima eines augustinisch gefärbten Spiritualismus. Der frömmigkeitsgeschichtliche Hintergrund der Begründungen, die Verknüpfung der Argumente und die konkreten Konsequenzen, die daraus gezogen werden, sind aber so verschieden, daß es falsch wäre, die verschiedenen Ausprägungen des täuferischen Schriftverständnisses, wie Clarence Bauman es getan hat[70], zu harmonisieren.

Probleme hat es bei den Täufern also einmal in der Zuordnung von Geist und Buchstaben und zum andern von Altem und Neuem Testament gegeben. Beide Problemkreise gehören zur allgemeinen Diskussion um das Schriftverständnis in der Reformationszeit und sind Pilgram Marpeck sehr bewußt gewesen. In Straßburg ist er mit den Täufern in Berührung gekommen, die aus ihrem extremen Spiritualismus keinen Hehl machten. Dazu zählten Jakob Kautz und Johannes Bünderlin. Und nach seiner Ausweisung aus Straßburg hat er die Täufer in der Schweiz kennengelernt, die im Begriff waren, sich durch eine legalistische Bannpraxis selber zu zerstören. Beide Extreme hat Marpeck bekämpft. Doch er hat seine Position nicht nur im innertäuferischen Streit gefunden, sondern auch in Auseinandersetzung mit extremen Auffassungen außerhalb des Täufertums, im Blick auf das spiritualistische Problem mit Caspar von Schwenckfeld und im Blick auf die Zuordnung der beiden Testamente mit den Straßburger Reformatoren. Obwohl er dem Hutschen Täufertum entstammte, hat er eine Gefahr darin gesehen, einen Zugang zur Heiligen Schrift allein vom Geist her zu suchen. Marpeck hält zwar daran fest, daß der Heilige Geist dem menschlichen Geist das entscheidende Zeugnis gibt, doch er verschweigt nicht, daß die Schrift ihm dabei hilft. Sie ist „Mitzeugnis". Auch das Hutsche Täufertum hatte der Schrift eine helfende oder dienende Funktion zugewiesen, bei Marpeck ist diese Funktion aber anders konzipiert. Sie trägt selber einen geistdurchwirkten Charakter, so daß Geist und Schrift nicht voneinander zu trennen sind. Die Aussage, daß man grundsätzlich auch ohne die Schrift zum Glauben kommen könne, ist auf diese Weise ausgeschlossen. Mit diesem geistdurchwirkten Miteinander hatte er auch eine Waffe gegen den Buchstabenglauben der Schweitzer Brüder in der Hand, den er, wie die Briefe in dem sogenannten Kunstbuch zeigen, aufs schärfste bekämpfte. Der Buchstabenglaube leugnet den Geist, der in der Schrift in aller Freiheit wirksam ist. Eine vermittelnde Haltung nahm Marpeck auch im Streit um das rechte Verständnis von Altem und Neuem Testament ein. Gegen die Straßburger Reformatoren wandte er ein, daß es falsch sei, das Evangelium vor dem Gesetz zu predigen.[71] William Klassen glaubt, hierin eine besondere Nähe zu Luther sehen zu können. Wahrscheinlicher ist, daß Marpeck den antiklerikalen Vorwurf Huts gegen die Reformatoren aufgriff, ohne deshalb auch die Nivellierung der Testamente übernommen zu haben. Ganz im Gegenteil, er bestand, wie es ausführlich in seiner „Testamenterleutterung" belegt wird, auf einer Zäsur, ja sogar auf einer Diskontinuität zwischen den Testamenten. Das alttestamentliche Gesetz hat nur vorbereitende Funktion für den Glauben und nur Hinweischarakter auf die Geschichte, die mit Jesus Christus neu einsetzt. Die Verheißungen des Alten Testaments finden ihre Erfüllung im Neuen Testament. Auf diese Weise kann Marpeck den reformatorischen Rekurs auf das Alte Testament, mit dem vor allem die Kindertaufe gerechtfertigt wurde, mit aller Entschiedenheit zurückweisen. Er kann auch einer buchstäblichen Verwirklichung der alttestamentlichen Theokratie in der Gegenwart wehren, wie sie ihm im Wiedertäuferreich von Münster so schrecklich vor Augen geführt wurde. Damit trennte er sich freilich auch, höchstwahrscheinlich hatte Leonhard Schiemer dafür schon die Weichen gestellt, von der apokalyptischen Verwendung des Alten Testaments im Hutschen Täufertum. Das Schriftverständnis Marpecks ist für das Täufertum nicht repräsentativ.[72] Seine vermittelnden Züge dürfen deshalb, so sehr sie dazu reizen, unter keinen Umständen zur reinsten oder eigentlichen Form des täuferischen Schriftverständnisses hochstilisiert werden.

Schließlich ist noch kurz auf einige Besonderheiten des melchioritischen Schriftverständnisses einzugehen. Melchior Hoffman hat es verstanden, sein Verständnis von der Schrift mit der Vorstellung vom Ablauf der Geschichte zu verbinden. Die drei Abschnitte, in die Hoffman die Geschichte einteilte, hat Klaus Deppermann so beschrieben: „Der erste ist die Zeit des Alten Testaments, in der der Mensch unter dem Joch des kaum begriffenen, buchstäblichen Gesetzes lebte und nur eine „schattenhafte" Gerechtigkeit vor Gott besaß. Diese Zeit war die Nacht der Geschichte. Die Morgenröte brach mit dem Neuen Testament an, als Christus durch seinen Sühnetod die Folgen der Erbsünde tilgte und der Menschheit den freien Willen wiederschenkte. Er offenbarte ein höheres, geistiges Gesetz, das von den Menschen in freier Entscheidung übernommen werden kann. In der Gegenwart bricht der helle Tag an. In ihr wird das Gesetz Gottes dank der Kraft des Heiligen Geistes in die Herzen der Gläubigen eingepflanzt, so daß sie keiner fremden Belehrung mehr bedürfen."[73] Einsicht in den Lauf der Geschichte gewinnt derjenige, der auf einem mortifikatorischen Heilsweg zur Klarheit des Heiligen Geistes gelangt ist. Der Geistbegabte stößt das Alte und Neue Testament nicht einfach von sich, sondern entdeckt in ihnen jeweils Figuren, die über sich hinaus, vom Schein zum Wesen, weisen. Das führt nun Hoffman zu der für ihn so typischen Auslegung der Schrift, die in den Kommentaren zum 12. Kapitel des Danielbuchs, zum Römerbrief, zur Offenbarung des Johannes seltene Blüten allegorischer Phantasie hervortrieb. Es wurde streng zwischen Präfiguration in dem einen Bund und Erfüllung in dem anderen unterschieden; doch es konnte auch für eine erwünschte Erfüllung sehr leicht eine Figur gefunden werden, wie umgekehrt aus den Figuren auf noch ausstehende Erfüllungen geschlossen werden konnte. So verbindet sich im melchioritischen Täufertum Allegorie mit Apokalyptik. Das ist eine ganz andere Art, die Schrift für endzeitliche Visionen und Agitationen zu nutzen, als im Hutschen Täufertum sichtbar wurde. Nur ein leichtfertiger Umgang mit historischen Quellen wird Hut und Hoffman sehr eng zusammenstellen. Hoffmans Schriftverständnis wurde hier allzu verkürzt dargestellt, ausführlich und interessant hat Klaus Deppermann darüber berichtet.[74] Doch ein Grundzug dürfte bereits deutlich geworden sein. Hoffman hat für sich einen Weg gefunden, den Reformatoren einen Buchstabenglauben zu unterstellen, sich selber von jedem Vorwurf gesetzlicher Auslegung freizusprechen und doch so weitreichende Konsequenzen aus dem Buchstaben der Schrift zu ziehen. Die Reformatoren erscheinen als die „neuen Päpstler", die sich ihre Lehrautorität vom weltlichen Arm stützen lassen. Und dagegen geht Hoffman in antiklerikaler Manier zu Felde. Dem „buchstabischen Amt" steht jetzt das „Amt der Klarheit" gegenüber, zu dem der Geist führt.[75] Die schrecklichsten Konsequenzen aus diesem Schriftverständnis wurden im Wiedertäuferreich von Münster gezogen. Besonders wichtig sind für die Münsteraner Bernd Rothmanns große Traktate über die „Restitution rechter und gesunder christlicher Lehre" (1534) und „Von der Verborgenheit der Schrift des Reiches Christi" (1535). Darauf kann jetzt aber nicht mehr eingegangen werden, erwähnt werden soll nur, daß Rothmann die Wirksamkeit des Alten Testaments, darin weicht er im Prinzip von Hoffman ab, noch nicht ganz durch das Neue Testament aufgehoben sieht. Es gibt im Alten Testament verheißungsvolle Weisungen, die noch auf Erfüllung warten. So ist das Alte Testament nicht nur figürlich oder geistlich auszulegen, sondern stellenweise auch sehr wörtlich zu nehmen. Auf diese Weise wird die Restitution des davidischen Königtums in Münster biblisch gerechtfertigt. Diese wenigen Bemerkungen zu Hoffman und Rothmann müssen genügen. Sie bilden den Hintergrund, vor dem abschließend noch mit einigen Strichen umrissen wird, wie Menno Simons mit der Schrift umging.

Ähnlich wie Rothmann in der „Restitution" hat Menno Simons in seinem „Fundamentbuch" (1539/40) die Heilige Schrift, das Alte und das Neue Testament, die „einzige Richtschnur" und das „Zepter" genannt, „met welchen eens chrysten leven moet gemeten unde geregiert worden".[76] Die Schrift ist das Wort Gottes, alles andere ist Menschenwort und belanglos. In Münster hatte das soweit geführt, daß alle Bücher außer der Heiligen Schrift und der täuferischen Traktate öffentlich verbrannt wurden. Menno war nicht so rabiat. Er nutzte die Schrift, um an ihr die Geister zu scheiden. Interessanterweise findet sich diese Stelle über die Schrift in einem Abschnitt, in dem er gegen die falsche Berufung des Klerus polemisiert und die Gläubigen auffordert, „Babel" zu meiden. Die Schrift, diese allgemeinreformatorische Erfahrung hat er kurz vor seinem Austritt aus der römischen Kirche gemacht, ist ein Hebel, der die klerikalen Herrschaftsansprüche der alten Kirche aus den Angeln hebt. Als Zepter ist sie ein antiklerikales Hoheitszeichen, das alles „zerbricht", was nicht mit dem Worte Gottes übereinstimmt. Menno hat die Heilige Schrift also weniger als Quelle benutzt, aus der Verheißung und Heil für die Menschen flossen, die sich von Gott abgekehrt hatten; er hat sie vielmehr dem Klerus als Spiegel vorgehalten, so daß dieser sein häßliches Gesicht und den verwerflichen Zustand der Christenheit erkennen konnte. Gerade wenn Menno auf den Kontrast zwischen dem fleischlichen und geistlichen Leben verweist, fällt ihm viel biblisches Anschauungs- und Begründungsmaterial zu. Auf diese Weise wurde die

Schrift zur Norm und, wo Menno sich unerbittlich scharf äußerte, zum Gesetz.

Mit großer Entschiedenheit wies Menno allerdings, so sehr er in einem inneren Zusammenhang mit dem melchioritischen Täufertum stand, den konkreten Umgang mit der Schrift im Königreich von Münster zurück. Er meinte, es sei verwerflich, auf ein neues Zeitalter zu hoffen, da in Christus alles bereits erfüllt sei. Auf ihn liefe alles zu und von ihm her müsse alles Weitere verstanden werden. Der Gläubige darf nicht auf ein Zeitalter des Heiligen Geistes warten, er lebt jetzt schon in der „Zeit der Gnade", die „euch und uns allen zur Besserung von Gott gegeben ist".[77] Gegen Hoffman verschob Menno die Abschnitte der drei Zeitalter auf die Zeit vor dem Gesetz, die Zeit im Gesetz und die Zeit im Neuen Bund, oder er schränkte sie auf zwei geschichtliche Epochen ein: die Zeit, in der buchstäbliche, bildliche Zeremonien befolgt werden mußten, und die Zeit, in der diese Zeremonien „durch ein neues geistliches Wesen und durch bleibende Wahrheit" erfüllt wurden.[78] Damit hat Menno der Verkündigung Hoffmans die apokalyptische Spitze gebrochen. Und gegen Rothmann forderte er, jetzt wieder im Einklang mit Hoffman, jedoch zurückhaltender, eine strenge figürliche Auslegung des Alten Testaments. Auf diese Weise hat er dem davidischen Königtum eines Johann van Leiden und dem messianischen Anspruch eines David Joris jede biblische Legitimation in der Gegenwart bestritten. Israel hatte bereits seinen König David in Jesus Christus empfangen. Im übrigen sah er in der Hoffnung auf eine andere Zeit nur eine Flucht vor der Gegenwart, in der die Gläubigen nicht den Weg der Gewalt, sondern des Kreuzes gehen müßten, wie auch das Evangelium in dieser Welt das „Wort des Kreuzes" sei.[79]

Mit der christologischen Konzentration ist Menno tatsächlich in die Nähe Luthers geraten. „Was Christum treibet", ist auch das Prinzip, das seine Schriftauslegung leitet. Doch angesichts des antiklerikalen Entstehungsimpulses und der starken apokalyptischen spiritualistischen Tendenzen im Täufertum, deren er sich erwehren muß, verfällt er zunehmend auf „ein Pochen auf den Buchstaben der Schrift", so daß er nicht von einem gesetzlichen Umgang mit der Bibel freizusprechen ist.[80] Möglicherweise ist das Pendel gegen die alttestamentliche Gesetzlichkeit der Münsteraner zu weit zu einer neutestamentlichen Gesetzlichkeit ausgeschlagen. Diese Gesetzlichkeit wird auch nicht abgeschwächt, wenn Menno, wie es im melchioritischen Täufertum üblich war, zwischen dem Wirken des Geistes und der Heiligen Schrift unterscheidet. Er besteht darauf, daß nur der durch den Geist Wiedergeborene in der Lage sei, die Schrift zu verstehen.[81] Er hält aber gegen Hoffman daran fest, daß der Geist nichts anderes gewähre oder gebiete, was nicht auch in der Schrift

zu finden sei. So kann er zwar auf die geistgewirkte Souveränität gegenüber dem Buchstaben der Schrift verweisen, in den polemischen Situationen, in denen er sich stets befand, hat ihn aber der Gehorsam, den er
seit seiner antiklerikalen Ursprungssituation gegenüber der Heiligen
Schrift forderte, zu einem oft unerbittlich gesetzlichen Umgang mit der
Bibel geführt. Das hatte, allerdings nicht aus dem antiklerikalen „Sitz
im Leben" erklärt, auch Christoph Bornhäuser ausgemacht; doch er
mochte dies Urteil so nicht stehen lassen, weil es dem Geheimnis der
seelsorgerlichen Wirkung Mennos nicht gerecht geworden wäre. Er hat es
abgemildert: „Nur wo er sich weder mit den Prädikanten noch mit seinen
Ältesten-Kollegen auseinandersetzen muß, behält seine Stimme Klarheit
und menschliche Wärme. Als Seelsorger vieler wegen ihrer Überzeugung
in Bedrängnis gekommener Glaubensbrüder wirkt er väterlich, versöh-
nend und gütig. Gerade dadurch bezeugt er dann auch den Geist Christi
glaubwürdig."[82] Im Grunde bestätigt Bornhäuser aber, daß der (antiklerikale) Kampf es war, der Mennos Umgang mit der Schrift geformt hatte.

Die Täufer wurden gelegentlich „unvoreingenommene Bibelleser" genannt.[83] Sie lasen die Heilige Schrift und lernten aus ihr, das ist gar keine
Frage. Doch unvoreingenommen waren sie nicht. Das zeigen bereits die
Probleme, auf die sie im Umgang mit der Bibel stießen und die sie auf
ganz unterschiedliche Art und Weise verarbeiteten. Unvoreingenommene
Bibelchristen wären kaum soweit voneinander abgewichen wie die Täufer. Darüber hinaus meine ich, daß „unvoreingenommen" eine falsche
Kategorie ist, um die Vorzüge der Täufer herauszustellen. Es gehört vielmehr umgekehrt zu ihren Vorzügen, daß sie nicht unvoreingenommen
waren und es wagten, ihre Erfahrungen, ihre Aggressionen und Enttäuschungen, ihre Entrüstung und ihre Ohnmacht, in ihren Umgang mit der
Bibel einzubeziehen. Auf diesem Weg gelangten sie zu Einsichten, die
vom offiziellen Christentum des 16. Jahrhunderts überhört oder unter-
drückt wurden, um der Freiheit willen, die das Evangelium verheißt,
jedoch zu Gehör gebracht werden mußten. Daß diese Freiheit gelegentlich auch in verzweifelter Unfreiheit verkam, soll nicht vergessen werden.
Gemeinsam war den Täufern der antiklerikale Freiheitsimpuls, doch unterschiedlich war die Rechtfertigung der Erkenntnisse, die sie in der Heiligen Schrift fanden. Dabei spielten theologische, geistes- und frömmigkeitsgeschichtliche Traditionen, in denen sie standen, eine ganz wesentliche Rolle. Nirgends kommt diese Vielfalt besser zum Ausdruck als in
dem Bemühen, Geist und Buchstabe, Altes und Neues Testament einander zuzuordnen. Aus diesem Grunde ist es nicht möglich, das Schriftverständnis der Täufer auf einen Nenner zu bringen.

„Besserung des Lebens"

Der Gegensatz zwischen Reformation und Täufertum wurde gelegentlich auf diesen Begriff gebracht: „Hat Luther die biblische Lehre vom Glauben wiederentdeckt, so die Täufer den biblischen Ruf zur Heiligung."[84] Dabei wird stillschweigend vorausgesetzt, daß die Täufer auf dem Boden des reformatorischen Rechtfertigungsverständnisses gestanden und mit dem Akzent, den sie auf die Heiligung legten, lediglich eine, wenn auch sehr wichtige und entscheidende, Ergänzung vorgenommen hätten. Die Täufer verfolgten tatsächlich das Ziel, das Leben der Menschen zu bessern. Das alte Leben in Laster und Sünde sollte dem neuen in der Nachfolge Jesu Christi weichen. Das eine konnte nicht neben dem andern bestehen. „Wer ein newer mensch sein und das alte leben nit lassen will, der thut gleych als ain saw, die erst geschwembt ist und sich wider in der lacken waltzet."[85] Doch die Absicht der Täufer läßt sich nicht mit dem Schema von Rechtfertigung und Heiligung erfassen. Die „Besserung des Lebens" umschloß beides: Rechtfertigung und Heiligung.

Besonders deutlich wird das Ineinander von Rechtfertigung und Heiligung bei Hans Hut, wenn er die Fruchtlosigkeit der reformatorischen Lehre auf den „falschen" Glauben zurückführt. Der Glaube, den er lehrt, ist ein anderer und wird nicht eigentlich durch die Heiligung, die der Rechtfertigung folgt, bestimmt, sondern durch den Weg, der zum Glauben führt. Wie wenig Rechtfertigung und Heiligung getrennt werden, zeigt auch Hans Denck, wenn er in seinem Bekenntnis für den Rat zu Nürnberg (1525) den Glauben mit „Leben" gleichsetzt, oder wenn er in seinem Widerruf (1528) über den Glauben sagt: „Glaub ist der gehorsam Gottes und zuversicht zu seiner verheyssung durch Jesum Christum. Wa diser gehorsam nit ist, da ist die zuversicht falsch und betrogen; der gehorsam aber muß rechtschaffen sein, das ist, daß hertz, mund und that auffs best miteynander geen. Dann es mag keyn warhafftig hertz sein, da weder mund noch thatt gespüret wirt."[86] Daraus ergibt sich der Rückschluß, der das Schrifttum der Täufer in allen Gebieten durchzieht: Wer in seinem Wandel nicht Spuren des Lebens zeigt, das Gott gefällt, kann nicht den wahren Glauben haben. Auch hier ist der antiklerikale Zusammenhang mit Händen zu greifen. Die Priester und Gelehrten beweisen täglich mit ihrem lasterhaften Lebenswandel, daß sie, obwohl sie mit den Sakramenten umgehen und den Glauben im Munde führen, doch ohne Glauben und ohne Gott sind. Im Gegenzug dazu: aus Gott könne nur sein, wer Spuren dieser Herkunft in seinem Leben hinterläßt. Die Täufer haben ihr Glaubensverständnis, das Ausdruck für ein besseres Leben ist, als antiklerikale Gegenkonzeption zur reformatorischen Lehre vom Glauben gebildet. Sie haben die Glaubenslehre der Reformatoren nicht ergänzt, sie haben sie ersetzt. So erklärt sich ihre erbarmungslose Kritik an den moralischen Schwächen ihrer Zeitgenossen und ihr kämpferisches Pathos, mit dem sie für eine „Besserung des Lebens" eintraten. Für sie stand nicht nur die Moral, sondern das Heil der Menschen auf dem Spiel.

Es würde zu weit führen, dem täuferischen Glaubensverständnis in den verschiedenen Gruppen einzeln nachzugehen, obwohl eine kritisch differenzierende Untersuchung der Rechtfertigungslehre im Täufertum dringend geboten wäre. Ich beschränke mich hier auf drei wichtige Varianten: Hans Denck, Balthasar Hubmaier und Menno Simons.

Die Kritik, die *Hans Denck* an dem Rechtfertigungsglauben Martin Luthers übt, atmet den Geist Thomas Müntzers und der mittelalterlichen Mystik.[87] Hier herrscht eine prinzipiell andere Vorstellung von dem Weg, auf dem der Mensch sein Heil erlangt. Er kann es nicht im Vertrauen auf die Verheißung Gottes in der Heiligen Schrift ergreifen. Das wäre ein Glaube, der sich ans Äußerliche hängt. Doch von außen her, vom Kreatürlichen, ist kein Heil zu erwarten. Aus diesem Grunde gehen die „Schriftgelehrten", wie auch Denck die Reformatoren nennt, in die Irre. Das Heil kommt von innen und auf geistliche Weise. Der Dualismus von Innen und Außen, Geistlichem und Kreatürlichem, diese wichtige Denkform der mittelalterlichen Mystik, bestimmt die Argumentation Dencks, und mit ihr übernimmt er die Anschauung vom „Seelenfünklein", das Quelle des Heils im Innern des Menschen ist: „Das liecht, das wort Gottes, das unsichtbar ist, scheinet in aller menschen hertzen, die in diese welt kommen, dann es ist von anbeginn darin und gibt ime freie gewalt, wer es annimbt, das er eyn kindt Gottes werd, zu erben des vaters reich, jo. 1. Wer nit wil, dem scheinet es zum gericht und verdamnuß, Johann. 3.9."[88] Denck mußte mit dem Vorwurf rechnen, daß auf diese Weise das Heil an den Menschen gebunden werde. Aber er wehrt ab und sieht darin gerade umgekehrt einen Ausdruck für die freie und gnädige Zuwendung Gottes zum Menschen: „Das wort Gottes ist bey dir, ee du es suchest; gibt dir, ee du bittest; thut dir auff, ee du anklopffest. Keiner kompt von im selb zu Christo, der vater ziehe in dann, welchs er auch nach seiner güte trewlich thut."[89] Darüber hinaus ist diese dem Menschen zuvorkommende Gnade in den Augen Dencks die beste Sicherung des göttlichen Wortes vor dem eigennützigen Zugriff des Menschen, der meint, sich etwas vor Gott verdienen zu müssen. Nur in dieser mystisch konzipierten „gratia praeveniens" sieht Denck ein Mittel, den Verdienstglauben wirksam zu bekämpfen. Er steht also in der reformatorischen Front gegen die römische Kirche. Doch die Alternative, die er einem meritorischen Gnadenverständnis entgegensetzt, läßt auch das „sola fide" der Reformatoren, das an die Heilige Schrift gebunden wird,

als einen äußerlich aus dem Buchstaben herbeigezwungenen Glauben erscheinen, der sich nicht grundsätzlich von dem Verdienstglauben des
katholischen Klerus unterscheidet. Sein Glaube erwächst dagegen aus
der Gnade, betont er, die Gott in den „Grund der Seele" gesenkt hat.

Große Anstrengung verwendet Denck jetzt darauf, den Prozeß zu erklären, in dem die Gnade im Inneren des Menschen wächst. Das ursprüngliche Einvernehmen zwischen Gott und Mensch, das mit dem
Gnadenwort im Seelengrund zum Ausdruck gebracht wurde, ist durch
die Sünde des Menschen seit dem Fall Adams gestört. Der Mensch ist von
Gott zu den Kreaturen gefallen und entfernt sich, indem er den ursprünglichen Willen Gottes mißachtet oder sich ihm widersetzt, immer weiter
von Gott. Von alleine gelingt es ihm nicht mehr, zu Gott zurückzufin-
den. Er ist auf den Weg angewiesen, den kein Mensch finden konnte, den
aber Christus gebahnt hat, „auf das man wandelt und zum leben keme".
Dieser Weg ist beschwerlich. Es ist nämlich der Weg, den Christus gegangen ist, um das Gesetz zu erfüllen: der Weg zum Kreuz. „Er hat das
gsatz erfüllet, nit das er uns sein überheben wolt" (wie die Reformatoren meinten), „sonder uns ain beyspyl gebe, im nachzufolgen."[90] Nachfolge bedeutet, daß der Mensch der Sünde absagt, so daß sein Herz „leer"
und für das „Geheimnis" Gottes empfänglich wird.[91] Nachfolge heißt,
das „werk der tödtung" erleiden: mortificatio.[92] Stärker als bei Denck
wird der Gedanke der mortificatio bei Hans Hut betont. Bei Denck
klingt er an, er wird aber von der Vorstellung der imitatio Christi und der
Bereitschaft, den eigenen Willen mit dem Willen Gottes gleichschalten
zu lassen, überlagert, Auf diesem Weg wird der Mensch Jesus Christus erkennen, zum Wort des Lebens durchbrechen, das in ihm ist, und von
innen her mit der Gnade und dem Geist Gottes erfüllt. Die gestörte Gemeinschaft zwischen Gott und Mensch ist wiederhergestellt.

Das Heil wird dem Menschen nicht einfach nur zugesprochen, im
Unterschied zu den Reformatoren wird der Mensch vielmehr aufgerufen,
den Weg, der zum Heil führt, selber mitzugehen. Das setzt voraus, daß der
Wille des Menschen nicht gänzlich in Sünde gefangen ist, sondern daß er
frei ist (genauer: daß ihm „freie gewalt" gegeben wird), auf das Ziehen
Gottes im Grunde der Seele zu reagieren. Willigt der Mensch in den
Willen Gottes ein, ist er auf dem Weg zu Licht und Friede mit Gott,
widersetzt er sich ihm, gerät er immer tiefer in Finsternis und Unfriede.[93] Obwohl der Mensch zur cooperatio mit Gott angehalten wird,
will Denck sich nicht Werkgerechtigkeit vorwerfen lassen. Der Mensch
könne sich keines eigenen Werkes rühmen. Wenn er sich die mortificatio
doch selbst zuschreibt, stiehlt er Gott die Ehre und „saufft des giffts
und der teüfelsmilch noch mer an sich, will wider Gott etwas sein, das er
nit ist".[94] Für die reformatorische Theologie, die gegen ein meritorisches

Heilsverständnis angetreten war, mußte die cooperatio zwischen Gott und Mensch, so zurückhaltend sie auch gedacht wurde, als Angriff auf die souveräne Güte Gottes verstanden werden. Für die mystische Theologie hätte gerade umgekehrt die Preisgabe des cooperatio-Gedankens die Güte Gottes in Frage gestellt, denn Gott hätte vorgeworfen werden müssen, die Sünde zu verursachen und den Menschen zu seinem Heil zu zwingen. Beides widerspricht aber der Liebe Gottes und der Freiheit des Menschen, die in der Freiheit Gottes gründet. Denck hat zweierlei im Auge: Einmal will er die Gnade Gottes betonen, und er scheut sich nicht, letztlich sogar eine Allversöhnung zu denken. Und zum andern will er die lutherische Vorherbestimmung des Menschen zum Guten oder zum Bösen, die mit der reformatorischen Rechtfertigungslehre korrespondiert, zurückweisen. Rechtfertigung ist für Denck nicht ein forensisches Urteil Gottes über den Menschen, sie ist ein Prozeß, in dem das Leben des Menschen von Grund auf gebessert wird. Rechtfertigung ist Gerechtmachung.

Auch die Schweizer Täufer haben schon sehr früh Kritik an der Fruchtlosigkeit des reformatorischen Glaubensverständnisses geübt. Konrad Grebel prangerte es als Heuchelei an, ohne „Früchte des Glaubens" selig werden zu wollen, und Felix Mantz versicherte, daß im Namen Jesu Christi „jedem Vergebung der Sünde widerfahren werde, wenn er an ihn glauben, seinen Sinn ändern und entsprechend rechtschaffene Werke tun werde."[95] Bereits diese Hinweise aus zwei bedeutsamen Quellen müssen Zweifel an der Behauptung John H. Yoders wecken, Reformation und Täufertum hätten in der „Bewertung der Rechtfertigungslehre als der Grundlage des evangelischen Glaubens" übereingestimmt.[96] Wäre das wirklich der Fall gewesen, dann hätten Täufertum und Reformation sich nicht so schnell zu gegnerischen Bewegungen entwickeln können. Grebel und Mantz standen mit ihrer Kritik am Glaubensverständnis der Reformatoren ganz auf der Seite Müntzers und Karlstadts und markierten die ersten Positionen der antiklerikalen Front, die um 1525 auch in der Schweiz gegen die Reformatoren aufzog. Aus den frühen Jahren des Schweizer Täufertums gibt es keine Schrift, die sich ausführlich mit dem Problem der Rechtfertigung befaßt hätte. Gründlich darüber nachgedacht hat ein wenig abseits allerdings *Balthasar Hubmaier,* der mit dem Niveau seines theologischen Denkens zwar weit aus dem Schweizer Täufertum herausragte und in dieser Frage wohl teilweise auch unter dem Einfluß Hans Dencks stand[97], doch nicht grundsätzlich von den Schweizer Täufern gelöst werden darf. Er hat sich 1527 mit zwei Schriften in den Streit um die Freiheit des menschlichen Willens eingeschaltet und eine täuferische Haltung begründet, die ganz auf das Bedürfnis abgestellt war, einen Beitrag zur „Besserung des Lebens" zu leisten. Nicht erst in der Diskussion um die Freiheit des menschlichen Willens hat Hubmaier sich für eine Besserung des sittlichen Lebens eingesetzt. Bereits die Taufe der Gläubigen, über die er zu Beginn seiner täuferischen Laufbahn ausgiebig schrieb, diente ihm dazu, die Pflicht zu einem besseren Lebenswandel zu betonen. Der Streit über die Willensfreiheit, der seit 1524 zwischen Erasmus und Luther entbrannt war, bot ihm dann eine besondere Gelegenheit, seine Gedanken zur Besserung des Lebens voranzutreiben und gegen das Hauptanliegen der Reformation, die Rechtfertigung allein aus Glauben, zu begründen. Einen unmittelbaren Anstoß dazu wird er von Hans Denck erhalten haben. In seiner „Christlichen Lehrtafel" (1526/27) trat er das erste Mal für die Freiheit des Willens ein und in seinem Traktat „Von der brüderlichen Strafe" (1527) äußerte er sich kritisch zur leichtfertigen Konsequenz, die aus der reformatorischen Prädestinationslehre gezogen wurde: „Da ist alle leüchtfertigkait vnd frechait des fleischs im höchsten schwanck, da sitzt die vppigkait diser welt im öbersten sessel, regiert, iubiliert vnnd triumphiert in allen dingen."[98] Die Rede, daß der Glaube allein und nicht die Werke selig machten, betrachtet er als einen Vorwand, mit dem lasterhaften Leben fortfahren zu dürfen. Ausführlicher spricht er darüber in der Schrift „Von der Freiheit des Willens" und dem „Anderen Büchlein von der Freiwilligkeit des Menschen", die ebenfalls 1527 in Nikolsburg veröffentlicht wurden.

Hubmaier geht von der landläufigen Auffassung aus, daß der Mensch aus Fleisch, Seele und Geist bestehe, denen jeweils ein eigener Wille zugeordnet werden müsse. Im Urzustand waren sie alle gut und frei, korrumpiert oder stark beeinträchtigt wurden sie erst durch den Sündenfall Adams: Das Fleisch verdarb, die Seele wurde dem Fleisch hörig und der Geist, in dem sich der schöpferische Atem Gottes als „Feuerlein" erhielt, wurde ein „Gefangener im Leib".[99] Er blieb unversehrt und konnte zwischen gut und böse unterscheiden, doch seine Kraft reichte nicht aus, um etwas für das Heil des Menschen auszurichten. Eine Änderung dieses Zustands konnte nur durch die Predigt des göttlichen Wortes herbeigeführt werden. Sie versetzte die Seele in Unruhe, öffnete ihr durch das Gesetz die Augen für die verdammenswerte Neigung zum Fleisch und weckte in ihr das Verlangen, sich dem Geist zuzuwenden und mit ihm eins zu werden. Frei jedoch, das Gute oder das Böse wirklich zu wählen, wurde die Seele erst durch ihre Wiedergeburt. Die Wiedergeburt war ein reiner Gnadenakt. Der göttliche Geist befreite den Geist im Menschen und machte die Seele gesund, „als wol als da sy noch im Paradeiß was."[100] Für die Seele bedeutete das, jetzt für das Heil mitverantwortlich geworden zu sein. Fleisch, Sünde, Tod und Teufel sind durch Christus gebunden und überwunden; wenn die Seele trotzdem noch sündigt, muß sie auch die Verantwortung dafür übernehmen. Und so kann Hubmaier sehr prägnant formulieren: „Gott hat dich erschaffen on dich, aber

on dich wirdt er dich nit selig machen."[101] Kenneth Davis hat zurecht
von einem „synergistischen" Heilsverständnis gesprochen.[102] Dieser
Synergismus bezieht sich jedoch nicht auf den Prozeß zwischen Fall und
Wiedergeburt, sondern auf die Zeit zwischen Wiedergeburt und Vollendung des Menschen und befindet sich durchaus im Einklang mit dem
Wortlaut vieler Stellen im Neuen Testament, wie Hubmaier sie vor allem
in seiner zweiten Freiheitsschrift und in der „Rechenschaft des Glaubens" (1528) aufführt. Ein wichtiger Beleg ist für ihn Röm. 2,17: „Wann
nit der hörer des gsatzs gerecht seind vor Gott, sonder die das Gesetz
thund werdent rechtfertig sein."[103] Die Werke des Glaubens werden
in den Rechtfertigungsprozeß einbezogen.

Mit seiner Auffassung von der Willensfreiheit, die in seinen frühen
Schriften noch nicht auftaucht, jedoch in der Konsequenz des antiklerikalen Anliegens liegt, das Leben zu bessern, unterscheidet Hubmaier sich
sehr deutlich von Origines, der den dreiteiligen Aufbau des Menschen
schon mit der Willensfreiheit verband. Nicht die Seele ist von Natur frei,
zwischen gut und böse zu wählen und auf diese Weise den Menschen auf
den Weg zum Heil zu bringen, sondern der Geist. Doch auch dieser ist
nicht mehr ganz frei, er bewahrt dem Menschen nur eine Ahnung von der
ursprünglichen Freiheit des Willens und wird zu einer Instanz, die unter
der Einwirkung des göttlichen Wortes die Seele aus ihrer fleischlichen Hö-
rigkeit zieht. So sehr Hubmaier von Erasmus angeregt wurde, unterscheidet
er sich auch von ihm. Nicht in der Vernunft hatte sich dem Menschen ein
ursprünglicher Sinn für gut und böse erhalten, sondern allein im Geist;
und nicht vor, sondern nach der Wiedergeburt, einem Akt besonderer
Gnade, übernimmt der Wille des Menschen die Mitverantwortung für das
Heil. Torsten Bergsten hat richtig gesehen, daß Hubmaier hier mit Denck
eine mystisch-spiritualistisch und nicht eine rationalistisch begründete
Willensfreiheit vertritt.[104]   Von Denck unterscheidet ihn freilich die
große Bedeutung, die er dem Wort der Schrift oder dem gepredigten Wort
Gottes für die Befreiung des Willens beimißt, und die Zurückhaltung
gegenüber den mystischen Vorstellungen von einem stufenweisen Weg
zum Heil. Denck hat die Forderung nach mortifikatorischen Werken
bereits in den mystisch gedachten Prozeß zum Glauben eingebaut, während Hubmaier die Forderung nach guten Werken erst für die Zeit der
Bewährung zwischen Wiedergeburt und Vollendung erhebt. Für Denck
kulminiert die Gerechtmachung schon in der unio mystica, also wenn
der menschliche mit dem göttlichen Willen eins wird, für Hubmaier dagegen erst in der eschatologischen Vollendung, wenn auch das Fleisch
wieder „unsterblich" auferstehen wird.[105] Das sind schwierige Gedan-
kengänge, die nur wenige Täufer verstehen konnten. Verstanden wurde
aber, daß Hubmaier die Werke in den Heilsprozeß einbezog und be-

kannte, daß „der ploß glaub nit wierdig sey, ein glaub genennt zewerden, wann ein Rechter glaub on die werckh der liebe nymermer sein mag."[106] Das stimmte mit der Forderung nach den Früchten des Glaubens überein, die im Schweizer Täufertum, losgelöst von der komplizierten Diskussion um die Willensfreiheit, immer wieder in antiklerikaler Manier gegenüber dem Glaubensverständnis der Reformatoren erhoben wurde.

Auch *Menno Simons* ist einem antiklerikalen Impuls gefolgt und hat Rechtfertigung und Heiligung zur „Besserung des Lebens" zusammengezogen. Besonders deutlich wird das schon in seinem frühen Sendschreiben „Van die Wedergeboorte" (ca. 1539). Hier teilt er die Menschen in zwei Lager: die einen wandeln „nach dem Fleisch" und die andern „nach dem Geist". In kräftigen Farben malt der entlaufene Priester der römischen Kirche die Lasterhaftigkeit, Verkommenheit und Scheinheiligkeit des Klerus und seines ganzen Anhangs aus. Er greift auf neutestamentliche Lasterkataloge zurück, füllt sie auf und paßt sie der antiklerikalen Situation in den Niederlanden an. Diese Lasterkataloge kehren in seinen Schriften immer wieder und verhärten sich allmählich zu einer antiklerikalen Litanei, die seinen Moralismus noch rigider erscheinen läßt, als er schon ist. Was ihn so stark erbost, ist der Anspruch dieser Menschen, an Jesus Christus zu glauben und die wahre Kirche zu repräsentieren, obwohl sie sich mit ihren fleischlichen Werken doch zur Kirche des Antichristen verschworen hätten. In einem krassen Gegensatz zu diesen Menschen stehen die wahren Christen. Sie bringen Früchte des Geistes hervor und unterdrücken die Werke des Fleisches. Sie haben das alte Leben hinter sich gelassen und sind zu einem neuen Leben wiedergeboren. „Want het is meer dan klaer/ als dat de Wedergeborene moetwilligh haer sonden niet meer en leven/maer door den geloove in een waerachtige boete me 'er Doop in Christus Dood begraven/ ende alsoo met hem opstaen tot een nieuw leven."[107] Das ist für Menno wichtig: Die Zäsur zwischen dem alten und dem neuen Leben wird durch die Wiedergeburt markiert. Sie interessiert ihn in dieser frühen Schrift nicht so sehr als Weg zum Heil, sondern als eine Tatsache, die zwischen den wahren und den falschen Christen steht. Er will vor allem betonen, daß der neuen Geburt ein Leben folgt, das dem göttlichen Wort gehorcht und keine Trennung mehr zwischen Glaube und Tat zuläßt. Nachfolge Jesu bedeutet, das neue Leben vor aller Welt zum Ausdruck zu bringen. Darauf beruht die Forderung, die sich durch das Schrifttum Mennos zieht, den Glauben nicht nur im Munde zu führen, sondern ihn auch unter Beweis zu stellen. Die antiklerikale Situation hat nach sichtbaren Zeichen eines besseren Lebens verlangt, und Menno ist diesem Verlangen mit seiner Lehre von der Geburt des neuen Lebens, die Rechtfertigung und Heiligung zusammenzieht, nachgekommen.

Der antiklerikale Angriff Mennos richtete sich nicht nur gegen die Papisten, sondern auch gegen die Reformatoren. Ihrer Rechtfertigungslehre machte er in seiner Schrift „Van dat rechte christen ghelouve" (ca. 1542) den Vorwurf, sie habe das unwissende Volk in ein Leben geführt, das ärger sei als das Leben der Türken und Tataren. Das war ein ungeheuerlicher Vorwurf, denn niemand konnte damals verwerflicher erscheinen als die äußeren Feinde der Christenheit. So blieb es nicht aus, daß Menno später umgekehrt beschuldigt wurde, seinen Glauben zur einen Hälfte auf die Verdienste Christi und zur anderen auf seine eigenen Verdienste zu gründen, womit er freilich jeden reformatorischen Anspruch verwirkt habe. Als Gellius Faber ihm das 1552 vorwarf, hat Menno sich streng dagegen verwahrt und 1554 geantwortet, diese Kritik könne zwar auf Obbe Philips zutreffen, er selber habe in seinen Schriften aber zu Genüge dargelegt, daß er Rechtfertigung allein in dem gekreuzigten Jesus Christus suche.[108] Ebenso entschieden hatte er sich zwei Jahre zuvor schon gegen den Vorwurf der Werkgerechtigkeit verteidigt, daß wir durch kein anderes Mittel im Himmel oder auf Erden selig werden könnten als allein durch die Verdienste, den Tod und das Blut Christi.[109] Am ausführlichsten hat Menno über die Rechtfertigung in den „Bekentenisse der armen en ellendige christenen" (1552) geschrieben. Dort versucht er den Eindruck zu zerstreuen, als maße er sich an, nach der Wiedergeburt vollkommen und ohne Sünde zu sein. Er beteuert: „ja so ons Godt na onse weerdigheyt/ gerechtigheyt/ werken/ ende verdiensten rechten wilde/ ende niet na sijner grooter goetheyt ende barmhertigkeyt/ soo bekenne ick met dem Heyligen David/ dat geen Mensche voor sijn gerichte mochte staende blijven." Das ist ein klares Wort, und doch kann es den Eindruck nicht verwischen, daß Menno mehr die Forderung als die Verheißung des Evangeliums unterstreicht, zumal er unmißverständlich zum Ausdruck bringt, daß Christus nur für diejenigen eintritt, „die aen hem gelooven/ ende die haer door den geloove des Godtlijken Wordts bevlijtigen/ van hat quade afkeeren/ ende dat goede nakomen/ ende met voller herten met Paulo begeeren/ datse das volkomen wesen dat in Christo is/ in voller kracht grijpen mogen."[110] Menno verzichtet auf die guten Werke, mit denen der Mensch sich die Gnade Gottes erkaufen möchte. Diese Werke nennt er teuflisch. Er kann jedoch nicht auf die Werke im Glauben verzichten, da sie für den Rechtfertigungsprozeß von der Wiedergeburt bis zur Vollendung, den er in dieser Schrift übrigens bezeichnenderweise (wie auch schon Hoffman vor ihm) „Rechtveerdigmakinge" nennt, unentbehrlich sind. Die Verheißung des Evangeliums gilt nicht unterschiedslos allen Menschen, sondern allein den Wiedergeborenen, die bereit zu guten Werken sind.[111] Und so trat der fordernd gesetzliche Zug in der Verkündigung Mennos stärker in den Vordergrund als die verheißend tröstende Zuwendung zum Menschen.[112] Es wäre jedoch falsch, Menno ein traditionell meritorisches Rechtfertigungsverständnis zu unterstellen. Seine Aussagen schillern zwischen der römisch-katholischen und der lutherischen Lehre von der Rechtfertigung. Dies Schillern läßt sich aus der antiklerikalen Front erklären, in die Menno übergewechselt war. Der kämpferisch fordernde Charakter seiner Verkündigung mußte auch der Rechtfertigung einen fordernden, gesetzlichen Stempel aufdrücken; und die Aufteilung der Menschheit in zwei antagonistische Lager mußte die Freiheit des göttlichen Gnadenwirkens einschränken. Trotzdem darf nicht übersehen werden, daß Menno in diesem antiklerikalen Rahmen ein größtmögliches Maß an Gnadenvorstellung zu artikulieren versuchte. Er wendet sich ja nicht gegen die verwerflichen Menschen allgemein, sondern im Grunde nur gegen die vermeintlichen Christen. Diese Christen werden bei ihrer eigenen Einsicht in den Glauben behaftet, wenn er fordert, den Glauben unter Beweis zu stellen oder ihm einen sichtbaren Ausdruck zu verleihen. Konfrontierte er das Leben dieser Christen mit der Heiligen Schrift, dann wurde deutlich, daß hier etwas nicht stimmen konnte. Und so schloß er schnell von dem äußerlichen Verhalten dieser Menschen auf den inneren Zustand ihres Glaubens. Der Mangel im Äußeren mußte ihm einen Mangel im Inneren anzeigen. So prägte der antiklerikale Impuls nicht nur seine Kritik an der reformatorischen Rechtfertigungslehre, er drängte ihn auch dazu, Rechtfertigung und Heiligung zu einer eigenen Vorstellung von der „Rechtveerdigmakinge" zusammenzuziehen.

An zwei Beobachtungen wird noch einmal deutlich, wie sehr Menno sich bemühte, den Boden der traditionell bestimmten Rechtfertigungslehre zu verlassen. Anders als Denck und Hubmaier hat er die Lehre von der Freiheit des menschlichen Willens nicht für seine Konzeption des Rechtfertigungsprozesses verwandt. Er hat zwar die lutherische Prädestinationslehre verworfen[113], doch er hat die Freiheit des Menschen, sich den von Gott geforderten guten Werken zuzuwenden, allein von der Versöhnung in Jesus Christus abhängig gemacht.[114] Darin ist er offensichtlich Melchior Hoffman gefolgt. Hoffman hatte die Befreiung des menschlichen Willens durch das Auftreten Jesu Christi allerdings als zeitliche Voraussetzung für den Rechtfertigungsprozeß in der Gegenwart angesehen[115], während Menno mit der Rechtfertigung in Christo zugleich die Freiheit des Menschen von der Sünde gegeben sah, so daß Akte der Buße möglich werden, die zur „Rechtveerdigmakinge" dazugehören. Die andere Beobachtung ist, daß Menno den Wiedergeborenen das Gefühl vermitteln konnte, in ihrer Nachfolge Jesu jetzt schon an dem Sieg des Gottessohnes über die Sünde teilzunehmen. Davon ging zweifellos Trost in angefochtener Lage aus. Leider kommen diese evangelischen Töne in der antiklerikalen Situation, auf die Menno sein ganzes Leben lang fixiert blieb, nur selten deutlich zum Zuge. Deutlich genug geht aus seinen Schriften aber hervor, daß er zwischen der römischen und der reformatorischen Kirche nach einem Weg suchte, das Heil des Menschen als „Besserung des Lebens" zu verkündigen.

Denck, Hubmaier und Menno Simons ist eines gemeinsam: Sie haben ihr Glaubens- und Heilsverständnis unter dem Eindruck der antiklerikalen Situation formuliert und sind dahin geführt worden, Rechtfertigung und Heiligung zur „Besserung des Lebens" zusammenzuziehen. Das war eine deutliche Alternative zum reformatorischen Glaubensverständnis. Doch die argumentativen Wege, auf denen sie zu diesem Ziel gelangten, waren sehr verschieden. Das hat Kenneth R. Davis, der im täuferischen Glaubensverständnis eine historisch-genetische Fortsetzung des franziskanisch-erasmischen asketischen Frömmigkeitsideals sah, nicht berücksichtigt.[116] Die Täufer haben sich zwar mittelalterliche und humanistische Gedanken zunutze gemacht, die einen mehr, die andern weniger, doch sie sind nicht mit einem fertigen Glaubenskonzept in die Reformation gegangen. Sie haben ihre Konzepte erst in heftigem Kampf und bitterer Erfahrung finden müssen. Nicht aus dem gemäßigten Moralismus eines Erasmus von Rotterdam, der jeden Affront vermied und die Schwachen im Glauben schonte, sondern aus der antiklerikalen Wucht, mit der die Täufer sich gegen die Reformatoren wandten, erklärt sich die Radikalität ihres Dissents.

Drittes Kapitel

Taufe als öffentliches Bekenntnis

Kaum war die Kontroverse um das Abendmahl eröffnet, verfiel auch die Taufe der Kritik. Andreas Bodenstein von Karlstadt, die Zwickauer Propheten und Thomas Müntzer haben eine Verweigerung der Taufe an Säuglingen erwogen und sind für die Verschiebung des Taufalters eingetreten, indem sie den Inhalt des Taufsakraments neu zu bestimmen versuchten. „Die rechte tauffe ist nicht verstanden", schrieb Müntzer 1524, „darumb ist der eingang zur christenheit zum vihischen affenspiel worden".[1] Kritisch über die Kindertaufe haben sich auch Jakob Strauß und Ulrich Zwingli geäußert.[2] Doch ohne den radikalen Schritt von der Taufverweigerung zur ersten Bekenntnistaufe, wie er im Januar 1525 in Zollikon bei Zürich vollzogen wurde, wäre die Taufe in der Reformationszeit noch nicht einer die Fundamente des Corpus Christianum erschütternden Revision unterzogen worden. Fritz Blanke hat den Grundgedanken, der zur Trennung der Täufer von Zwingli führte, im Anschluß an den bekannten Brief des Zürcher Grebelkreises an Thomas Müntzer 1524 so paraphrasiert, daß die Taufe sich besonders augenfällig dem Alternativkonzept täuferischer Reform einfügt: „Zwingli hat auch uns Nichttheologen die Bibel in die Hand gegeben und uns aufgefordert, uns in sie zu vertiefen; und wir sind seinem Rat gefolgt; aber wir haben beim Lesen des Neuen Testaments in einer bestimmten Hinsicht eine andere (!) Lehre entdeckt, als sie uns Zwingli verkündete; wir haben nämlich eine andere (!) Sicht der Kirche gefunden; bisher war in Zürich wie in der ganzen übrigen christlichen Welt jedes neugeborene Kind getauft und daraufhin als Kirchenmitglied betrachtet worden; die Folge war, daß Kirche und Volk sich deckten; die Kirche war eine Kirche des Herrn Jedermann; nach dem Neuen Testament jedoch (Matth. 7,14) ist die Kirche die Gemeinschaft nicht der vielen, sondern der wenigen, die recht glauben und richtig handeln."[3] Heinrich Bullinger, der Nachfolger Zwinglis in Zürich, nannte diese Taufe ein „Zeichen der Trennung."[4] Und in der Tat, die Täufer trennten sich von der Kirche und Gesellschaft ihrer Tage auf eine Weise, die das Gefühl der Zeitgenossen für Norm und Konvention nicht empfindlicher hätte verletzen können, als es mit den ersten Wiedertaufen, worauf die neue Taufpraxis zunächst ja hinauslief, geschehen war. In einem tieferen Sinne aber hatten die Täufer in der Taufe ein Symbol für die Einheit der Kirche gesehen, der Einheit nämlich mit der Kirche des Neuen Testaments. Diese Einheit, so meinten sie, sei mit dem Abfall der alten Kirche zur Kindertaufe zerstört worden. Konrad Grebel stellt die Polemik gegen die Kindertaufe in einen antiklerikalen Zusammenhang, wenn er bemerkt, daß jeder „will stecken bleiben in all dem alten Wesen der eigenen Laster und in den gemeinsamen, zeremonischen, antichristlichen Gebräuchen der Taufe und des Nachtmahls Christi." In weiter zeitlicher und räumlicher Entfernung spricht Menno Simons noch von der „Taufe des Antichrist".[5] Auch die Funktion, die der Taufe zugewiesen wird, erwächst aus dem antiklerikalen Impuls. Sie wird bei Balthasar Hubmaier zu einem Zeichen, mit dem der Gläubige sich öffentlich verpflichtet, sein Leben zu bessern.[6]

So wird verständlich, daß sich die zeitgenössische Polemik gegen die Täufer sofort an der neuen Taufpraxis festbiß und das weitgespannte Anliegen der Ekklesiologie diffamierend auf eine skandalöse Kritik an dem Ritus der Taufe reduzierte. Man rief ihnen den Schimpfnamen „Wiedertäufer" nach, und bald reichte der Nachweis der „Wiedertaufe" aus, um gegen sie im ganzen Reich mit der Todesstrafe vorgehen zu können. Doch „Wiedertäufer" wollten sie nicht sein, denn sie bestritten die Gültigkeit der ersten Taufe, die sie als Säuglinge empfangen hatten. „Täufer", wenn damit mehr gemeint war als die partielle Kritik an einem Sakrament, zu dieser Bezeichnung konnten sie stehen. Allen Täufern ist die Praxis der Erwachsenentaufe gemeinsam, doch nicht alle haben diese Praxis auf dieselbe Weise begründet. Die Begründungen sind so verschieden, daß es ratsam ist, ihnen getrennt nachzugehen.

Die erste Gesamtdarstellung der täuferischen Taufvorstellungen hat 1966 Rollin S. Armour mit „Anabaptist Baptism" vorgelegt. Doch leider sind hier zwei Phasen, in denen wichtige Grundlagen gelegt oder entscheidende Konsequenzen gezogen wurden, ausgespart worden: die Anfänge in der Schweiz und die Tauflehre bei Menno Simons.[7] Kürzere Beiträge sind gefolgt: von Heinold Fast, Hans-Jürgen Goertz und Martin Brecht.[8] Abschnitte über die Taufe finden sich auch in biographischen Darstellungen und in historisch systematischen Abhandlungen, wie in John H. Yoders „Täufertum und Reformation im Gespräch" und Clarence Baumans „Gewaltlosigkeit im Täufertum".[9] Die bedeutendste Einzeldarstellung einer täuferischen Tauflehre hat Christof Windhorst mit seinem Buch über „Täuferisches Taufverständnis" bei Balthasar Hubmaier vorgelegt.[10] Windhorst geht der Entwicklung dieser Lehre nach und interpretiert sie im Schnittpunkt von Scholastik, augustinischem Spiritualismus und reformatorischem Wortverständnis. Der neueste Beitrag schließlich ist zu finden in der Dissertation von Calvin A. Pater über „Andreas Bodenstein von Karlstadt as the Intellectual Founder of

Anabaptism".[11] In dieser Untersuchung unterzieht Pater sich der längst
fälligen Aufgabe, das sich allmählich entwickelnde Urteil Karlstadts über
die Taufe nachzuzeichnen und zu prüfen, welche Impulse von Karlstadt
auf die Entstehung des Täufertums in Zürich und bei Melchior Hoffman
ausgegangen sein könnten. Pater kommt zu dem Ergebnis, daß die
Schweizer Täufer gerade mit ihrer neuen Taufanschauung von niemandem mehr als von Karlstadt geprägt wurden. Der Beweis wird detailliert
und zielstrebig geführt, doch nicht jeder Nachweis überzeugt, zumal
der Frage ausgewichen wurde, was die Schweizer Radikalen eigentlich
für die Gedanken Karlstadts aufnahmebereit machte. Doch erst eine Erörterung dieses Problembereiches könnte über das Maß an Beeinflussung,
eigenständiger Verarbeitung übernommener Gedanken und selbständigem
Denken entscheiden. So bleibt das Bild, das Pater von der Entstehung der
neuen Taufanschauung in Zürich zeichnete, vorerst noch ein wenig un-
klar, so nützlich allerdings der Nachweis des bedeutenden Einflusses ist,
der von Karlstadt ausging. Überzeugend sind auch die Einwände Paters
gegen den Versuch Martin Brechts, den Einfluß Luthers auf die Taufvorstellung der Zürcher Täufer nachzuweisen.

Im folgenden kann ich nicht allen Aspekten der täuferischen Taufvorstellungen nachgehen. Ich werde mich auf die für das Täufertum bedeut-
same Frage nach der Einheit der Taufe, d.h. nach dem Verhältnis von
innerer und äußerer Taufe, von Wasser- und Geisttaufe, konzentrieren.
Diese Frage wird in argumentativer Parallele zur Frage nach der „Besserung des Lebens" angegangen. Wie der Glaube seinen Ausdruck in den
Werken fand, so drängte die innere Taufe nach ihrem Ausdruck in dem
äußeren Taufvollzug.

Zeichen und Geschehen

(Konrad Grebel und Felix Mantz)

Die wichtigste Quelle aus der Entstehungszeit des Täufertums ist der
bereits erwähnte Brief des Grebelkreises an Thomas Müntzer vom September 1524. Die Zürcher Radikalen begrüßen den thüringischen Reformer als einen Gesinnungsgenossen, der wie sie den Kampf gegen die traditionelle Lehre und Praxis von der Taufe aufgenommen habe. In ihrer
Polemik folgten sie aber mehr den Grundgedanken Zwinglis und Karlstadts als den Argumenten Müntzers, so sehr sie einige Schlüsselbegriffe
aus den ihnen bekannten Schriften Müntzers aufgenommen haben. Was
der Grebelkreis zu Luthers Tauflehre kritisch anmerkt: „also daß daß
wasser den glouben nit befeste und mere, wie die glerten zü Wittemberg

sagend, und wie er ser fast tröste und die letst zuflucht in dem todbett sye"[12], hat Zwingli vielleicht schon vorher geäußert, in seiner Taufschrift von 1525 aber in ähnlicher Weise formuliert: „Es haben etlich gelert, die Zeichen sygind zu Vestung des Gloubens, deß das man uns gelert oder zugesagt hab. Dem aber nit also ist."[13] Zwingli steht in der Tradition des augustinischen Spiritualismus und trennt den Bereich des Glaubens vom Bereich des Kreatürlichen, die innere Taufe von der äußeren. Das Wesen der Taufe (res) ist durch eine „ontologische Schranke", die der Mensch nicht überspringen kann, von dem Zeichen der Taufe (signum) geschieden.[14] Zwingli gibt an gleicher Stelle zu, daß er in bezug auf die Taufe zuvor einem Irrtum erlegen gewesen sei und sich nun korrigieren müsse. Diese Korrektur steht übrigens in seiner ersten großen Taufschrift gegen die Erwachsenentaufe der Täufer und fügt sich seinem Spiritualismus, den er grundsätzlich schon vorher vertreten hatte, ein. In diesem Sinne waren auch die Täufer als seine ehemaligen Schüler Spiritualisten.[15] Und dieser Spiritualismus war so weit gefaßt, daß die Einflüsse, die von Karlstadt auf die Zürcher Täufer ausgegangen sein werden, mühelos in ihn einfließen konnten.

Dieser spiritualistische Grundzug äußert sich nicht nur in diesem gegen Luther gerichteten Argument, er bestimmt auch die inhaltliche Entfaltung des neuen Taufverständnisses. Wenn der Grebelkreis in dem folgenden Satz, der seine Taufanschauung in gedrängter Form enthält, gleich zweimal den Ausdruck „bedeuten" einführt, so werden wir diese Stelle zunächst in dem Sinne Zwinglis lesen müssen, wonach die Taufe ein Zeichen ist (sowenig der Begriff des Zeichens hier auch auftaucht), das lediglich auf eine göttliche Tat, auf eine geistliche Wirklichkeit (res), hinweist: „Den touff beschribt unß die gschrift, dass er bedütte durch den glouben und daß blut Christi (dem getoufften daß gemuet enderendem und dem gloubenden vor und nach) die sünd abgewäsche sin; daß er bedütte, daß man abgestorben sie und sölle der sünd und wandlen in nüwe deß läbens und geist, und daß man gwüß selig werd, so man durch den inneren touff den glouben nach der bedütnuß läbe . . ."[16] Die Taufe ist also als ein Hinweis darauf zu verstehen, daß durch den Glauben und den Kreuzestod Christi die Sünde vergeben ist. Wir können einen Schritt weitergehen: Nicht die Taufe als Wassertaufe vermittelt uns die sündenvergebende Heilstat Christi, sondern der Glaube. Und an dieser Stelle müssen die Täufer gegen das Mißverständnis geschützt werden, wonach der Glaube als das Sichöffnen des Menschen für Gott oder als der Weg des Menschen zu Gott auf die Seite des Menschen gehöre. Der Glaube gehört, wie es das beschriebene Verhältnis von res und signum nahelegt, ganz auf die Seite Gottes. Er ist ein Werk Gottes. Gott allein schenkt den Glauben in der „inneren Taufe". Damit ist freilich eine Trennung von äußerer und innerer Taufe, von Wasser- und Geisttaufe, angenommen. Nun muß allerdings zu denken geben, daß Zwingli daraus die Konsequenz zieht, die Wassertaufe auch weiterhin als Kindertaufe vollziehen zu lassen, denn der Bereich des Kreatürlichen berührt ja überhaupt nicht den Bereich des Geistlichen und kann daher beliebig gestaltet werden, während die Täufer umgekehrt meinen, „daß die Kindertaufe ein unsinniger, gotteslästerlicher Greuel ist, wider die ganze Schrift"[17] und durch die Glaubenstaufe, also die Taufe, die der „inneren Taufe" entspricht, ersetzt werden müsse. Der Ton liegt auf der Entsprechung. Auf den erwähnten Spiritualismus, den er einen „ontologischen Dualismus" zwischen res und signum nennt, hat schon John H. Yoder sehr eindrück-

6. Ulrich Zwinglis Buch gegen die Wiedertäufer, Titelblatt, Zürich 1525

lich hingewiesen.[18] Die Täufer hat er jedoch davon ausgenommen. Sie hätten gerade im Gegenzug zu Zwingli die Einheit von Wasser- und Geisttaufe behauptet, wie sie sich ihnen in der Heiligen Schrift zeigte. Yoder hat recht, wenn er die Tendenz der Täufer beschreibt, an der Einheit der Taufe festzuhalten, doch er hat nicht recht, wenn er den Spiritualismus der Täufer bestreitet. Das Bemühen der Täufer, die Einheit der Taufe zu wahren, muß jetzt dargestellt und erklärt werden.

Die Taufe ist erst voll beschrieben, wenn sie dem Täufling nicht nur das in Christus geschehene Heil anzeigt und auf die „innere Taufe" hinweist, sondern wenn sie den Täufling selbst in den Ort hineinstellt, wo das Heilsgeschehen in dieser Welt konkret wird, in die Gemeinde als den Leib Christi. Dieser Gedanke trägt die Taufauffassung des Grebelkreises und unterscheidet sie gleichzeitig von der kognitiven Bedeutung der Wassertaufe bei Zwingli. „Wir werden bericht, daß man on die regel Christi dess bindens und entbindens (Matth. 18, 15—18) ouch ein erwachsner nit gtoufft solte werden."[19] Taufe und Gemeinde werden eng miteinander verbunden, denn die „Regel Christi" impliziert einen ganz bestimmten Gemeinde- bzw. Kirchenbegriff. Das durch Jesus Christus in der Ordnung des geistgewirkten Bann- und Vergebunswortes geschaffene Leben der Gemeinde ist die Gemeinschaft, die den Täufling als Glied am Leibe Christi aufnimmt und bestimmt, die Gemeinschaft, deren Ordnung er sich unterstellt. Wir können also sagen: Nicht die Taufe ist dem Glaubenden vorgegeben, sondern die Gemeinde ist das der Taufe und selbst dem Glaubenden Vorgegebene.

Taufe ohne Gemeinde wäre bedeutungslos, so daß man gut darauf verzichten könnte. Die Taufe bleibt zwar cognitio salutis, sie wird aber dadurch vertieft, daß sich in ihr die Eingliederung des Täuflings in die sichtbare Gemeinde Jesu Christi vollzieht. Von der „inneren Taufe" her gesehen ist sie die Vergegenwärtigung des Heilsgeschehens in dieser Welt.

Dem Grebelkreis liegt daran, daß die „innere Taufe", das am Menschen entscheidende Heilshandeln Gottes, durch die Verbindung mit dem Gemeindegedanken nicht von der „äußeren Taufe" abgetrennt wird. Innere und äußere Taufe hängen so zusammen, daß sie eine unlösbare Einheit bilden. Hier ist dem zwinglischen Spiritualismus die Spitze gebrochen und eine Wendung vollzogen worden, die sich einem effektiven Taufverständnis nähert. „Die Taufe ist, was sie bedeutet."[20] Vielleicht darf man sogar schärfer formulieren: Die Taufe wirkt, was sie bedeutet. Die Taufe ist ein Werk Gottes. Nur so erklärt sich die Hartnäckigkeit, mit der die Täufer ihre Taufvorstellung verteidigen, und ihre Bereitschaft, für diese Vorstellung sogar in den Tod zu gehen.

Die Taufe ist also beides: Zeichen und Geschehen. Ein Geschehen ist sie, insofern sie den Täufling in den Leib Christi eingliedert; ein Zeichen ist sie, insofern sie dem Täufling zeigt, wo Rettung und wo Trost zu finden sind: in der Vergebungstat Jesu Christi am Kreuz. Sie ist Zeichen auf Christus hin, weil sie ein Geschehen von Christus her ist. Das Subjekt der Taufe ist Gott in Jesus Christus.

Es ist bereits angedeutet worden, daß dies Verständnis die Trennung von innerer und äußerer Taufe zu überwinden versucht, Glauben und (Wasser-) Taufe einander zuordnet, ja, zu einer Erfahrungseinheit miteinander verbindet: ohne Glauben keine (Wasser-) Taufe. Diese ist so gestaltet, daß sie in der Lage ist, die zeitliche Folge von Glaube und Wassertaufe, die in der von Felix Mantz im Dezember 1524 unter dem Eindruck einer verlorengegangenen Taufschrift Karlstadts verfaßten „Protestation" sehr deutlich hervortritt[21], in ein einziges Geschehen einzubinden. Die äußere Taufe entspricht der inneren (Zwingli meinte, sie brauche ihr nicht zu entsprechen). Belege dafür fanden die Täufer im Neuen Testament und ließen sich nicht davon abhalten, die Glaubens- bzw. Erwachsenentaufe zu fordern und schließlich zu praktizieren. Die Auseinandersetzung ist mit vorwiegend biblischen, gelegentlich biblizistischen Argumenten geführt worden. Das darf jedoch nicht darüber hinwegtäuschen, daß es im Grunde die dynamische Verbindung von zwinglischem Spiritualismus mit täuferischem Gemeindeverständnis war, die die Möglichkeit eröffnet hat, eine alte, verfestigte Taufpraxis in der Christenheit zu ändern.

Im Zuge des Taufstreits hat sich das Argument der Reihenfolge „erst Glaube und dann Taufe" sehr stark in den Vordergrund geschoben und dem Mißverständnis Vorschub geleistet, als ob der Taufe jeweils ein Glaubenstest vorauszugehen habe, der die Taufzulassung von menschlichen Kriterien abhängig macht. Darauf bestanden die Täufer aber keineswegs. Die Taufe war für sie ein Initiationsakt, der dem Getauften die Gemeinde Jesu Christi als die Wirklichkeit eröffnet, in der sein Glaube wachsen und sich bewähren kann, sein Leben geheiligt wird. In der Taufe erklärt sich der Täufling bereit, sich von der Ordnung dieser Gemeinde („Regel Christi") bestimmen zu lassen. So wird die Taufe zu einem Bekenntnis. Der Täufling bekennt, mit dem alten Leben gebrochen zu haben und ein neues beginnen zu wollen. Die Taufe ermöglicht und verlangt Glaubens-Gehorsam. Der Erfahrungseinheit von Glaube und Taufe entspricht nun die Erfahrungseinheit von Taufe und Gehorsam. Der Gehorsam kann nicht – wie bei der Kindertaufe – auf unbestimmte Zeit suspendiert und später nachgeholt werden.

Den Täufern ist oft ethischer Perfektionismus vorgeworfen worden. Sieht man aber, daß ihr Ethos aus der Taufe erwächst, wird man mit diesem Vorwurf vorsichtig sein müssen. Als Konsequenz der Taufe erfuhren sie Verfolgung und Tod, den Widerspruch der „Welt" gegen ihren

Herrn, zu dem sie sich in der Taufe vor aller Öffentlichkeit bekannt hatten, das Kreuz Christi. Hier konnte es nicht um Perfektionismus gehen, sondern nur darum, dem Herrn Jesus Christus gehorsam nachzufolgen.

Im Rahmen des zwinglischen Spiritualismus kommt es also zu folgender paradox anmutenden Konstellation: Die Täufer können an der alten, biblischen Einheit der Taufe nur festhalten, indem sie die Konsequenz ziehen, eine „neue" (sie sagen freilich: die alte, biblische) Taufpraxis einzuführen. Zwingli hingegén kann an der alten, der herkömmlichen Praxis der Kindertaufe nur festhalten, indem er das Verhältnis vom Wesen und vom Zeichen der Taufe „neu" bestimmt. So konnten die Täufer den Vorwurf, sie führten eine „neue Taufe" ein, mit gewissem Recht zurückweisen.

Das Nachdenken über die rechte Taufe fällt in eine Zeit, in der die Zürcher Radikalen nach dem Fehlschlag einer kommunalen Täuferreformation in der Stadt über das Reformkonzept der Kirche neu nachzudenken gezwungen waren. Die Anregung, die Taufe in die Überlegungen zur Reform mit einzubeziehen, kam übrigens von den Radikalen, die in den Zürcher Landgemeinden wirkten.[22] Die neuen ekklesiologischen Erkenntnisse, die sich andeuteten, bestimmten die vom Spiritualismus ausgelösten und eine oppositionelle Kultreform stützenden Gedanken über die Taufe unter den Radikalen in der Stadt. Heinold Fast hat recht, wenn er feststellt, daß die ekklesiologische Bestimmung der Taufe „bei den ersten Täufern noch nicht theologisch expliziert", wohl aber „die Richtung ihres Denkens" auf die Ekklesiologie hin zu erkennen sei.[23] Wenn ich die ekklesiologische Bestimmung hier so pointiert herausgestellt habe, so ist das nicht geschehen, um die Taufe bereits für diesen Zeitpunkt zu einem Zeichen separatistischer Gemeinschaft, zu dem sie später wird, zu stilisieren, sondern um zu erinnern, daß die ekklesiologische Einbindung der Taufe auch unter den Reformierten gang und gäbe war, eine Voraussetzung, die der Grebelkreis teilte. In diesem Brief läßt die ekklesiologische Bestimmung der Taufe noch beide Möglichkeiten einer Täuferreformation offen, so sehr sich die Tendenz zu einer abgesonderten Gemeinschaft schon andeutet: „Das ganze Jahr 1525 über hoffte man noch, die Erwachsenentaufe sei ebenso mit der stärker inklusiv vorgehenden christlichen Zielsetzung der Reformatioñ ganzer Ortsgemeinden vereinbar wie mit dem eher exklusiven Bestreben, einzelne Gläubige aus der Welt heraus zu sammeln."[24] Diese Beobachtung Stayers trifft auf die frühe Zeit nach dem epochalen Vollzug der ersten Glaubenstaufe zu, umso mehr kann sie für die Zeit des Grebelbriefs einige Monate früher gelten.

Wort und Taufe

(Balthasar Hubmaier)

Das Taufverständnis der Zürcher Täufer konnte nur aus Andeutungen rekonstruiert werden. Die polemische und systematische Kraft, das neue Verständnis in einem geschlossenen Argumentationsgang ins Gespräch zu bringen, hat ein wenig abseits von Zürich Balthasar Hubmaier in Waldshut gefunden, ein Theologe, der von der römischen Kirche über die lutherische und zwinglische Bewegung zu den Täufern gestoßen ist. Sein Entwurf ist die erste theologisch durchgearbeitete Alternative zur Lehre Zwinglis, wenngleich er dem täuferischen Verständnis kaum neue Züge hinzugefügt hat. Neu sind oft die Begründungen, die er für die Glaubenstaufe findet. Am wichtigsten sind die Taufschriften, die Hubmaier 1525/26 veröffentlichte: die „Summe", das „Taufbuch" und das „Gespräch auf Zwinglis Taufbüchlein". Diese und alle anderen Taufschriften hat Christof Windhorst eingehend untersucht[25], es kann daher auf eine Gesamtdarstellung verzichtet werden. Ich wende mich dem reformatorisch bedeutsamen Zusammenhang zu, den Hubmaier zwischen Taufe und Rechtfertigung herstellt.

Auch für seinen Gedankengang ist das Verhältnis von innerer und äußerer Taufe wichtig. Die innere hat der äußeren vorauszugehen, die Wassertaufe kann also erst auf den Glauben hin erfolgen. Nur so vermag er die Apostelgeschichte zu lesen: Das Wort Gottes treibt den Hörer in die Buße, die innere Taufe reinigt die „hertzen von böser gwissen", und dann „kumpt erst der außwendig Tauff, der on den jnwenndigen nichts denn ain Gleyßnerey ist."[26] Diese Reihenfolge, von der Hubmaier nirgends abläßt und die ihm ein schlagender Beweis für die Glaubenstaufe im Neuen Testament ist, ist nicht auf einen hartnäckigen Biblizismus zurückzuführen, sondern erwächst aus seiner Einsicht in die Bedeutung, die das Christusbekenntnis im Zusammenhang mit dem Taufgeschehen hat. Erst wer Jesus Christus als den lebendigen Sohn Gottes bekennt, kann getauft werden.[27] Allein von Christus her ergibt sich eine nicht weiter zu hinterfragende Nötigung zur Taufe, Christus hat den Taufbefehl gegeben, allein von ihm her erhält die Taufe auch ihre Qualität.

Der christologische Bezug der Taufe wird sehr entschieden gegen den Versuch Zwinglis herausgestellt, die christliche Taufe in die Johannestaufe hineinzunivellieren, um über diese Brücke den alttestamentlichen Bundesgedanken bzw. die Beschneidung als Argument für die Kindertaufe zu gewinnen, auf deren biblische Rechtfertigung er doch nicht verzichten wollte. Die spiritualistische Trennung der äußeren Taufe von der inneren macht diese Gleichschaltung der Johannestaufe und der Taufe im Neuen Bund möglich.

Dagegen nun führt Hubmaier die Unterscheidung von Gesetz und Evangelium bzw. die Rechtfertigungslehre ins Feld. Die Taufe des Johannes wird dem Gesetz zugeordnet; sie erhält ihre Qualität von seiner Predigt her, die Predigt des Gesetzes ist. Sie führt zur Sündenerkenntnis, nicht aber zur Vergebung der Sünden. Hier legt Hubmaier ein kräftiges Zeugnis für das lutherische Gesetzesverständnis ab.

So wird die Johannestaufe zu einem öffentlichen Zeugnis, das „der mensch empfahet vnd gibt, darumb das er sich ein ellenden sünder schuldig gebe vnd erkenne, der im selbs nit helffen noch radten möge, auch nichts guts verbringe, sonder alle seine gerechtigkeyten seyen fül (schlecht) vnd tadelhafftig, derhalb er an jm selbs verzage. Er müsse auch (wo im nit ein frembde fromkeit zu hilff kumme) ewigklich verdampt seyn, das zeygt jm an sein conscientz vnd gewissen, auß dem gsatz (welches ein erkantnüß der sünden ist) erlernet. Yetz ist Johannes da vnd weyßt jn zu Christo, in dem selben werde er entladung seiner sünden, ru, fryd vnd sicherheit finden, darmit er nit in verzweiflung verharre vnd also ewigklich werde verloren. Jn summa: Gott furt durch Johannem hynab inn die hell, vnnd durch Christum wider auffher."[28]

Vergebung der Sünden, daran läßt Hubmaier keinen Zweifel, verheißt und gewährt allein das Evangelium. Und das Evangelium wird eindeutig mit Christus identifiziert. Er ist der „verzeyhender der sünden vnd gsundmacher"[29], er „muß reden mit vns, so sindt wir gsundt an vnseren seelen".[30] Entscheidend ist die gepredigte und geglaubte Sündenvergebung, ist also das Rechtfertigungsgeschehen, wie es in der lutherischen Reformation formuliert worden ist. Damit ist der Kontext beschrieben, in dem Hubmaier sein Verständnis der christlichen Taufe entfaltet. Der Akzent liegt wie bei der Johannestaufe auf dem Wortgeschehen. War die Taufe im Jordan ein von der Gesetzespredigt hervorgerufenes Sündenbekenntnis des Täuflings, so ist die christliche Taufe das durch das Evangelium erweckte Bekenntnis des Sünders, daß ihm Vergebung seiner Sünden zuteil geworden sei.[31] Gemeint ist damit freilich nur die Wassertaufe. Es taucht also sofort die Frage auf, ob es Hubmaier denn gelungen sei, die spiritualistische Trennung von innerer und äußerer Taufe zu einer Einheit zu bringen. Hier stehen wir vor einer besonderen Auslegungsschwierigkeit. Die Einführung der Rechtfertigungslehre hat zwar das undifferenzierte Nebeneinander verschiedener biblischer Taufen zurückgewiesen, dafür aber die Vereinigung von innerer und äußerer Taufe eher behindert als gefördert. Das Wortgeschehen wird dermaßen ausschließlich für die Rechtfertigung des Sünders in Anspruch genommen, daß die Wassertaufe zur Heilsvermittlung überflüssig zu werden scheint und lediglich als ein Bekenntnisakt des Täuflings verstanden werden kann, der sich zur Heilstat Gottes in Christus bekennt und zu gehorsamem Wandel vor der Ge-

meinde verpflichtet. Die Taufe wird so ein „Pflichtzeichen".[32] Dies
Auseinanderfallen von Geist- und Wassertaufe hat einen einfachen
Grund: Die Rechtfertigung wird nämlich mit der „inneren Taufe" identifiziert und gerät so, obwohl das dem Glauben vorauslaufende äußere
Predigtwort sehr stark betont wird, in den Sog des Spiritualismus. Auf
diese Weise kommt, wie Windhorst beobachtet hat, das lutherische Wort-
und Rechtfertigungsverständnis bei Hubmaier nicht voll zum Zuge. Hubmaier bleibt „zwischen traditioneller und reformatorischer Theologie"
stehen.[33]

Doch offensichtlich hat Hubmaier gespürt, daß innere und äußere
Taufe als *ein* Geschehen zusammengehalten werden müssen. Einmal
erklärt er, daß „pflicht, zusagung vnnd offentliche zeügknüß, nit auß
menschlichen krefften oder vermögen" erwachsen, sondern ein Werk des
Heiligen Geistes sind.[34] Zum andern versteht er die Taufe als ein Glied,
das aus der „ordnung einer Christlichen frombmachung" nicht heraus-
gebrochen werden darf: Evangeliumspredigt, Glaube (innere Taufe),
Taufe, Seligkeit.[35] Also scheint die Taufe als Ganzes mit zur seligma-
chenden Rechtfertigung zu gehören und ein „in der ganzen christlichen
Existenz aufgehendes, sie durchziehendes Geschehen" zu sein.[36] Und
schließlich stellt Hubmaier einen ähnlichen Zusammenhang zwischen
Taufe und Gemeinde her, wie er bei den Zürcher Täufern beobachtet
wurde. Auch hier wird auf die seligmachende Wirkung der Wassertaufe
hingewiesen: „Dann mit dem außwendigen Tauff schleüst die Kirch auff
ire portenn allenn glaubigenn, die iren glauben mündtlich vor ir bekennen, vnd nimbt sy an in ir schoß, gesellschafft vnd gemainschafft der
heiligen zu verzeyhung irer sünnden. Darumb als vil dem menschen an der
verzeyhunng seyner sünden vnd gmainschafft der heiligen, ausserhalb wöl-
her khayn hayl ist, gelegen, wo vill solle im an dem Wassertauff gelegen
sein, durch wölhen er eingeet vnd eingeleybet wird der allgmainen
Christlichen Kirchen."[37] Hubmaier bietet also alle denkerische Kraft
auf, die ihm im Rahmen seines Spiritualismus möglich ist, um die Einheit des Taufgeschehens zu wahren. Während die Zürcher Täufer diese
Einheit auf dem Wege ihres ekklesiologischen Denkens herzustellen versuchten, tritt bei ihm die ekklesiologische Bestimmung der Taufe in den
Begründungen der täuferischen Taufe nicht so stark hervor. Möglicherweise legt sich dieser Eindruck aufgrund des fragmentarischen Charak-
ters des Zürcher Taufverständnisses nahe und verzerrt die tatsächlichen
historischen Verhältnisse ein wenig, vielleicht reflektiert sich hier auch
die andere, die volkskirchliche Situation der Waldshuter Täuferreformation, die das Denken der Täufer noch nicht so ausschließlich auf die
Ekklesiologie, schon gar nicht auf eine separatistische, geworfen hat.

Versieglung für das Endgericht

(Hans Hut)

Hubmaier hat in den oberdeutschen Raum bis nach Mähren hineinge-wirkt, dort aber die Täufergemeinden nicht allein, ja, nicht einmal haupt-sächlich bestimmen können. Er mußte sich dieses Einflußgebiet mit Hans Hut teilen, dessen theologische Wurzeln vor allem bei Thomas Müntzer und teilweise vielleicht auch bei Hans Denck zu suchen sind. Gottfried Seebaß hat für die komplizierte und gelegentlich widerspruchsvolle Kon-zeption der Hutschen Tauflehre auch die Aufnahme lutherischer, karl-stadtscher und hubmaierscher Gedanken verantwortlich gemacht, die letztlich aber nicht in Einklang miteinander gebracht werden konnten.[38] Dies Ergebnis wird noch überprüft werden müssen, fest steht jedoch, daß mit Hut neue Elemente in die werdende Täuferbewegung hineingetragen wurden. Die Grundgedanken der Hutschen Tauflehre sind vor allem in der Schrift „Vom Geheimnis der Taufe" zu finden. Ihre Autorschaft war bisher umstritten, doch Seebaß hat nach sorgfältiger Analyse der Quellen nachweisen können, daß Hut diese Schrift tatsächlich verfaßte.

Zunächst fallen zwischen Hut und Hubmaier zwei Gemeinsamkeiten auf: Die Glaubenstaufe wird mit dem Hinweis auf den Taufbefehl Jesu (Mk. 16, 15 f. und Matth. 28,19) gefordert, und es wird zwischen der inneren und äußeren Taufe unterschieden. Sieht man allerdings genauer hin, tun sich tiefe Gegensätze auf.

Der Taufbefehl wird seines biblischen Sinns beraubt und zum Anlaß genommen, eine mystisch empfundene Lehre von der Erkenntnis Gottes zu formulieren, mit der der göttliche Heilsprozeß im Menschen beginnt. Die untere Stufe dieser Erkenntnis, genauer der Einsicht in die Art und Weise, wie Gott am Menschen handelt, vollzieht sich in den Bahnen einer „natürlichen Theologie". Der Anblick der Natur offenbart dem Menschen den Weg, den Gott mit ihm gehen will.

Wie der Mensch der Kreatur zu ihrer endgültigen Bestimmung verhilft, nämlich dem Menschen als dem Höheren dienstbar zu sein, so verhilft Gott, der Höhere, dem Menschen zu dessen Seligkeit. Der Weg ist in bei-den Fällen ein Leidensweg. Aus dem Auftrag Jesu, das Evangelium aller (Dativ) Kreatur zu predigen (gemeint ist allen Menschen), entnimmt Hut den Hinweis, sich um das Verständnis des „Evangeliums aller (Genetiv) Kreatur" zu bemühen.[39] Aus diesem Evangelium erwächst, so meint Hut, der Glaube, der nach dem erwähnten Taufbefehl die Wassertaufe nach sich zieht. So ist die biblische Reihenfolge Glaube-Taufe das ent-scheidende Kriterium, das gegen die übliche Säuglingstaufe ins Feld ge-führt wird.

Allerdings ist das nicht der Glaube in seiner Vollgestalt, der echte oder wahre Glaube, sondern nur ein vorläufiger, „anhebender" Glaube. Das ist ein dem Menschen von außen vermittelter Glaube, ein Glaube „aus dem Gehör".[40] Und so wenig dieser Glaube wahrer Glaube ist, so wenig kann auch die ihm folgende Wassertaufe die wahre Taufe sein. Sie ist lediglich ein „Zeichen", das den Menschen daran erinnern soll, die „rechte Taufe" zu erwarten.[41] Die Wassertaufe — gelegentlich mit der Johannestaufe identifiziert — bereitet auf die innere Taufe, das eigentliche Heilsgeschehen, vor. Hier kündigt sich ein weiterer Unterschied zu Hubmaier an. Dessen Argumentation verlief nämlich genau umgekehrt: die Wassertaufe hatte nicht vorbereitende, sondern bestätigende Funktion, ihr lief die Erfahrung des Heilsgeschehens voraus. Seebaß hat darauf hingewiesen, daß auch bei Hut die Entscheidung zur Wassertaufe im Anschluß an den anhebenden Glauben „Geisttaufe" genannt werden konnte[42], doch diese Geisttaufe ist nicht eigentlich das unvermittelte göttliche Heilsgeschehen im Menschen, das Hubmaier mit der Geisttaufe oder der „inneren Taufe" gemeint hat. Sie könnte eher mit der geistlichen „Verwunderung" gleichgesetzt werden, die nach Müntzer dem eigentlichen Leidens- und Heilsweg im Inneren des Menschen vorausgeht.

Mit der Wassertaufe hat der Mensch eingewilligt, so fährt Hut fort, die innere Taufe über sich ergehen zu lassen. „Die wasser, die in die seel dringen seind anfechtung, betrüebnus, angst, zitteren und komernus, also ist tauf leiden."[43] Da dem Leiden die Aufgabe zufällt, den Menschen von seinen Sünden zu reinigen, wird die Taufe in einen mystischen Läuterungsprozeß verwandelt, der das ganze Leben hindurch als inneres Geschehen anhält. „Derhalben ist der tauf ein kampf mit der sünd, sie zue töten durch das ganz leben."[44] In diesem Läuterungsprozeß erlangt der Mensch den Glauben, der vor Gott allein gerechtfertigt ist oder der wahre Glaube genannt wird. Hier wird der Mensch auf die höhere Stufe der Gotteserkenntnis gehoben. Im Grunde aber werden Läuterungsprozeß, innere Taufe und Rechtfertigungsgeschehen einander gleichgesetzt und gemeinsam als „Werk Gottes" erfahren. So bemüht Hut sich in den Bahnen des Heilsprozesses, wie ihn auch Müntzer beschrieben hat, fortwährend, den Gnadencharakter der Taufe herauszustellen. Und er unterstreicht dies Bemühen noch, wenn er versichert, daß Gott niemanden in seinem Leiden versinken läßt, sich des Leidenden vielmehr „im trost des heiligen geists" annimmt, ihn Christus gleichschaltet und dem Leibe seines Sohnes eingliedert.[45] So vollendet sich der Heilsprozeß, dessen Herzstück — das ist gegenüber Müntzer kräftiger betont — die „innere Taufe" ist. Sie beherrscht die Argumentation der Taufschrift und läßt die Wassertaufe in den Hintergrund treten.

Allerdings sorgt nun ein anderer Zug dafür, daß die Wassertaufe wieder aufgewertet wird. Denn Hut beschreibt sie nicht nur als „Zeichen" oder „Gleichnis", sondern auch als „Bund". Sie ist ein „bund der verwilligung vor einer christlichen gmain".[46] Gemeint ist damit die öffentlich abgegebene Einwilligung des Täuflings, im Gehorsam gegen Christus die wahre Taufe zu erwarten. Wie Hut dazu kommt, diese Einwilligung oder Bereitschaftserklärung einen Bund zu nennen, ist nicht ganz klar. Höchstwahrscheinlich hat er diesen Begriff aus den Schriften Dencks übernommen, wo die Taufe wiederholt als ein „Bund des guten Gewissens mit Gott"[47] beschrieben wird, ihm aber eine eigenwillige Deutung gegeben. Er hat das spiritualistische Verständnis Dencks ekklesiologisch gewendet, indem er den „Bund" mit der Binde- und Lösegewalt der Gemeinde (Matth. 28,18) assoziiert, also das Mandat, die Sünde zu binden, in das Mandat verkehrt, die Menschen zu einer Gemeinschaft zu verbinden, in der die wahre Taufe erwartet wird. Besonders Armour hat darauf hingewiesen, daß dies eine eschatologische Gemeinschaft sei, allerdings fällt es ihm schwer, dies genau zu belegen.[48] Da Hut die Wassertaufe mit der Johannestaufe identifiziert, um ihren vorbereitenden Charakter zu unterstreichen, und sie als eine Gabe beschreibt, die Gott der Gemeinde geschenkt hat, wird man kaum fehlgehen, sie als ein „eschatologisches" Zeichen zu begreifen. Sie bereitet also nicht nur auf die „innere Taufe" vor, sondern gleichzeitig auf die in Not und Trübsal erwartete Wiederkunft Christi. Wer sich taufen läßt, kann jetzt schon in der Gewißheit leben, als Kind Gottes angenommen und in den Leib Christi eingegliedert zu sein.[49] Seebaß hat herausgearbeitet, daß Hut seine Anhänger mit der Taufe, einem Kreuzeszeichen auf der Stirn, für das Endgericht „versiegelte", sie also im Grunde weniger ekklesiologisch als vielmehr, verbunden mit der Leidensmystik, eschatologisch oder apokalyptisch verstand. „Sie war nicht als Wiedertaufe der Kindertaufe gültiger Eintritt in die von der Welt getrennte Gemeinde. Sie stellte vielmehr als eschatologische Versiegelung die ‚Bezeichnung' zerstreuter Einzelner dar und blickte über den verbleibenden kurzen Rest der Zeit hinweg auf das Gericht Gottes an den Sündern, an dem die dann gesammelten Versiegelten teilnehmen sollten."[50]

Ähnlich wie die Zürcher Täufer und Hubmaier hat Hut versucht, äußere und innere Taufe nicht auseinanderbrechen zu lassen. Seebaß hat recht, wenn er zwei unterschiedliche Konzeptionen in der Zuordnung von Glaube und Taufe bei Hut beobachtet, einmal die Reihenfolge Glaube-Taufe, die auf Einflüsse von Karlstadt und Hubmaier zurückgeführt werden könne, und zum andern die Reihenfolge Taufe-Glaube, die an Luther erinnere, vor allem aber von Müntzer bestimmt sei.[51] Doch ist zu fragen, ob diese beiden Konzeptionen so widerspruchsvoll nebeneinander stehen, wie es zunächst durchaus den Anschein hat, denn in die müntzersche Konzeption des mystischen Heilsprozesses läßt sich sowohl der vorauslaufende als auch der nachfolgende Glaube hineindenken. Der doppelte Glaubensbegriff, der auf die Taufe bezogen wird, scheint eine selbständige Leistung Huts zu sein, um die Einheit von äußerer und innerer Taufe, so gut es eben ging, im Rahmen des mystischen Heilsprozesses, der ja verschiedene Stufen geistlichen Werdens unter der Leitung des Heiligen Geistes kennt, zu wahren.

Zeugnis und Mitzeugnis

(Pilgram Marpeck)

Die vorausgehenden Darstellungen haben gezeigt, wie schwer es den Täufern zu Beginn ihrer Bewegung fiel, ein neues Taufverständnis zu formulieren. So unterschiedlich sie die gedankliche Verknüpfung und die Begründungszusammenhänge einzelner Begriffe auch vorgenommen und ausgearbeitet haben, beschäftigte sie doch alle dasselbe Problem: die Einheit der Taufe. Man muß freilich hinzufügen, daß dies Problem nur dunkel erahnt und nicht klar genug erkannt wurde. Voll zu Bewußtsein ist es erst Pilgram Marpeck gekommen.

Er sah sich zwischen zwei Fronten, die seiner Meinung nach beide die Einheit von innerer und äußerer Taufe bedrohten oder sogar zerstörten. Auf der einen Seite war es das lutherische Sakramentsverständnis, das die äußere Handlung zu verabsolutieren drohte, und auf der anderen Seite war es der schwenckfeldsche Spiritualismus, der allein das innere Wirken gelten ließ. Marpeck versuchte nun, einen Mittelweg zu beschreiten. Er trat für die Interdependenz von innerem und äußerem Geschehen ein, also für die Einheit der Taufe.

Marpeck hat sich des öfteren zur Problematik der Taufe geäußert. Für diese kurze Analyse wird die „Vermahnung" herangezogen,[52] in der er besonders eindrücklich über Taufe und Abendmahl spricht. Allerdings ist diese Schrift, wie F.J. Wray entdeckt hat, nicht von Marpeck, sondern von Bernd Rothmann geschrieben, von Marpeck und seinem Kreis lediglich rezipiert, kritisch gegen den Urheber überarbeitet, ergänzt und als eigene Schrift herausgegeben worden.[53] Gerade wenn man auf die Veränderungen gegenüber der Vorlage achtet, werden sich die typischen Anschauungen Marpecks über die Taufe sehr schnell erschließen.

Der Rahmen, in dem er sein Taufverständnis entfaltet, wird heilsgeschichtlich bestimmt. Er greift den Bundesgedanken auf und verarbeitet ihn zu einer selbständigen Bundestheologie.[54] Aus ihr ergibt sich eine heilsgeschichtliche Hermeneutik, die sich ganz besonders auf die Begriffs-

bestimmung der Taufe auswirkt. Marpeck unterscheidet zwischen den
Zeremonien im Alten Bund und den Zeremonien im Neuen Bund. Sie
verhalten sich zueinander wie Verheißung und Erfüllung. Die einen sind
Abbilder, Zeichen oder Figuren und die andern sind „Wesen". Man kann
diesen Begriff auch mit „Realität" übersetzen.[55] So wie das Gesetz auf
das Evangelium hinweist, so deuten die Zeichen auf das Wesen, d.h. das
Gesetz führt wohl zur Erkenntnis der Sünde, wirkt aber nicht Vergebung
der Sünde. Das Christusereignis bedeutet also eine tiefgehende Zäsur.
Diese Zeitenwende qualifiziert das kirchliche Handeln. Auf diese Weise
kann Marpeck die Taufe aus dem Bannkreis des zwinglischen Spiritualismus endgültig herausführen. Im Anschluß an die ersten Zeilen von
Röm. 6 schreibt er: „Welche also gesinnet sein und solliches bekennen,
die soll man tauffen, und die werden auch recht getaufft, und wirt alsdann gewißlich vergebung der sünden in der tauff erlangt."[56] Klarer als
bei den Zürcher Täufern wird hier — da folgt Marpeck ganz der Vorlage
Rothmanns — ein effektives Taufverständnis angestrebt.

Der heilsgeschichtliche Aspekt wird nun so ergänzt, daß die Fronten
gegen Schwenckfeld und gegen Luther entschiedener gezogen werden,
als die bundestheologischen Andeutungen es bisher erkennen ließen.
Gegen den Spiritualismus des einen wird die Taufe als das „äußere
Werk" Christi herausgestellt und gegen die „objektive" Taufwirkung des
andern als das innere Werk Gottes durch den Heiligen Geist. Der Gedanke,
wie beide Werke miteinander verknüpft werden, ist originell und so bei
Rothmann nicht zu finden: „Dann was der vatter thut, das thut auch zugleich der sun des menschen, der vatter als geyst inwendig, d'sun, als
mensch außwendig."[57] Beide Werke werden synchronisiert. So gelingt
es Marpeck, in direktem Angriff den spiritualistischen bzw. mystischen
Dualismus zu überwinden, der die Taufe in ein göttliches Wesen und ein
kreatürliches Zeichen auseinandertrennen mußte, und die heilbringende
oder seligmachende Wirkung der Wassertaufe sicherzustellen: „ . . . also
ist inn Christo keyn zeychen mer nur wesen, ein tauff, ein glaub, ein
Gott vatter unser aller."[58] Heinold Fast hat die Einheit von äußerem
Zeichen und innerem Wesen zu Recht in der „Einheit von Sohn und
Vater" gesehen.[59] Im Unterschied zu Rothmann, der die spiritualistische
Unterscheidung von Zeichen und Wesen beibehält, sich aber bemüht,
dem Zeichen einen dem Wesen entsprechenden Sinn zu geben, will Marpeck auch die Wassertaufe als Wesen verstehen. Das machen seine Ein-
schübe in die Rothmann-Vorlage sehr deutlich.[60] Auch Rothmann kann
sagen: „Dan wannen dat wesen dar is vnd betekent wort, so is dat teken
waraftich vnd gantz nutte, und woert dem teken to gegeuen al dat genne,
dat mit dem teken bedudet woert."[61] Doch ist nicht zu übersehen, daß
Marpeck vor anderen Fronten stand als Rothmann. Er mußte vor allem

7. Täuferapostel taufen im Münsterland
Federzeichnung eines unbekannten niederländischen Künstlers

gegen eine Spiritualisierung des Taufverständnisses ankämpfen, während Rothmann gegen die traditionelle Sinnentleerung des äußeren Ritus zu Felde zog. Die antispiritualistische Haltung drängte Marpeck dazu, die Einheit der Taufe stringenter zu denken, als es im Täufertum sonst üblich war.

Die Weigerung, Zeichen und Wesen voneinander zu trennen, wirkt sich nun auch gegen das lutherische Taufverständnis aus. Denn nur „wer die warheyt im hertzen hat dem ists (die Taufe) keyn zeychen, sunder ein wesen mit dem innwendigen."[62] Die Wassertaufe ist als Werk Christi nur Taufe, wenn sie mit dem Werk Gottes, das im Menschen den Glauben wirkt, synchronisiert ist. Ohne den Glauben oder das innere „Zeugnis" des Heiligen Geistes von der Präsenz Gottes im Menschen bleibt die Taufe ein Zeichen (so erscheint sie den Ungläubigen) und wird niemals zu einem „Mitzeugnis"[63]. Zeugnis und Mitzeugnis fordern und bedingen einander, so daß ohne das Zeugnis die Wassertaufe wirkungslos, aber auch umgekehrt ohne die Wassertaufe (das Mitzeugnis) das Zeugnis Gottes unvollständig bleibt. Konnte man aus den Quellen der Zürcher Täufer nur ganz vorsichtig folgern, daß Glaube und Taufe als eine Erfahrungseinheit zusammengehalten und darin zur Begründung der Glaubens- bzw. Erwachsenentaufe wurden, so können wir jetzt beobachten, wie Marpeck Glaube und Taufe christologisch zu einer Geschehenseinheit verdichtet, der die Praxis der Kindertaufe dann freilich nicht mehr entsprechen kann.

Auch Marpeck hat die Taufe (wie Rothmann) mit der Gemeinde zusammengedacht. Sie ist die „Pforte in die heilige Kirche"[64], aber gleichzeitig auch das Werk, das Christus der Gemeinde über- und aufgetragen hat. Insofern die Gemeinde nämlich mit ihrer Verkündigung zur Taufe ruft und die Taufe auf das Begehren und das Bekenntnis des Täuflings hin vollzieht, ist sie an seinem „Mitzeugnis" beteiligt.[65] Begehren und Bekenntnis sind nicht das Ergebnis menschlicher Willensanstrengung, sondern die Konsequenz aus dem Zusammenwirken des inneren Zeugnisses, das der Heilige Geist gibt, und des äußeren Worts, das Schrift und Kirche dem Menschen anbieten. Die Zeugnis-Mitzeugnis-Struktur durchzieht den Verkündigungs- und den Gemeindebegriff genauso wie das Taufverständnis; in ihr vollzieht sich die Zueignung des Heils, wie sie den Gegebenheiten des Menschen Rechnung trägt. Und daraus folgt nun ein wichtiger Hinweis für die Praxis der Taufe. Sie wird so eingerichtet, daß in ihr sowohl das Wortgeschehen als auch die Gemeindewirklichkeit wahrgenommen werden, denn nur dann ist die angegebene Struktur in Verkündi-gung, Gemeinde und Taufe durchgängig gesichert. Und das ist nur der Fall, wenn man sich entschließt, auf die Kindertaufe zu verzichten (hier könnte wohl das Zeugnis, nicht aber das notwendig dazugehörige Mitzeugnis wirken) und die Erwachsenentaufe zu fordern. Nicht immer tritt die hinter dem Taufverständnis stehende Struktur so klar hervor wie hier. Über weite Strecken hinweg übernimmt Marpeck vielmehr die im Täufertum gängigen Argumente gegen die Kindertaufe, wobei vor allem auf das fehlende Sündenbewußtsein der Kinder, ihre Unansprechbarkeit durch das göttliche Wort und ihre Unfähigkeit zu leidendem Gehorsam hingewiesen wird, die nach biblischer Einsicht unmittelbar (d.h. ohne zeitlichen Aufschub) mit der Taufe verbunden sind.[66] So hat Marpeck auch Gedanken aufgenommen, die der Hutschen Tradition entstammen oder ihr ähnlich sind. Dazu zählt gewiß die Vorstellung, daß Taufe und Abendmahl, also die Sakramente, „Stadien auf dem Heilsweg"[67] sind. Heinold Fast hat darauf hingewiesen, daß die Sakramente für Marpeck „Werke, darunter man gläubig wird" seien.[68] Ähnlich hatte Thomas Müntzer in den Sakramenten Mittel gesehen, um das „mysterium fidei" im Menschen zu fördern[69], ein Gedanke, der bei Hut so kaum zum Tragen kommt, wenngleich er in dessen Versuch, die Einheit der Taufe zu wahren, eingegangen sein dürfte. Marpeck hat hier offensichtlich eine tiefere Einsicht in das aus dem mystischen Spiritualismus entsprungene Problem von Sakrament und Heilsprozeß an den Tag gelegt als Hut selbst. Doch Marpeck hat sich speziell mit der Entfaltung seiner Taufanschauung nicht an der Hutschen Tradition, dessen Täufertum er grundsätzlich entstammte, orientiert. Das zeigt bereits die Tatsache, daß er Rothmanns Schrift über die Sakramente als Vorlage benutzte. Die Tauflehre Huts hätte sich wenig geeignet, dem Täufertum Marpecks, das auf einen Ausgleich mit Kirche und Obrigkeit seiner Umgebung aus war, nützlich zu sein. Wohl kommt es ihm auf eine Trennung von Kirche und Welt an, doch sein Dualismus ist nicht so rigoros wie der Dualismus der Schweizer Brüder und nicht so apokalyptisch zugespitzt wie die Mission Huts. Die Taufe radikalisiert Marpecks Dualismus vielleicht deshalb nicht, weil ihre Einheit nicht ekklesiologisch, sondern christologisch mit der Einheit von Christus und Gott begründet wird. So wird auch bei Marpeck das Taufverständnis von den Erfahrungen bestimmt — zumindest ist es ihnen gemäß —, die er in seiner kirchlichen und gesellschaftlichen Umgebung sammelte.

Taufe und Gehorsam

(Menno Simons)

Ähnlich wie Marpeck mußte sich Menno Simons, der dem melchioritischen Täufertum entstammte, zwischen Sakramentalismus und Spiritualismus behaupten. Hier kämpfte er gegen die „Vergötzung" und dort gegen die „Verachtung" der Taufe.[70] Im Unterschied zu Marpeck war er allerdings für die spiritualistischen Tendenzen, gegen die er sich zur Wehr setzen mußte, teilweise selbst verantwortlich. Er trieb die Polemik gegen die Kindertaufe nämlich so weit, daß es für einige seiner Anhänger schwer war, neben der stark betonten inneren Taufe als Umschreibung der Wiedergeburt noch Sinn und Notwendigkeit der Wassertaufe einzusehen. Die Einheit, die auch er zwischen beiden Taufen herzustellen versuchte, schien nicht jeden zu überzeugen: „Hier haben wir des Herrn Befehl von der Taufe, wann und wie man nach Gottes Ordnung dieselbe vollziehen und empfangen soll, nämlich, daß man zum ersten das Evangelium predigen müsse, und als dann diejenigen taufen, die daran glauben."[71] Der göttliche Befehl bindet den Menschen und fordert seinen uneingeschränkten Gehorsam. So wird der Taufvollzug in betonter Weise zu einem Gehorsamsakt des Menschen. Menno Simons aber hat erfahren müssen, daß Spiritualisten für den Hinweis auf ihren Gehorsam nicht sonderlich empfänglich sind.

Offensichtlich hat dieses Argument nicht die Kraft, die äußere Taufe so mit der inneren zu verbinden, daß ihre Einheit gesichert wäre. Auch wenn die innere Taufe und nicht irgendein gesetzlicher Biblizismus die Wassertaufe als einen Gehorsamsakt verlangt, kann man zwischen beiden doch zunächst noch sehr gut trennen. Das Handeln Gottes geht der äußeren Taufe voraus; da aus ihm aber die Gehorsamsforderung erwächst, wird die Wassertaufe zu einem Handeln des Menschen gemacht. Gottes Tat ermöglicht zwar unsere gehorsame Antwort, die Antwort selber aber entspringt unserem Willen und ist schließlich das Ergebnis menschlicher Aktivität. In der Taufe selbst hat göttliches Handeln dann keinen Platz mehr.

Bevor wir aus diesen Andeutungen weitere Schlüsse ziehen, wollen wir Menno Simons zu Wort kommen lassen: „Wenn wir aber diese Taufe von oben herab empfangen (innere Taufe), alsdann werden wir gedrungen durch Gottes Geist und Wort in einem guten Gewissen, das wir dadurch erlangen . . ., (uns) auch durch das auswendige Zeichen des Wasserbunds, gehorsamlich zu verbinden mit dem Herrn, gleich wie er sich in seiner Gnade, durch sein Wort, uns verbunden hat, nämlich, daß wir nicht länger nach den bösen, unreinen Lüsten des Fleisches, sondern nach dem Zeugniß eines guten und frommen Gewissens, vor ihm leben und wandeln wollen."[72] Aus dieser Stelle geht hervor, daß die Taufe nicht nur eine direkte Antwort auf das Handeln Gottes ist, sondern gleichzeitig auch eine Verpflichtung des Menschen, einem sündhaften Leben in Zukunft abzusagen. Wenngleich die Taufe ein Akt ist, in dem der Täufling sich zu „guten Werken" verpflichtet, so ist sie als Antwort auf eine Gehorsamsforderung selbst eigentlich schon ein „gutes Werk". Darüber hinaus wird sie „zu einem Beweise vor Gott und seiner Gemeinde, daß sie (die Täuflinge) fest an die Vergebung der Sünden durch Jesum Christum glauben, wie es ihnen aus Gottes Wort gepredigt und gelehrt worden ist."[73] Die Taufe hat ihren Grund im Glauben, so wie die Werke ja Ausfluß des Glaubens sind. Menno spricht das ganz deutlich aus: „der Glaube folgt nicht aus der Taufe, sondern die Taufe folgt aus dem Glauben."[74] Diese Reihenfolge, die ja auch sonst bei den Täufern auftaucht und sich aus dem Glaubensbegriff ergibt, wird hier einseitig ethisch gedeutet. Die Taufe ist nicht der Indikativ des göttlichen Heilshandelns; sie ist vielmehr der Imperativ, der daraus folgt und allenfalls als „Beweis" den Indikativ (die Wiedergeburt) nachträglich zum Ausdruck bringt.

Man wird also kaum fehlgehen, Menno Simons ein ethisches Taufverständnis zu bescheinigen, das die anderen Täufer in dieser spröden Konsequenz nicht gekannt haben, da sie mehr als er darauf bedacht waren, die Einheit der Taufe als göttliches Geschehen im und am Menschen zu wahren. Wir müssen allerdings auf einen Gedanken aufmerksam machen, der einen Versuch darstellt, die Einheit der Taufe doch noch zu retten.

Mit der Taufe legt der Mensch ein Bekenntnis ab, ja, die Taufe selber ist ein Bekenntnis, daß sich zur Heilstat Gottes im Menschen nicht nur bekennt, sondern dazu auch in einem ganz eigentümlichen Verhältnis steht. Nämlich erst durch das Bekenntnis, also die Wassertaufe, wird

Gottes Tat für mich zu einer erlösenden Wirklichkeit, so als ob Gott sich an die Annahme des Menschen in seiner schenkenden Gnade gebunden wüßte. In diesem Sinne kann Menno Simons dann auch in der Taufe mehr als nur ein Gehorsamszeichen sehen, er spricht gelegentlich von ihrem Effekt und der „Vergebung unserer Sünden in der Taufe".[75] Freilich meint er das so, daß durch den Bekenntnisakt das wirklich eingetreten ist, was der Mensch bekannt hat. Dieser Gedanke könnte eine entfernte Erinnerung, nicht direkt, aber der Sache nach, an die Zeugnis-Mitzeugnis-Struktur Marpecks sein oder an die Aussage Rothmanns, daß die Taufe das sei, was sie bedeute. Offensichtlich hat Menno aber nicht verstanden, daß das menschliche Bekenntnis die Funktion des Mitzeugnisses nicht übernehmen und erfüllen konnte. Hier ist sein Versuch, die Einheit der Taufe gegen die spiritualistische Herausforderung zu sichern, gescheitert. Er hat in seinem Bemühen, die verstreuten Täufer nach der Identitätskrise, die von der Katastrophe des Wiedertäuferreichs in Münster ausgelöst worden war, zu friedfertigen Gemeinden zu sammeln, sehr stark auf das entschiedene Bekenntnis und den rigorosen Gehorsam des einzelnen setzen müssen, in denen sich die täuferische Identität vor aller Welt wiederherstellen sollte. Christoph Bornhäuser hat gezeigt, daß die gesamte Theologie Mennos auf eine Theologie der Wiedergeburt hinausgelaufen sei[76], umso mehr ist davon auch das Nachdenken über die Taufe bestimmt worden. Galt die Wiedergeburt (also auch die innere Taufe) als Voraussetzung für ein gottwohlgefälliges, reines Leben, so mußte auch die Taufe als Wassertaufe als ethische Konsequenz aus dieser Voraussetzung, in der von Gott her alles Notwendige geschehen war, erklärt werden. So haben auch bei Menno Simons konkrete Erfahrungen ihren Tribut für das Denken über die Taufe gefordert.

Diese unterschiedlichen Täuferrichtungen, in denen um eine Begründung der Glaubens- bzw. Bekenntnistaufe gerungen wurde, haben sich in dunkler Ahnung oder theologischer Klarheit mit dem Problem befaßt, wie die Einheit von äußerer und innerer Taufe zu wahren sei. Sie haben bei Argumenten Zuflucht gefunden, die nicht nur der Sakramentstheologie im engeren Sinne entstammen, sondern ein breiteres theologisches oder ekklesiologisches Selbstverständnis zum Ausdruck bringen. In dem Bemühen um die Einheit der Taufe dürfte der Grund dafür zu sehen sein, warum die meisten Täufer sich nicht mit einem biblizistischen Hinweis auf den Taufbefehl Jesu begnügten und warum die Taufe nicht das Kernanliegen der Täufer war und trotz aller Nötigung, sich oft mehr mit der Taufe als mit anderen theologischen Fragen beschäftigen zu müssen, auch nicht wurde. Die Glaubens- bzw. Bekenntnistaufe fügte sich dem antiklerikal motivierten Bestreben ein, die verfallene Christenheit wieder in Ordnung zu bringen.

Viertes Kapitel

Gemeinde, Obrigkeit und Neues Reich

Der antiklerikale Impuls, der bisher beobachtet wurde, wirkte sich nicht nur im individuellen Bereich aus; er setzte sich auch in der Gestaltung der täuferischen Gemeinschaften fort und bestimmte das Verhältnis der Täufer zur weltlichen Obrigkeit. Der Angriff auf die Pfaffen und Gelehrten mußte zugleich die Institutionen treffen, die diese Geistlichkeit repräsentierte, anführte und mit Inhalt füllte. Er berührte auch die Obrigkeiten, die darüber wachten, daß die geistlich-weltliche Einheitskultur des Mittelalters nicht zerstört wurde.[1] Wer das Corpus Christianum angriff, wurde als Schismatiker und Sektierer verfolgt. Die Täufer kehrten den Spieß um und beschuldigten nun ihre Gegner, den wahren „Leib Christi", in den sich nichts Weltliches einmischen dürfe, zertrennt und gespalten zu haben. Gegen das Corpus Christianum setzten sie den Leib Christi, gegen das alte Reich, in dem Pfaffen und Regenten sich die Herrschaft teilten, das neue Reich, in dem Christus durch die Glieder seines Leibes herrschen würde.

Im ersten Kapitel sind die alternativen Gemeinschaften der Täufer bereits in Umrissen sichtbar geworden. Jetzt kommt es darauf an, ihren ekklesiologischen Charakter noch genauer zu beschreiben. Ich beschränke mich auf einige Vertreter des schweizerischen, oberdeutschen und niederdeutschen Täufertums.

Gemeinde ohne Flecken und Runzeln

Die Schweizer Täufer waren nicht mit einer fertigen Vorstellung von der Kirche, wie sie sein sollte, auf der Bühne der Reformationszeit erschienen. Sie strebten zunächst eine radikale Reform des politisch-kirchlichen Gemeinwesens an und wurden erst allmählich, als ihr rigoroses Vorgehen auf Widerstand stieß, dahin geführt, die wahre Kirche als eine entschiedene Alternative zur bisherigen Gestalt der Christenheit zu begreifen. Es war ein kurzer, aber intensiv erfahrener Weg, der vom radikalen reformierten Kongregationalismus der Zürcher Landgemeinden zur Geburt der Freikirche, eben jener Alternative, im Zürcher Unterland und in Schleitheim führte.[2] Dieser Weg braucht nicht noch einmal nachgezeichnet zu werden. Das ist bereits im ersten Kapitel geschehen. Hier sollen die historischen Beobachtungen, die dort mitgeteilt wurden, vielmehr für eine theologisch orientierte Darstellung des täuferischen Kirchenbegriffs, wie er sich in der Schweiz herausbildete, genutzt werden.

Unter „Freikirche" wird eine Gemeinschaft verstanden, die aus dem freiwilligen Zusammenschluß von Gläubigen entsteht und ihre Angelegenheiten prinzipiell ohne die Hilfe oder das Mitspracherecht der weltlichen Obrigkeit regelt. Die Freiwilligkeit des Einzelnen und die Freiheit von obrigkeitlichen Zwängen sind also die entscheidenden Kennzeichen der Freikirche gewesen, wie sie mit den Täufern erstmals in Erscheinung trat. Das war ein kirchliches Konzept, das dem Corpus Christianum, in das die Menschen ohne ihr bewußtes Zutun durch die Taufe im Säuglingsalter eingegliedert wurden, radikal entgegengesetzt war. Unter der herrschenden Verfassung des Corpus Christianum mußte der Versuch, eine Gemeinschaft aus der Gesamtgesellschaft herauszulösen, als Angriff auf die gesellschaftlichen Grundlagen erscheinen. Die Freikirche, wenn sie unter den obwaltenden Umständen auch nur eine Minderheit sein konnte, wurde zu einer revolutionären Gemeinschaft. In den Augen der Täufer sah das allerdings anders aus. Sie wollten nicht begreifen, daß eine Minderheit, die der Urgemeinde nachgebildet war, im christlichen Abendland überhaupt auf Kritik, Mißgunst und Verfolgung stoßen konnte, es sei denn, die bestehende Christenheit wäre schon längst von der Kirche des Neuen Testaments abgefallen und kehrte sich nun gegen diejenigen, die wieder zu ihr zurückfinden wollten. Die freikirchliche Reform geriet in einen radikalen, weil die Grundlagen der Gesellschaft berührenden, Gegensatz zur volkskirchlichen Reformation.

Der ekklesiologische Gegensatz wurde gewöhnlich als Grund für die Trennung von Reformation und Täufertum angeführt. Darauf konnten sich sowohl diejenigen, die Zwinglis volkskirchliche Reformation rechtfertigten, als auch diejenigen, die Verständnis für den freikirchlichen Weg der Täufer zur Erneuerung der Christenheit zeigten, einigen. Umstritten blieb nur die Antwort auf die Frage, wer von beiden Reformparteien den Gegensatz eigentlich verursacht habe. Waren es die Täufer, die sich seit 1523 einer volkskirchlichen Reform zu widersetzen begannen, oder war es Zwingli, der den urreformatorischen, tendenziell freikirchlichen Boden, auf dem die Reformen in Zürich bisher gewachsen waren, wieder verließ? Den freikirchlichen Standpunkt hat mit theologischem Scharfsinn vor allem John H. Yoder vertreten und den volkskirchlichen Robert Walton.[3] Bewegung in diese Kontroverse, die allmählich zu erstarren drohte, hat kürzlich James M. Stayer gebracht. Er konnte zeigen, daß Zwingli und seine radikalen Gefolgsleute tatsächlich auf einem gemeinsamen ekklesiologischen Boden standen, wie Yoder meinte, allerdings vor allem von den Zürcher Landgemeinden her keine freikirchliche, sondern eine volkskirchliche Täuferreformation ins Auge faßten.[4] Daraus folgt: das urreformatorische Kirchenverständnis kann nicht tendenziell freikirchlich gewesen sein. Freilich kann auch nicht mehr der Gegensatz von Volkskirche und Täufertum ins Feld geführt werden, wie Walton es tat, um den Bruch zwischen Zwingli und den Radikalen zu erklären. Dieser Bruch vollzog sich nicht an dem Gegensatz von Volkskirche und Freikirche, sondern an Problemen, die mit dem Befreiungskampf der Landgemeinden im Zürcher Herrschaftsgebiet zusammenhingen, am Abführen des Zehnten an das Kapitel des Zürcher Großmünsters beispielsweise und an der freien Pfarrerwahl. Die Vision einer freikirchlichen Täuferreformation stellte sich erst später ein. Mit Sicherheit fand sie ihren Ausdruck in den Schleitheimer Artikeln von 1527. Zu prüfen ist noch, ob sie nicht vielleicht schon hinter dem Zürcher Brief der Radikalen an Thomas Müntzer vom September 1524 gestanden haben könnte. Fritz Blanke hatte diesen Brief die „älteste Urkunde des protestantischen Freikirchentums" genannt, und Heinold Fast in ihm die Grundrisse der täuferischen Freikirche freizulegen versucht.[5] Beide gingen noch von der Voraussetzung aus, daß der Bruch zwischen Zwingli und den Radikalen eine ekklesiologische Ursache hatte. Es könnte jetzt aber sein, daß sich unter der neuen Perspektive eine andere Deutung dieses Briefes nahelegt.

Es fällt auf, daß dieser Brief kein ekklesiologisches Programm entfaltet. Er enthält nicht einmal Zeichen und Winke, die auf einen schweren Streit um Kirchenkonzepte im reformerischen Lager Zürichs zurückweisen. Auch wird Thomas Müntzer nicht zugemutet, sein volkskirchliches Arbeitsfeld in Allstedt zu verlassen und auf ein freikirchliches einzuschränken. Die Versicherung, daß es „mehr als genug Weisheit und Rat in der Schrift, wie man alle Stände, alle Menschen lehren, regieren, weisen und fromm machen soll"[6], gäbe, konnte dazu keinen Anlaß geben, ganz im Gegenteil. Gleichwohl könnte es sein, daß diesem Brief doch ein ekklesiologisches Programm zugrunde- oder in der Konsequenz der vorgebrachten Reformvorschläge liegt, denn in den „antichristlichen Gebräuchen der Taufe und des Nachtmahls Christi"[7], die hier im Zentrum des Angriffs stehen, sind ja Handlungen der Kirche oder in der Kirche zu sehen. Eine Reform der Taufe und des Abendmahls könnte durchaus die Form der Kirche berühren und verändern.

Das Ziel des reformerischen Bemühens, so drückt es Grebel es aus, sei es, „daß wir aus der Zerstörung alles göttlichen Lebens und aus den menschlichen Greueln herausgeführt werden und zum rechten Glauben und zum wahren Gottesdienst kommen".[8] Der Akzent liegt, wie bereits vorher bemerkt wurde, auf der „Besserung des Lebens". Das entscheidende Mittel dazu wird in der sogenannten „Regel Christi" (Matth. 18,15–18) gesehen. „Wer sich nicht bessern, nicht glauben will und dem Wort und Handeln Gottes widerstrebt und dabei verharrt, den soll man, nachdem ihm Christus und sein Wort, seine Regel gepredigt und er durch die drei Zeugen und die Gemeinde ermahnt worden ist, den soll man, sagen wir (die wir durch Gottes Wort unterrichtet sind), nicht töten, sondern für einen Heiden und Zöllner halten und so bleiben lassen."[9] Die „Regel Christi" ist gelegentlich als Angebot einer Gemeinschaft gedeutet worden, dem Menschen zu einem Leben in Glauben und Gehorsam zu verhelfen, als Ausdruck brüderlicher Sorge und nicht autoritärer Zucht.[10] Das ist eine sympathische Interpretation, theologisch überaus wertvoll, doch der Wortlaut dieses Briefes schweigt sich über die Zulässigkeit dieser Deutung aus und die spätere Entwicklung des Täufertums, in dem Kirchenzucht rigoros geübt wurde, spricht sogar dagegen. Der Brief weist im Zusammenhang mit der antiklerikal motivierten „Besserung des Lebens" vielmehr dahin, in dieser Regel ein Mittel zu sehen, das dazu eingesetzt wird, die Kirche zu reinigen und rein zu erhalten; vor dem institutionellen Bruch mit der Zürcher Kirche im Januar 1525 wird das heißen, die bestehende Kirche zu reinigen.

Ausführlich hat Balthasar Hubmaier über diese Regel in seinem Traktat „Von brüderlicher Strafe" (1527) gehandelt. Dort finden sich in der Tat Aussagen, die in die Nähe jener theologisch wertvollen Deutung kommen: „Weil nun die brüderliche Strafe und der christliche Bann aus so ganz innerlicher, herzlicher und inbrünstiger Liebe fließt, die ein Christ gegenüber dem andern in rechter Treue täglich tragen soll, deshalb muß stets der ein unverständiges, wüstes und gottloses Scheusal sein, ja ein grimmiger Herodes, der diese Strafen nicht freundlich, mit Güte und mit Danksagung von seinem Bruder annimmt."[11] Wichtig anzumerken ist hier allerdings, daß diese Deutung der „brüderlichen Strafe" nicht in einer freikirchlichen, sondern einer volkskirchlichen Täuferreformation gegeben wurde. Von dem rechten Gebrauch der „Regel Christi" muß also nicht notwendigerweise auf die Gestalt einer Freikirche geschlossen werden.

Die „Regel Christi" wird auch die „Regel des Bindens und Lösens" genannt.[12] Das ist eine wichtige Bezeichnung, denn sie führt zu der Annahme, daß diese Regel nicht nur einem antiklerikalen Ziel dient, sondern selbst einen antiklerikalen Ursprung hat. Die Binde- und Lösegewalt, die traditionellerweise vom Papst und der römischen Hierarchie ausgeübt wurde, wird dem Klerus entrissen und der Kirche ganz allgemein übertragen. So deutet der antiklerikale Ursprung dieser Regel ebenso wenig wie ihre Funktion darauf hin, in ihr ein Indiz für ein freikirchliches Konzept erkennen zu müssen. Sie ist antiklerikaler Erfahrung entsprungen und bewegt sich noch im Rahmen einer volkskirchlich verfaßten Christenheit. Das wird sowohl bei Zwingli deutlich, der Matth. 18, 15–18 gegen die kirchliche Disziplinargewalt für die einzelne Ortsgemeinde beansprucht hatte, als auch bei Simon Stumpf, der sich bei Zwingli beschwerte, vor seiner Verbannung aus Höngg nicht von diesem gemäß der Regel Christi unter vier Augen ermahnt worden zu sein.[13] In beiden Fällen war die Regel Christi also ein Instrument volkskirchlicher Reformation.

Es ist durchaus richtig, in dem Grebelbrief, vor allem, wo über die Taufe geschrieben wird, das Prinzip der Freiwilligkeit betont zu sehen. Doch diese Freiwilligkeit, so sehr sie etwas Neues in das kirchliche Leben bringt, ist noch nicht notwendig an eine abgesonderte Gemeinschaft neben der offiziellen Kirche gebunden, sie führt auch noch nicht dorthin; sie ist nur Ausdruck eines Eifers, der die Reform der gesamten Kirche bzw. Christenheit noch nicht aus den Augen verloren hat.

Grebel hat freilich gesehen, daß vielleicht nur eine Minderheit zu dieser Besserung zu bewegen sein wird. „Es ist viel besser, wenn wenige durch das Wort Gottes recht unterrichtet werden, recht glauben und in rechten Tugenden und Bräuchen wandeln, als wenn viele durch verfälschte Lehre einen falschen und trügerischen Glauben haben."[14] Redet er deshalb einer Minderheitenkirche das Wort, und denkt er hier schon an eine „Auflösung der Einheit von Kirchenvolk und Gesellschaft"[15], an eine Freikirche? Aus der Perspektive von Schleitheim könnte man diese Frage bejahen. Bezieht man diesen Satz aber auf das Argument der Reformatoren, die Neuerungen ja nicht zu überstürzen und die Schwachen im Glauben zu schonen – und darauf geht Grebel des öfteren ein –, dann wird in diesem Satz das antiklerikale Interesse sichtbar, sich die gründliche Reinigung der Kirche unter keinen Umständen verbieten zu lassen.

Dies Interesse hatten die Zürcher Täufer mit Thomas Müntzer gemeinsam. Auch er wollte die bestehende Christenheit reinigen, doch er wollte rigoroser vorgehen als sie und drohte den Gottlosen, sie auszurotten und zu töten. Das wird sich schon bis Zürich herumgesprochen haben. Aus diesem Grunde ermahnten die Täufer ihn: „Werde Zeuge des ‚göttlichen' Wortes und errichte eine christliche Gemeinde mit Hilfe Christi und seiner Regel."[16] Damit fordern sie ihn nicht auf, eine Freikirche ins Leben zu rufen, sondern statt der Todesdrohung den in der „Regel Christi" beschriebenen Weg des Ermahnens und Bannens zu beschreiten und die Uneinsichtigen danach sich selber zu überlassen, sie für „Heiden und Zöllner"[17] zu halten. Allein vor dem blutrünstigen Vorgehen gegen die Gottlosen, nicht vor der Säuberung der bestehenden Kirche wollten die Zürcher Radikalen ihren Gesinnungsgenossen im Norden zurückhalten. Die „Regel Christi" erfüllt in dem Gedankengang der Zürcher Täufer eine doppelte Funktion: Sie wird gegen die reformatorischen Argumente eingesetzt, die eine gründliche Säuberung der Kirche verhindern sollen, und gegen die Absicht Thomas Müntzers, die Säuberung der Christenheit mit Mitteln äußerer Gewalt vorzunehmen. Die Täufer beziehen eine vermittelnde Position. Diese Position paßt noch ganz in den Rahmen der reformerischen Aktionen, die Grebels Freunde in den Landgemeinden unternahmen. Und so braucht es nicht zu verwundern, wenn Grebel später da, wo er eine Chance dazu sah, für eine volkskirchliche Täuferreformation zu wirken versuchte. In diesem Brief sind freilich auch schon die Weichen für den Weg der Täufer in die Freikirche gestellt: eine kleine, leidensbereite, allein dem Wort Gottes gehorsame Gemeinschaft. Man könnte allenfalls soweit gehen und sagen, daß das Kirchenverständnis bei den Täufern im September 1524 zwischen einem volks- und freikirchlichen Konzept schillerte. Die Freikirche als radikale Alternative zum Corpus Christianum war ihnen aber noch nicht aufgegangen. Offensichtlich mußte erst der Konflikt mit der Obrigkeit, von dem in diesem Brief übrigens keine Rede ist (die Trennung von Kirche und Obrigkeit wird noch nicht gefordert), hinzukommen, um die Täufer schließlich auf diesen Weg abzudrängen.

Die Freikirche wurde erst geboren, als die Täufer unter dem Druck der Reformatoren und der Obrigkeit keine Möglichkeit mehr sahen, eine radikale Reform der Christenheit durchzuführen, und sich auf eine kleine Gemeinschaft zurückzogen. Das erste und entscheidende Dokument des täuferischen Freikirchentums sind die Schleitheimer Artikel von 1527. Die Taufe wurde zum schmalen und streng überprüften Weg in die Gemeinde; der Bann fand nur bei denen Anwendung, „die sich dem Herrn ergeben haben, seinen Geboten nachzuwandeln, und bei allen denen, die in den einen Leib Christi getauft worden sind, sich Brüder und Schwestern nennen lassen und doch zuweilen ausgleiten, in einen Irrtum und eine Sünde fallen und unversehens überrascht werden."[18] Das Abendmahl wurde nur denen zugänglich, die vorher durch die Taufe zu einem Leib Christi vereinigt worden waren. Die Gemeinschaft im Leib Christi schloß jede Gemeinschaft mit den „toten Werken der Finsternis"[19] aus. Die Gemeinde, die das Abendmahl feiert, ist eine reine Gemeinschaft. Dahinter steht bereits das Konzept der Absonderung, das im nächsten Artikel beschrieben wurde. Die Absonderung ist radikal und betrifft alle Lebensbezüge, individuelle und kollektive. Wo diese Absonderung gefordert wird, da müssen auch Hirten eingesetzt werden, die auf den Leib Christi achthaben, „daß er gebaut und gebessert und dem Lästerer der Mund gestopft wird."[20] Die Absonderung schloß weiter die Teilnahme des Christen an obrigkeitlichen Ämtern aus. „Das Regiment der Obrigkeit ist nach dem Fleisch, das der Christen nach dem Geist."[21] Die Trennung von Kirche und Obrigkeit wird nicht direkt gefordert, sie ist aber in diesen Aussagen mitenthalten. Und schließlich: der Eid wurde verweigert, weil er gegen das Gebot Gottes verstößt. Damit entzogen die Täufer sich dem Bürgereid und versündigten sich in den Augen ihrer Zeitgenossen gegen die Grundordnung der Gesellschaft, die Eidgenossenschaft. Auch die Schleitheimer Artikel entfalten keine Lehre von der Kirche, doch anders als im Grebelbrief an Müntzer ist hier mit Händen zu greifen, daß sie auf eine Gemeinschaft zielen, die den Merkmalen der Freikirche, wie sie oben aufgeführt wurden, ganz und gar entspricht: eine Gemeinschaft von entschiedenen Christen, die auf brüderliche Weise ihre kirchlichen Belange allein im Gehorsam gegen das Wort Gottes regeln. Unter den Bedingungen des Corpus Christianum mußte das eine abgesonderte Gemeinschaft sein.

Diesen Täufern ist oft vorgehalten worden, sie würden den Bestand der Kirche von der freiwilligen Entscheidung des einzelnen Gemeindegliedes abhängig machen, sich heilsegoistisch auf die reine Gemeinde zurückziehen und die Verantwortung für die Gesellschaft andern überlassen. Doch offensichtlich konnte der biblische Gemeinschaftscharakter der Kirche, wie er in der Apostelgeschichte und in den paulinischen Briefen beschrieben wird und dem christlichen Institutionalismus fremd geworden war, nur auf dem Wege radikaler individueller und kollektiver Absonderung wiedergefunden werden. Christliche Gemeinschaft entstand durch gesellschaftliche Separation und hatte auf diese Weise, wie die Täufer meinten, die sichtbare Gestalt des Leibes Christi wiederhergestellt. An der Sichtbarkeit kirchlicher Ordnung lag den Täufern viel; sie ist ein Ergebnis absondernder Erfahrung und biblischer Lektüre. So erhielt ihr Kirchenverständnis letztlich trotz des individualistischen Entstehungsimpulses eine christologische, dem guten Willen des einzelnen entnommene Begründung. Es war keine Gemeinschaft menschlichen Ursprungs, sondern der Leib Christi, in den jeder einzelne durch die Taufe „eingepflanzt" wurde. Wer in der Lage ist, das Angebot an Gemeinschaft in der Kälte und Anonymität der Anstalten und Institutionen wertzuschätzen, der wird den Vorwurf gesellschaftlicher Verantwortungslosigkeit nicht leichtfertig gegen die Täufer erheben. Ihre radikale Alternative mußte von den kirchlichen und weltlichen Autoritäten als revolutionäre Kritik an Kirche und Gesellschaft empfunden werden. Mehr als das wollte sie eigentlich ein Hinweis darauf sein, daß Gemeinschaft, die Gott will, anders ist, als Menschen sie gewöhnlich einander gewähren.

Unter dem Druck der Verfolgung wuchs bei den Täufern noch mehr das Bedürfnis, sich von der „Welt" abzusondern. Auch der normale Verkehr mit der gesellschaftlichen Umwelt wurde weitgehend eingestellt: nichttäuferischen Bürgern wurden Gruß und Gastfreundschaft verweigert, die ungläubigen Lebenspartner sollten gemieden werden. Von selbst stellte sich auch die Neigung ein, die Formen der Solidarität unter den Gläubigen zu verstärken: Sie trugen besonders einfache Kleidung, grobes Tuch und breite Filzhüte, um sich von ihrer Umwelt gemeinsam zu unterscheiden. Von den Täufern in Appenzell wird berichtet, daß sie dem Weber Jörg Maler Rothenfelder, der zum Marpeck-Kreis gehörte, verboten haben, farbige und ausdrucksstarke Stoffe herzustellen.[22] Im Laufe der Zeit wuchs auch der Eifer, die Gemeinde wirklich reinzuhalten. Schon die geringsten Anlässe, die den Konsens über die eingespielten Normen der Absonderung von der Welt zu stören drohten, konnten Kirchenzucht und Bann auslösen. Johannes Keßler, der Chronist von St. Gallen, beobachtete: „es war ein teglich usschliessen under inen."[23] Da die Position der Vorsteher im schweizerischen Täufertum recht schwach war — das war die Frucht eines radikalen antiklerikalen Gemeindeverständnisses —, ließen die Gemeindeglieder sich oft zu einer ausschweifenden Bannpraxis hinreißen, mit der sie sich nicht selten auch ihrer Führer entledigten. Die Kirchenzucht wurde zum Einfallstor für einen gesetzlichen Umgang mit der Heiligen Schrift und mit den Brüdern. Möglicherweise setzte diese rigorose Praxis erst ein, das müßte noch genauer untersucht werden, als der Verfolgungsdruck von außen nicht mehr so schwer auf den Täufern lastete wie in den Jahren des Aufbruchs und die klerikalen Feinde ihre unmittelbare Bedrohlichkeit verloren. So wäre diese Praxis als nach innen geleiteter antiklerikaler Affekt zu erklären. Die Aggressionen gegen den alten und neuen Klerus, aus denen sich das kirchliche Selbstverständnis der Täufer herausbildete, wurden jetzt gegen die vermeintlichen Feinde im Inneren gewendet, um die stets angefochtene Identität der Gruppe sichern zu helfen. Solidarität hatte sich im Kampf gegen Feinde eingestellt und konnte offensichtlich auch nur so erhalten werden. Die Freiheit der Kirche von äußeren Zwängen wurde allmählich in die Unfreiheit, die innere Zwänge hervorriefen, eingetauscht. Der Versuch, aus der Kirche eine Gemeinschaft der Freiheit zu machen, war wohl in den meisten Fällen gescheitert oder nur ansatzweise geglückt. Trotzdem dürfte er in der langen Geschichte christlicher Unfreiheit ein lohnender Versuch gewesen sein.

Das oberdeutsche Täufertum, das von Hans Hut geprägt wurde, hatte starke antiklerikale Impulse mit mystischen und apokalyptischen Gedanken verbunden. Der Weg zum Glauben und das individuelle Heil standen im Mittelpunkt der Verkündigung. Hut wirkte nicht wie sein Lehrmeister Thomas Müntzer in einer volkskirchlichen Parochie oder von ihr aus, sondern zog predigend und agitierend durch die Lande und rief zum bewährten Glauben auf, um auf diese Weise die endgültige Säuberung der Welt von den Gottlosen vorzubereiten. Werkzeuge dieser Säuberung im Welt-

gericht und Teilnehmer am kommenden Reich Gottes sollten diejenigen
sein, die jetzt schon innerlich geläutert und mit dem göttlichen Geist begabt werden. Die missionarische Tätigkeit Huts zielte auf das Individuum,
das den Glauben erfährt, sie lief nicht darauf hinaus, endzeitlich bewußte
Gemeinden zu sammeln, die sich jetzt schon in ihrer sozialen Gestalt von
den bestehenden Kirchen unterscheiden müßten. Im Wirkungsbereich
Huts ist es nicht zu abgesonderten und festgefügten, gar freikirchlich verfaßten und disziplinierten Gemeinden gekommen.[24] Es gab nur lose
Gruppen, die durch Sendboten miteinander in Verbindung standen.

Im Unterschied zu den schweizerischen Täufern hat dies Täufertum
kein neues Kirchenverständnis hervorgebracht. Und doch finden sich hier
und da ekklesiologische Begriffe und Vorstellungen, die auf den ersten
Blick zwar eine Nähe zu dem freikirchlichen Verständnis der Täufer in
der Schweiz andeuten, bei genauerem Hinsehen aber doch von diesem ab-
weichen. Auch Hut tröstet sich mit der Feststellung, daß die Christen
nur ein „kleines Häuflein" seien: „Wenn in dieser Gemeinde nur zwei
oder drei wären, so macht es nichts, wenn Christus zum Zeugnis in der
Mitte steht. Denn in dem Mund zweier oder dreier Zeugen besteht ein
jedes Zeugnis." Die Gemeinde spendet die Taufe, durch die der Mensch
zur Gewißheit gelangt, daß er „ein Glied der christlichen Gemeinde und
des Leibes Christi" geworden sei, und wird so mit großer Machtfülle ausgestattet, denn „was ihr werdet binden auf Erden, soll auch im Himmel
gebunden sein".[25] Und trotzdem wird kein Zweifel daran gelassen, daß
es im Grunde nicht ein Akt der Gemeinde, sondern das individuell er-
fahrene Leid ist, durch das der Mensch dem „Körper" Christi „einge-
leibt" wird. Die Gemeinschaft, „in welcher aller Verstand geoffenbaret
wirt"[26], ist die gemeinsame Leiderfahrung mit Christus und nicht, wie
bei den Schweizer Brüdern, die irdische, sichtbare Gemeinschaft von
Menschen, in der die Wahrheit der Offenbarung erkannt wird und zur Anwendung kommt. Hut kann Gemeinde und Leib Christi in einem Atem-
zug nennen. Doch es geht ihm offensichtlich mehr um die spirituelle
Realität des Leibes Christi und weniger um die sichtbar geordnete Gestalt
der Gemeinde, mehr um die individuelle Vorbereitung auf das Reich Gottes, das die große Alternative zur bestehenden Christenheit sein wird,
und nicht um die Gemeinden, die jetzt schon mit ihrer besonderen Form
äußerlich abgesonderter Gemeinschaft den Widerspruch dieser Welt wach-
rufen. In diesen Vorstellungskreis fügen sich auch die Anschauungen
Hans Dencks, der die Sakramente und äußeren Formen der christlichen
Gemeinschaft spiritualisiert hat. Möglicherweise ist diese Spiritualisierung
von Kirche und Gemeinschaft im oberdeutschen Täufertum auch ein
Ergebnis antiklerikaler Haltung, die sichtbar wird in der Betonung des
Individuums als Gegenbild zum Priester und Gelehrten und der Glied-

schaft an einer Gemeinschaft, des Leibes Christi oder des Reiches Gottes, die ganz anders ist als die Kirche, die, hierarchisch verfaßt oder parochial begrenzt, vom alten und neuen Klerus repräsentiert wird.

Feste Formen nahmen nach dem Tode Huts die Gemeinden der Huterer in Mähren an. Hier ging der Impuls zum Separatismus, der zu freikirchlich verfaßten Gemeinden führte, von dem Nachlassen der apokalyptischen Enderwartung und der Idee der Gütergemeinschaft aus, das gesamte Leben, das geistliche wie leibliche, zu einer gesellschaftlichen Alternative zum Corpus Christianum auszugestalten. So verwundert es nicht, wenn in den Gemeinden der Huterer eine Vielzahl von „Gemeindeordnungen" erlassen wurden.[27]

Einen anderen Weg schlug in Oberdeutschland schließlich Pilgram Marpeck ein. Wie in der Auseinandersetzung über die Taufe versucht er auch hier, zwischen Veräußerlichung und Spiritualisierung hindurchzusteuern. Gegen das traditionelle Kirchenverständnis betont er den geistlichen Charakter der Kirche. Er spricht von der „inneren Kirche Christi", die im Herzen der Gläubigen gebaut werde, dem „inneren und einzigen Tempel", den nur der „Hohepriester", der Christus heißt, betreten könne, und niemand sonst.[28] Es ist kaum möglich, hier die antiklerikale Spitze zu überhören. Gegen eine Spiritualisierung setzt Marpeck das „Mitzeugnis" ein, das dem Gottesdienst, der im inneren Tempel gefeiert wird, im Äußeren gleichläuft. Äußerlich ist die Kirche eine Versammlung der Heiligen, die sich von dem Bösen absondern und zu gemeinsamem Gottesdienst versammeln, in dem jeder zur Besserung des andern nach seinen Kräften das Wort ergreifen soll, „damit unser gmein inn Christo nit gleich sey der valschberuemten", auch das ist eine antiklerikale Spitze, „do nur einer und sonst keynr reden darff."[29] In dieser Gemeinde wird auch der Bann geübt, jedoch nicht in gesetzlich-unfreier Weise, wie der Marpeck-Kreis es den Schweizer Brüdern vorwirft, sondern in geistlich-freier Zuwendung zu den Gemeindegliedern, die in Sünde gefallen sind. In der „Gmein ordnung der glider Christi", aus der schon eben zitiert wurde, bringt Leopold Scharnschlager das deutlich zum Ausdruck: „Der gwalt Christi ist nit ein gwalt zu ferderben oder zu thirrannysiern, sonderr zu pessern, uff das ouch Jesu Christo sein prauth rein ghalten uberal vor und gegen hynnigen und dussigenn ein erberer, unergerlicher wandl gefuert und durch nyemant der weg und strassen zu Christo und seinem reich verhackt und verarckhwonet werd."[30] Das Leben in der Gemeinde soll Formen annehmen, hinter denen das Heilsgeschehen im Inneren transparent wird. Es soll anziehen und nicht abstoßen. Diese Gemeinde ist wesentlich offener gestaltet als die Gemeinden der Schweizer Brüder, so entschieden der weltlichen Obrigkeit auch hier verwehrt wird, in sie hineinzuregieren.[31] Die Obrigkeit hat keinen Zutritt zum inneren Tempel, ihr darf auch kein Zugang zur äußeren Gemeinde gewährt werden. Die Trennung von Kirche und Welt ist unerbittlich, sie ist christologisch begründet. Der Laie Pilgram Marpeck erweist sich ein weiteres Mal als ein tiefsinniger theologischer Denker.

Auch die oberdeutschen Täufer haben ihren Lauf nicht mit einem freikirchlichen Konzept begonnen; dies Konzept stellte sich erst später ein. Es steht in Verbindung mit dem Nachlassen der angespannten apokalyptischen Enderwartung und Agitation; es korrespondiert aber sicherlich auch mit den unterschiedlichen Erfahrungen, die Hans Hut und Pilgram Marpeck sammelten. Der eine zog umher und führte ein unstetes, umgetriebenes Leben: daher das spiritualisierende individualistisch aufgelöste Kirchenverständnis. Der andere war Bürger in zwei wichtigen Reichsstädten, stand sogar in den Diensten dieser Städte; daher das Konzept einer aufgeschlossenen Freikirche. Ob diese Lebenssituation das ekklesiologische Denken beider Täufer ursächlich erklärt, ist schwer zu sagen. Daß sie mit diesem Denken aber in Beziehung stand, läßt sich nicht leugnen.

Die Grundlagen für das Kirchenverständnis des niederdeutschen Täufertums hat Melchior Hoffman gelegt. Zunächst hatte er sich gegen die hierarchisch-autoritär geführte Kirche Roms gewandt und ihr eine Gemeinde entgegengesetzt, die laizistisch-demokratische Züge trug. Die Wahl und Berufung der Geistlichen sollte durch die Gemeindeglieder erfolgen. In Straßburg, wo er mit Täuferkreisen in Berührung kam und um seinen Führungsanspruch kämpfen mußte, veränderte sich dann sein Gemeindeverständnis. Der Gemeindeaufbau wurde hierarchisch strukturiert: Es gab die ,,apostolischen Sendboten", die Propheten, die Gemeindevorsteher und die Gemeindeglieder. Führungsautorität wurde den Sendboten übertragen, sie entschieden über die Auslegung der Heiligen Schrift und der Träume und Visionen der Propheten. Klaus Deppermann hat diesen Ämter- und Gemeindeaufbau ,,charismatisch-autoritär" genannt und aus dem charismatisch-prophetischen Milieu Straßburgs erklärt, in dem Hoffman von den Propheten als charismatischer Führer anerkannt wurde, diese sich dafür aber umgekehrt eine überregionale Geltung für das gesamte melchioritische Täufertum sicherten. Die Gemeindevorsteher hatten für die einzelnen Gemeinden zu sorgen; ihnen wurde die Banngewalt übertragen. Beide Male wirkt sich in dem ekklesiologischen Denken Hoffmans ein antiklerikaler Impuls aus: einmal werden die Laien gegen den Klerus aufgewertet und zum andern die Lehr- und Leitungsautorität der apostolischen Sendboten gegen den Klerus und die Gelehrten behauptet. Den geweihten Priestern und den studierten Predigern wurden die charismatisch begabten Sendboten gegenübergestellt, ,,die Christus nach der Auferstehung gleichen, vollkommen gerecht sind und nicht mehr sündigen können".[32] Das geschieht freilich auf Kosten der Gemeinde. Sie wird entmündigt. Es kommt Hoffman offensichtlich mehr darauf an, die Gläubigen zu sammeln, sie innerlich in der Trübsal dieser Welt zu stärken und auf das Reich Gottes vorzubereiten, als Gemeinden zu schaffen, die in sich schon das göttliche Heil in dieser Welt sichtbar machen. Das hat Heinold Fast treffend beschrieben; „Während die Sichtbarmachung des Gegensatzes Gemeinde-Welt im Süden die Funktions- und Zeugnisfähigkeit der Gemeinde als einer für den einzelnen notwendigen Größe bezweckte, diente die Sammlung der Bräute Christi bei Hoffman der Vorbereitung auf das irdisch-himmlische Reich Gottes."[33] Die täuferischen Gruppen waren lose zusammengefügt, sie hatten wohl einen strafferen Aufbau als das oberdeutsche Täufertum Hans Huts, im Unterschied zu den Schweizer Brüdern waren sie aber, ähnlich wie diese endzeitlich motivierten Ansammlungen von Gläubigen, noch nicht Freikirchen im engeren Sinne.

Die weitere Entwicklung des melchioritischen Täufertums verlief unterschiedlich. Eine sichtbar abgegrenzte Kirchengestalt, allerdings das gesamtgesellschaftliche Leben umfassend und in das Reich Gottes übergleitend, nahm das Täufertum in Münster an; spiritualistisch verflüchtigt wurde die Kirche bei David Joris; auf eine freikirchliche Konzeption der Gemeinde lief es schließlich bei Menno Simons hinaus. Nur der Weg zum mennonitischen Gemeindeverständnis soll hier noch kurz dargestellt werden.

Bei Menno Simons ist der Zusammenhang von Antiklerikalismus und Kirchenverständnis besonders offensichtlich. Seine Kritik am alten und neuen Klerus schloß die Kritik an der Kirche ein, die von diesem Klerus repräsentiert und geführt wurde; und analog zu dem Bemühen der Wiedergeborenen, das fleischlich-sündhafte Leben zu überwinden, wird die Kirche als eine Gemeinschaft „sonder rumpel ende sonder vlecke" vorgestellt.[34] Beides hängt miteinander zusammen und wird von der monophysitischen Christologie unterstrichen, in der die Sündlosigkeit Christi entgegen der traditionellen Christologie mit der Formel „factum in Maria" statt „natum ex Maria virgine" umschrieben werden kann.[35] Damit sollte sichergestellt werden, daß Christus nicht aus dem „Fleisch", der Quelle der Sünde, geboren sei. Was Heinold Fast für Melchior Hoffman beschrieben hat, gilt auch für Menno Simons: „Der Bräutigam nämlich trägt dann himmlisches Fleisch, und wenn der einzelne Christ oder die Gemeinde seine Braut sein wollen, müssen sie dem entsprechen. Die Übergabe an den Herrn in der Taufe und die Vereinigung mit ihm im Abendmahl wird zur moralischen Verpflichtung, einen himmlischen Wandel zu führen bzw. die fleckenlose Gemeinde darzustellen."[36] In seiner Schrift „De oorsake waerom dat ick Menno Symons niet of en late te

8. Titelholzschnitt zur Peypus-Bibel von Sebald Beham 1530

leeren, ende te schrijuen" (ca. 1542) prangert Menno den fleischlichen, götzendienerischen, unmoralischen und grausamen Charakter der Kirche an, die sich anmaßt, Braut Christi zu sein, und setzt dagegen: „Maer Christus Bruyt is vleesch von sijnen vleesche/ ende been van sijnen beenen/Ephes. 5,30."[37] Und dann stellt er in einem langen, wortreichen Abschnitt die wahre Kirche der falschen Kirche gegenüber: „Hier is geloove/ daer is ongeloove: Hier is waerheydt/ daer leugen: Hier gehoorsaemheydt/ daer ongehoorsaemheyt: Hier dat Doopsel der geloovigen nae kuyt van Godts Woordt/ daer het Doppsel der kleyner onmondiger kinderen buyten Godts Woordt: Hier ware broederlijcke liefde/ daer haet/ nijt/ tyrannije/ wreetheyt/ ende bloetvergieten overvloedigh. . . . Summa/ hier is Christus en Godt/ daer Antichristus ende de Duyvel."[38] Das eine ist also die Kirche Christi und das andere die Kirche des Antichrist. An dieser, unzweideutig aus dem Geist des Antiklerikalismus erwachsenen Gegenüberstellung liegt Menno so sehr, daß er in seiner späteren Schrift gegen Gellius Faber, die sehr deutlich anzeigt, daß Mennos Gedanken sich unter dem Drängen seiner jüngeren Gefährten zunehmend der Reinhaltung der Gemeinden zuwenden[39], noch einmal in aller Ausführlichkeit diesen Kontrast beschwört und auf die Spitze treibt, indem er die Kennzeichen der Kirche Christi den Kennzeichen der Kirche des Antichrist systematisch aufgelistet gegenüberstellt.[40] Die Kontraste sind klar und unerbittlich.

Daraus leitet Menno für die Gläubigen die Forderung ab, die Kirche des Antichrist oder, wie es in dem Fundamentbuch heißt, „Babel" zu meiden und zu fliehen. Meidung und Absonderung haben einen antiklerikalen Ursprung und sind auch bei Menno Simons nicht weltflüchtig und resignativ gemeint, sondern kämpferisch und aggressiv. Die Täufer mußten den Argwohn und die Feindseligkeit der Mächtigen, der offiziellen Kirche genauso wie der weltlichen Obrigkeit, provozieren und mit Verfolgung, Kreuz und Tod rechnen. Menno wußte, daß auch die entschiedenste Abkehr seiner Anhänger von dem revolutionären Täufertum eines Jan van Leiden und Jan van Batenburg daran nichts ändern würde. Zu tief war der antiklerikale Stachel in das Fleisch der offiziellen Kirche und der Gesellschaft getrieben worden; und da dieser Stachel dem in Rechtfertigung und Christologie begründeten Auftrag entsprungen war, das individuelle und das öffentliche Leben zu bessern, mußte Menno das Martyrium konsequenterweise als ein positives Zeichen der Kirche annehmen. Es war in erster Linie die gewollte Konsequenz der Wiedergeburt und nicht die erduldete Konsequenz obrigkeitlicher Macht. Belegt wird diese Deutung des Martyriums am besten durch die Gegenüberstellung der Kennzeichen beider Kirchen. Unter dem sechsten Punkt steht auf der einen Seite „Druck ende droeffenisse omme des Heeren woort" und auf der anderen Seite „Tyrannye ende wrevel tegens den Godtvruchtigen"[41]. Deutlicher läßt sich das Problem des Martyriums wohl kaum in den antiklerikalen Argumentationsrahmen spannen.

Welchen tief empfundenen Ursprung das Argument der Meidung hat, zeigt sich noch an anderer Stelle. Menno hat mit ihm auch die Schwierigkeiten in der melchioritischen Bewegung selber bestritten. Als die Anhänger des David Joris auf den äußeren Taufvollzug verzichten wollten, um der Verfolgung durch die Obrigkeiten zu entgehen, hat Menno ihnen vorgeworfen, sie würden sich auf diese Weise mit der Kirche des Antichrist gemein machen; und als Täufer in Amsterdam bereit waren, die Gottesdienste oder die Messe der offiziellen Kirche zu besuchen, um unerkannt zu bleiben und in aller Abgeschiedenheit ihres eigenen Glaubens leben zu können, ermahnte er sie mit demselben Argument.[42] Schließlich wurde das Argument der Meidung auch in die Praxis des Banns umgeformt. Mit Hilfe des Banns sollte die Gemeinde rein gehalten werden. In der weiteren Entwicklung der mennonitischen Gemeinden hat diese Praxis auch zu rigiden Exzessen geführt. Möglicherweise läßt sich diese rigorose Bannpraxis, wie auch die zunehmende Konzentration auf die Ekklesiologie (zunächst stand der Angriff auf die alte Kirche im Vordergrund, nachher der Aufbau der neuen), zu einem guten Teil wenigstens aus einer zunehmenden Innenführung des ursprünglich nach außen gewendeten antiklerikalen Affekts erklären, nachdem der Verfolgungsdruck nicht mehr so schwer auf den Täufern lastete. Aggressionen brauchen Feinde, gegen die sie sich richten. Das scheint ein sozialpsychologisches Gesetz zu sein.[43] Sobald die Feinde außerhalb einer geschlossenen Gemeinschaft ein wenig wegrücken, müssen Feinde im Inneren der Gemeinschaft gesucht werden. Die Aggression gegen die Kirche des Antichrist wurde zur Aggression gegen die eigenen Mitglieder, die Argwohn an ihrer unbedingten Linientreue wachriefen. Ähnliches konnte bereits für das schweizerische Täufertum beobachtet werden. Es ist bekannt, daß Menno sich einer allzu rigiden Bannpraxis in den Weg stellte, sich aber schließlich doch nicht durchsetzen konnte.[44] Diese Differenz könnte man so deuten, daß er weniger gesetzlich dachte als einige seiner Mitältesten; man könnte sie aber auch so erklären, daß er noch stärker von dem antiklerikalen Ursprungsimpuls seines theologischen Denkens bestimmt war, während die Mitältesten erfahrungsmäßig schon auf dem besten Wege waren, die antiklerikalen Aggressionen nach innen führen zu müssen, um sich ihre ekklesiologische Identität zu bewahren.

Wie das schweizerische und oberdeutsche Täufertum hat auch die melchioritische Bewegung erst allmählich über eine lose Sammlung der Gläubigen zu den festen Formen einer Freikirche gefunden. Die Geburt des Täufertums war nicht schon die Geburt der Freikirche.

Distanz zur weltlichen Obrigkeit

Die Täufer haben den Konflikt mit der weltlichen Obrigkeit, der typisch für sie ist, nicht gesucht. Sie sind vielmehr aus sehr verschiedenen Gründen in Auseinandersetzungen hineingeraten, die von den Obrigkeiten schließlich nicht teilnahmslos mitangesehen werden konnten, sondern geschlichtet, niedergeschlagen oder gar ganz aus der Welt geschafft werden mußten. Die Obrigkeiten reagierten entschieden und hart, zögernd und zurückhaltend, je nachdem welche Erfahrungen sie mit nonkonformistischen Kräften in ihren Städten und Territorien bereits hinter sich hatten oder wie stark sie den Frieden und die Einheit des Gemeinwesens durch radikale Bewegungen bedroht sahen. Umgekehrt bildeten sich auch die Täufer, ob sie nun auf harte oder milde Herren stießen, unterschiedliche Urteile über die Obrigkeiten, die Rechtmäßigkeit weltlicher Ordnung, die Wahrnehmung obrigkeitlicher Pflichten und den Grad der Loyalität, die sie der Obrigkeit entgegenzubringen bereit waren, oder die Intensität des Widerstandes, mit dem sie ungerechtfertigte Herrschaftsansprüche brechen wollten. Die Obrigkeitsanschauungen der Täufer sind besonders breit gefächert.[45]

In dem Abschnitt über die Entstehung des Täufertums in der Schweiz ist gezeigt worden, wie die radikalen Gefolgsleute Zwinglis mit ihren antiklerikalen Aktionen allmählich auf den entschiedenen Widerstand des Rates in Zürich gestoßen waren und aus der aktiven Teilnahme an der Einführung der Reformation in dieser Stadt ausgeschaltet wurden. Daraus hat sich zunächst eine existentielle Distanz zur Obrigkeit und schließlich eine grundsätzliche Neubewertung des obrigkeitlichen Amtes ergeben. In Schleitheim haben die Schweizer Brüder sich 1527 auf folgenden Grundsatz geeinigt: „Das Schwert ist eine Gottesordnung außerhalb der Vollkommenheit Christi."[46] Damit ist dreierlei gesagt: 1. Die Obrigkeit ist von Gott eingesetzt, um die Bösen zu strafen und die Guten zu schützen. Ohne Obrigkeit müßten die Menschen einander zerfleischen und die Welt ins Chaos stürzen. 2. Obwohl die Existenz der Obrigkeit auf eine göttliche Anordnung zurückgeht, steht sie doch außerhalb der Gemeinschaft, in der die Gläubigen ihrem Herrn Jesus Christus gehorsam nachfolgen und ihrer Vollendung zustreben. 3. Die Gemeinde braucht keine Obrigkeit; sie kann ihre Angelegenheiten mit dem Bann selber regeln. Die Welt dagegen braucht die Obrigkeit; sie muß mit dem Schwert regiert werden. Grundsätzlich wird die Legitimität der weltlichen Obrigkeit von den Täufern nicht bestritten, sie wird allerdings auf den weltlichen Bereich eingeschränkt. So wird eine deutliche Grenze zwischen Obrigkeit und Gemeinde gezogen. Die Trennung von Obrigkeit und Kirche, die sich für die Radikalen seit den frühen Tagen der Zürcher

Reformation angebahnt hatte, wird in Schleitheim festgeschrieben, wenn nicht sogar dogmatisiert. Im Hintergrund dieser Trennung steht der grundsätzliche Dualismus zwischen dem Reich der Finsternis und dem Reich des Lichts, wie er im vierten Artikel des Schleitheimer Bekenntnisses über die „Absonderung" formuliert worden war. Das wird in dem sechsten Artikel, der vom „Schwert" handelt, zwar nicht so krass zum Ausdruck gebracht, aber nur im Sinne dieses Dualismus kann die folgende Gegenüberstellung verstanden werden: „Das Regiment der Obrigkeit ist nach dem Fleisch, das der Christen nach dem Geist."[47] Fleisch und Geist widerstreiten einander, wie Finsternis und Licht, wie Christus und Belial, und dürfen nicht miteinander vermischt werden. Aus diesem Grunde darf der Gläubige auch kein obrigkeitliches Amt bekleiden, weder richten noch herrschen. Er müßte fleischlich handeln, kriegen und töten, während Christus ihn doch verpflichtet, geistlich zu handeln. „Die weltlichen werden gewappnet mit Stachel und Eisen; die Christen aber sind gewappnet mit dem Harnisch Gottes, mit Wahrheit, Gerechtigkeit, Friede, Glaube, Heil und mit dem Wort Gottes."[48] Dieser Dualismus zog eine Reihe von Verweigerungen nach sich: Die Täufer verweigerten nicht nur die Übernahme obrigkeitlicher Ämter oder schieden aus solchen aus, sie verweigerten auch den Dienst mit der Waffe, der von den weltlichen Obrigkeiten verlangt wurde. Sie weigerten sich nicht nur, Recht zu sprechen, sondern auch, wie aus andern Quellen hervorgeht, ihr Recht vor weltlichen Gerichten einzuklagen. Schließlich verweigerten sie den Eid, den die Obrigkeiten von ihren Untertanen forderten. Die Verweigerung des Eides, dem in Schleitheim der siebente Artikel gewidmet wurde, sollte an manchem Ort bald zu einem besonders auffälligen Kennzeichen der Täufer werden und andere täuferische Merkmale in den Hintergrund drängen.[49] Die Täufer haben die Verweigerung des Eides mit dem Gebot Jesu in der Bergpredigt begründet, nicht zu schwören, wie es unter dem Gesetz des Alten Testaments üblich war, sondern die ehrliche Gesinnung nur mit „ja, ja und nein, nein" zum Ausdruck zu bringen (Matth. 5,33—37). Sie weigerten sich, Gott für menschliche Zusagen bürgen zu lassen, die für die Zukunft gegeben wurden.[50] Hinter der Eidesverweigerung stand gewiß auch die Erfahrung, daß man einer Obrigkeit, die Christen verfolgte und hinrichtete, nicht Treue und Gehorsam schwören könne, so sehr man bereit sei, ihr in weltlichen Dingen, die das christliche Gewissen nicht belasteten, gehorsam zu sein. Steuern, Zins und Zölle wollten die Täufer unter Berufung auf das Wort Jesu „Gebt dem Kaiser, was des Kaisers ist, und Gott, was Gottes ist" (Matth. 22,21) durchaus zahlen. Nur wo der Gehorsam, den die Obrigkeiten forderten, mit dem Gehorsam, den sie Gott schuldeten, in Konflikt geriet, wollten sie sich den Obrigkeiten verweigern (Apg. 5,29).

Dies Obrigkeitsverständnis, das sich im Schweizer Täufertum sehr schnell durchsetzte und in den Gesprächen zwischen Täufern und reformierten Prädikanten stets von neuem begründet und erläutert wurde[51], trägt noch deutliche Spuren seiner Herkunft aus den antiklerikalen Auseinandersetzungen der frühen Reformationszeit. Darauf deutet die eigentümliche Wendung „außerhalb der Vollkommenheit Christi". Innerhalb der „Vollkommenheit Christi" stehen, war für die Radikalen, im Gehorsam gegen das Wort Gottes zu leben; und genau im Zeichen dieses Gehorsams führten sie ihren Kampf gegen den Klerus. Als der Zürcher Rat sich im Streit um den Zehnten nicht auf die Seite der Radikalen stellen wollte, sondern den Gang der Reformation verzögerte, sahen sie in ihm einen Bündnispartner des Klerus, aber nicht mehr einen Gefährten auf dem Wege zur Erneuerung der Christenheit. Sie gingen auf Distanz. Und als die Obrigkeit sich schließlich anschickte, die Täufer zu verfolgen, wurde ihr Ungehorsam gegen das Wort Gottes, so sahen es die Täufer, vollends vor aller Öffentlichkeit sichtbar. Zwingli hatte auf den Unterschied zwischen der Gerechtigkeit, die Gott schafft, und der Gerechtigkeit, die von Menschen hergestellt wird, hingewiesen. Die irdische, von der Obrigkeit verwaltete Gerechtigkeit werde zwar immer ein Schatten der göttlichen bleiben, doch sie müsse sich grundsätzlich darauf ansprechen lassen, auf die Vollkommenheit göttlicher Gerechtigkeit hinzustreben. Die Täufer meinten dagegen, daß die Obrigkeit, da sie im Ungehorsam gegen Gottes Wort stehe, auf diese Vollkommenheit überhaupt nicht ansprechbar sei. Sie steht „außerhalb der Vollkommenheit Christi" und darf für das Leben der Kirche nicht in Anspruch genommen werden. Aus einer antiklerikalen Erfahrung, die sich zunächst ganz unprogrammatisch eingestellt hatte, wurde eine theologische Einsicht von strenger Grundsätzlichkeit.

Den Täufern ist der Vorwurf gemacht worden, sie würden den politischen Bereich auf verantwortungslose Weise sich selber überlassen. Dieser Vorwurf trifft teilweise zu, denn die Täufer wollten sich tatsächlich nicht an den Werken des Fleisches beteiligen, und „außerhalb der Vollkommenheit Christi" konnte es nur solche Werke geben. Der politische Bereich war in ihren Augen kein neutrales Handlungsfeld zwischen dem Reich der Finsternis und dem Reich des Lichts; er war das Reich der Finsternis und mußte sich selber überlassen werden. Der erwähnte Vorwurf trifft jedoch nicht zu, wenn man bedenkt, daß es im 16. Jahrhundert kaum eine andere Möglichkeit gab, den Menschen in aller Deutlichkeit klar zu machen, daß weltliche Macht nicht für das Reich Gottes eingespannt werden dürfe. Die verbalen Erklärungen der Reformatoren, die in diese Richtung wiesen, waren zu schwach und ließen sich bald von der Entwicklung zum landesherrlichen Kirchenregiment mitreißen. Es ist

zwar überzogen, die Täufer als Vorläufer der Säkularisierung obrigkeitlicher Herrschaft zu feiern, diese Herrschaft wurde eher verteufelt als befreit; es wäre aber falsch, in dem Bemühen der Täufer, die Obrigkeit auf
ihre Grenzen hinzuweisen, nichts anderes als nur einen Akt gesellschaftlicher Verantwortungslosigkeit zu erblicken. Es war auch ein Akt kollektiver Seelsorge an einer Gesellschaft, die an ihrer weltlich-geistlichen
Mischkultur, dem Corpus Christianum, schon lange litt und noch manche
Anstrengungen in den folgenden Jahrhunderten unternehmen mußte, um
sich davon zu befreien.

Dies Obrigkeitsverständnis wurde nicht nur von außen angegriffen; es
wurde auch unter den Täufern selbst aufs Korn genommen. Besonders
hart waren die Auseinandersetzungen in Nikolsburg. Dort war es Balthasar Hubmaier gelungen, eine obrigkeitliche Täuferreformation nach dem
Vorbild Waldshuts in Gang zu setzen, die bald verfolgte Täufer aus Süd-
deutschland, Österreich und der Schweiz nach Mähren zog. Unruhe entstand, als Hans Hut in Nikolsburg auftauchte; doch so schnell er gekommen war, so schnell verschwand er wieder. Er wurde bedroht und mußte
um sein Leben fürchten. Unruhe entstand auch, als Schweizer Brüder
dazu übergingen, die Zusammenarbeit zwischen dem Reformator und der
weltlichen Obrigkeit öffentlich zu kritisieren. Sie bestritten den christlichen Charakter der Obrigkeit und versuchten mit der Heiligen Schrift
zu belegen, daß ein Christ nicht Richter sein, kein Schwert tragen, überhaupt kein obrigkeitliches Amt bekleiden dürfe. Darauf reagierte Hubmaier mit seiner Schrift „Von dem Schwert“, die er im Juni 1527 ausgehen ließ. Er griff die biblischen Stellen der Reihe nach auf, mit denen
seine Gegner ihre zurückhaltende oder negative Einstellung zur Obrigkeit gerechtfertigt hatten, und arbeitete heraus, daß es falsch sei, den
Dualismus von Gemeinde und Welt überall dort hineinzulesen, wo von
der Obrigkeit oder dem Verhalten der Jünger Jesu gegenüber dem
Schwert und öffentlichen Ämtern geschrieben wurde. „Ir habt hartt
gestrauchet vnnd vil vnrats allenthalb wider Gott vnnd wider brüderliche
Liebe vnder einem geystlichen schein vnd diemutigen deckmantel an-
gricht."[52] Das war ein schwerer Vorwurf.

Mit seiner „bestettigung der Oberkait“ unter Christen wollte Hubmaier jedem Zweifel an der politischen Zuverlässigkeit seiner Täuferreformation zuvorkommen, denn Nikolsburg befand sich in einer prekären
Lage. Einmal mußten die reformatorischen Vorgänge in Mähren dem
habsburgischen Hof ein Dorn im Auge sein, und zum andern war dieses
Territorium ein vorgeschobener Posten im Kampf gegen die drohende
Türkengefahr, wo die Aufforderung zur Verweigerung des Waffendienstes
nur störend wirken konnte. Auch Hubmaier geht davon aus, daß die
Obrigkeit von Gott eingesetzt sei, die Bösen zu strafen und die Guten

zu schützen. Im Unterschied zu seinen Gegnern meint er jedoch, daß eine christliche Obrigkeit sehr viel geeigneter sei, dieses Amt zu führen, als eine unchristliche oder heidnische. Sie wird ihr Amt nämlich als einen von Gott aufgetragenen Dienst ernst nehmen. Dem Einwand der Gegner, christliche Amtsträger würden gezwungen, unchristlich zu handeln, zu richten, zu töten und Kriege zu führen, begegnet er so: Unchristlich sei eine obrigkeitliche Handlungsweise nur, wenn sie aus Haß, Neid oder Eigensucht geschehe. „Nun soll aber ein Christ nyemant hassen oder neyden, sondder yederman liebhaben, darumb so hat einn Christenliche Oberkait kainen feind, denn sy haßt vnd neydet niemant. Denn was sy thut mit dem Schwert, das handlet sy nit auß neyd oder haß, sonder auß dem beuelch Gottes. Derhalb die bösen straffen ist nit hassen, neyden oder feindten."[53] Hubmaier konnte sich also gar keine bessere als eine christliche Obrigkeit denken und ermahnte deshalb die Christen, diese Obrigkeit zu unterstützen und mit ihr fest zusammenzustehen. Steuern sind zu entrichten, damit die Obrigkeit ihres Amtes walten könne; militärische Hilfe ist ihr zu gewähren, wenn das Land von Feinden bedroht wird. Soweit vertritt Hubmaier in den Grundzügen ein reformatorisches Obrigkeitsverständnis, wenn die Argumentationen auch einfacher verlaufen als bei Luther und Zwingli. Anders als Luther vermag er, ähnlich wie Zwingli auch, in Ansätzen ein Widerstandsrecht zu artikulieren. Falls eine Obrigkeit ihren Pflichten nicht nachkommt, kann sie beseitigt werden: „So aber ein Oberkhayt khinndisch oder thoerechtig were, ja etwan gar nichts gschickt zu regieren, mag man jr alßdann mit fueg abkhummen vnnd ein anndere annemen, ist es gut." Einschränkend setzt er jedoch hinzu: „Wann von wegenn einer bösenn Oberkhayt hat Gott offt ein ganntzes lannd gstrafft, so es aber fugklich vnnd mit friden, auch on grossenn schaden vnnd enntpörung nit wol sein mag, so gedulde man sy, als die vnns Gott geben hat in seinem grimmen, vnd wölle vns (als die khainer bessern wirdig seind) von unserer sünden wegen also plagen."[54]

Hatten sich im Obrigkeitsverständnis der Schweizer Brüder noch Spuren frühreformatorischer Auseinandersetzungen finden lassen, so ist das auch bei Hubmaier der Fall. Sein Verständnis stand im Einklang mit dem Ziel einer volkskirchlichen Täuferreformation, wie es von Stumpf, Reublin, Brötli und anderen in den Zürcher Landgemeinden verfolgt worden war. Der Unterschied zu jenen bestand nur darin, daß er die Reformation in Waldshut bereits mit einer bestehenden lokalen Obrigkeit durchführte, während seine Freunde im Zürcher Land sich dabei nur auf das Volk stützen konnten. Dort wurde das Volk im Zuge des bäuerlichen Kampfes um die Autonomie der Gemeinden zu einer revolutionären Kraft gegen den Rat Zürichs, in Waldshut war der Rat zu einer revolutionären Kraft gegen die Oberherrschaft Erzherzog Ferdinands von Österreich geworden. So erklärt es sich, daß Hubmaier grundsätzlich über die Obrigkeit wie Zwingli dachte, dem James M. Stayer einen realpolitischen Blick bescheinigte[55], und doch in den revolutionären Auseinandersetzungen auf der Seite der Aufständischen stehen konnte. So hatte Hubmaier durchaus zu Recht behauptet, er habe in Waldshut nicht anders über die Obrigkeit von der Kanzel gepredigt als jetzt in Nikolsburg.[56] Der Unterschied lag nur darin, daß Nikolsburg die revolutionäre Situation des Jahres 1525 erspart geblieben war. Und trotzdem hatte Hubmaier hier das Widerstandsrecht, das im Kampf Waldshuts gegen die österreichische Oberherrschaft eine große Rolle gespielt haben wird, beibehalten. Er hat es allerdings stark abgeschwächt. Die Aufforderung an die Christen, sich eng um ihre christliche Obrigkeit zu scharen, um mit diesem Akt der Solidarität tyrannische Obrigkeiten vor Übergriffen abzuschrecken,[57] mag eine Erinnerung an die Strategie der Haufen im Bauernkrieg gewesen sein, sie wird auch den Spannungen, die zwischen dem reformationsfreundlichen Adel in Mähren und dem altgläubigen Hof Habsburgs bestanden, Rechnung getragen haben. Hubmaier hatte tatsächlich einen Blick für die politischen Realitäten. Er konnte den volkskirchlichen Zielen der frühen Täuferreformation treu bleiben, weil die Nikolsburger Obrigkeit eine Gelegenheit dazu bot, während die Schweizer Brüder den Schritt zu freikirchlich-pazifistischer Haltung bereits vollzogen hatten, als sie in Nikolsburg eintrafen. Im Streit zwischen Hubmaier und den Schweizer Brüdern wiederholte sich, was die Schweizer in einer von den äußeren Umständen erzwungenen Entwicklung vor Schleitheim, zunächst in der Stadt Zürich und dann auch auf dem Lande, selber durchgemacht hatten: zwei Konzepte täuferischer Reformation gerieten hier in offenen Konflikt. Die Schweizer Täufer wollten nicht hinnehmen, daß ihnen in Hubmaier ihre eigene Vergangenheit, von der sie sich in leidvoller Erfahrung und mit Hilfe biblischer Einsichten getrennt hatten, noch einmal entgegentreten sollte. Eine Preisgabe ihres neuen Obrigkeitsverständnisses wäre in ihren Augen Verrat am Wort Gottes gewesen. Das hat Hubmaier offensichtlich erkannt und die Entscheidung deshalb auch nicht in allgemein theologischer Erörterung, sondern auf dem Felde der Schriftauslegung gesucht. Die Erfahrungen der Schweizer Brüder hatten sich freilich schon zu einem dermaßen geschlossenen Trennungskonzept zwischen Gemeinde und Obrigkeit verfestigt, daß seine Argumente kaum verfingen. Die ,,Bestätigung der Obrigkeit", für die er so entschieden eingetreten war, konnte schließlich auch ihn nicht davor bewahren, denselben leidvollen Weg der Schweizer Brüder zu gehen. Der Habsburger Hof, der die Spuren des bäuerlichen Aufruhrs mit drastischen Mitteln auszutilgen trachtete, ließ nach ihm fahnden; im März 1528 wurde er in Wien als Aufrührer und Ketzer auf dem Scheiterhaufen verbrannt.

Gelegentlich wurde auch vermutet, Hubmaier habe sein kleines Buch über das Schwert gar nicht so sehr gegen die Schweizer Brüder als vielmehr gegen Hans Hut geschrieben.[58] Dieser Täuferführer hatte sich zwar, wie bereits erwähnt wurde, kurz vorher mit Hubmaier angelegt; es soll auch zu unerbittlichen Auseinandersetzungen über das Verhältnis des Christen zur weltlichen Obrigkeit gekommen sein; der Reformator wird aber erkannt haben, daß zwischen Hut und den Schweizern doch große Unterschiede bestanden. In seiner ausführlichen „Rechenschaft des Glaubens" (1528) kommt er auf die Umtriebe Huts noch einmal zu sprechen: „Derhalb jch vast vbl zufriden bin mit Hanns Hutten vnd seinen Anhenngern, das sy haimlich vnd in den winckheln das volckh auffreden, verfieren, Conspiration vnd aufrur bewegen vnnder dem schein des Taufs vnnd nachtmals Cristi, als mieß man mit dem Schwert daran vnd dergleichen. Nain, nain, nit also, ein Crist ficht, schlecht vnd tödtet nit, er sitze dann jn der Oberkait vnd sey dartzue eruordert oder von der ordenlichen oberkait dartzu beriefft."[59] Aufruhr war der Vorwurf, auf den das Urteil über Hut hinauslief. Doch Aufruhr war nicht der Vorwurf, den Hubmaier gegen seine Feinde in der Obrigkeitsschrift erhoben hatte, ebenso wenig hatte er sich dort genötigt gesehen, seine Gegner zu friedfertigem Verhalten zu ermahnen. Damit hätte er doch nur offene Türen eingerannt. Aus beidem kann geschlossen werden, daß Hubmaier zwischen Hut und den Schweizer Brüdern tatsächlich zu unterscheiden wußte und sich in seinem Buch gegen letztere gewandt hat. Huts Auffassung war von anderer Art. In ihr flackerten noch die endzeitlich-revolutionären Visionen Thomas Müntzers und die Erfahrungen im thüringischen Bauernkrieg nach. Die Regenten hatten, so ließ Müntzer sich einst vernehmen, das Recht verwirkt, das Schwert zu führen, weil sie sich dem Wort Gottes widersetzt und dem Wirken der Auserwählten in den Weg gestellt hätten. Ihre Herrschaft, die Aufruhr und Empörung gegen Gott war, mußte gebrochen werden. Die Auserwählten wurden aufgerufen, zum Schwert zu greifen und die Gottlosen auszurotten. In diesem Sinne soll Hut sich noch in den ersten Tagen nach der Flucht vom Schlachtfeld der Bauern bei Frankenhausen geäußert haben. Bald hatte er aber einsehen müssen, daß die Kraft der Erhebung gebrochen und eine Fortsetzung dieses aggressiven Kampfes vorerst nicht mehr möglich war. Er gab die Hoffnung auf einen Sieg über die Gottlosen jedoch nicht auf. In dreieinhalb Jahren nach der Niederlage bei Frankenhausen, so spekulierte er, würde die Posaune des Endgerichts erschallen und dann würden die Auserwählten, nachdem der Türke den ersten großen Schlag gegen Fürsten und Regenten geführt habe, zum Schwert greifen und Rache an den Gottlosen üben. Bis zum Endgericht freilich sollte das Schwert in der Scheide bleiben.[60] So konnte Hut mit der Niederlage fertig werden und trotzdem an den revo-

lutionären Zielen des Bauernkriegs festhalten. Die Pause vom revolutionären Kampf, die er sich und seinen Anhängern verordnete, ist oft als
Bekehrung zum Pazifismus der Schweizer Täufer mißverstanden worden.
Hut könnte durchaus den Eindruck erweckt haben, er stünde grundsätzlich auf der Seite der Schweizer Täufer, denn er hatte seinen Anhängern geraten, sich nicht am Krieg zu beteiligen, sondern sich in Höhlen
und Wäldern zu verstecken, wenn Krieg ausbricht, und auf die Wiederkunft des Herrn zu warten. Das war Pazifismus auf Zeit und hatte mit
dem freikirchlichen Pazifismus nichts zu tun. Im Grunde wollte Hut
seine Anhänger für den endzeitlich-revolutionären Kampf rüsten. In diesem Wirken Huts tritt eine dritte Variante des täuferischen Obrigkeitsverständnisses auf den Plan.

Lange hat sich diese Variante im Täufertum allerdings nicht gehalten.
Hut konnte seine Autorität auf der sogenannten Märtyrersynode in
Augsburg 1527 zwar behaupten und den Separatismus der Schweizer
Brüder zurückdrängen, ihm wurde aber von seinen Freunden das Zuge-
ständnis abgerungen, seine endzeitlichen Spekulationen, mit denen ja
sein Obrigkeitsverständnis zusammenhing, nicht mehr in die Öffentlichkeit zu tragen.[61] Nach seinem Tod waren es nur noch versprengte Gruppen, die seinen revolutionären Zielen in ekstatisch-apokalyptischem Fie-
ber treu blieben, bis auch diese sich sehr bald auflösten.

Eine militantere Haltung als Hut hatte übrigens Hans Römer, ein anderer Schüler Thomas Müntzers aus den Tagen des Bauernkriegs eingenommen. Er hatte versucht, für den Neujahrstag 1528 einen politischen
Umsturz in Erfurt zu organisieren, die Stadt in die Hände der Täufer
zu bekommen und von diesem Neuen Jerusalem aus den niedergeschla-
genen Aufstand von 1525 wieder anzufachen. Der Aufstandsplan, der
Aktionen gegen die Pfaffen mit einem Handstreich gegen den Rat der
Stadt verband, wurde aber kurz vorher verraten. Römer konnte entkommen und wurde erst 1534 eingefangen und in den Kerker geworfen.
Einige seiner Freunde wurden indessen gleich ergriffen, gefoltert und zu
Tode gebracht.[62]

Eine andere Auffassung setzte sich in den Gemeinden der Huterer
durch. Hier konnte sich die Gütergemeinschaft, die ja eine Absonderung
von der „weltgmainschaft und irem greulichen leben"[63] herbeiführte,
mit dem separatistischen Pazifismus der Schweizer Brüder verbinden. Die
Huterer waren „Stäbler". Sie verweigerten nicht nur den Dienst mit der
Waffe, sondern wandten sich auch gegen die Kriegssteuer, die von ihnen
verlangt wurde: „Dann wie kinnten oder möchten wir vor unserm Gott
unschuldig sein, so wir schon selbs nit in krieg zugen und gäben aber das
gelt, dz andere an unser stat zugen und kriegten, oder auch sunst mit anderen dingen, die unser gwissen berüerten und wider Gottes ordnung und

bevelch. Da geben und helfen wir nichtz dazue, auf dz wir unsere gewissen vor Gott rain behalten und uns nit frembder sünden tailhaftig machen und Gott uneereten und schmäheten."[64] Sie fanden einen Weg, ohne daß jetzt weiter darauf eingegangen werden kann, die Verkündigung Huts zu entschärfen und mit dem Pazifismus der Schweizer Brüder in Einklang zu bringen. Einen pazifistischen Weg schlug auch Pilgram Marpeck ein, doch in einer Weise, daß er sich dem aktiven Dienst für die Obrigkeit nicht grundsätzlich versagte. Er selber arbeitete ja als Brunnenmeister und Ingenieur in Straßburg und Augsburg mit, ohne sich davon anfechten zu lassen. Verweigern dürfe sich ein Christ der Obrigkeit nur, wenn er zu Handlungen gezwungen würde, die sein christliches Gewissen belasteten. Hier tritt eine Haltung in Erscheinung, auch darauf kann jetzt nicht mehr eingegangen werden, die das apokalyptisch-revolutionäre Urteil über die weltliche Obrigkeit abgeschüttelt und den Pazifismus nicht an die Bedingung endzeitlich-dualistischer Absonderung geknüpft hat. „Die täuferische Verwerfung der Beteiligung am Staatsleben galt dem Schwert und dem Eid, nicht aber den verschiedenen anderen Funktionen, die unter dem modernen Staatsbegriff mitverstanden werden können. Marbeck ist dadurch, daß er unter der Obrigkeit wirkte, nicht von der täuferischen Linie abgewichen, sondern hat durch seine Leistung eben bewiesen, daß der soziale Beitrag eines Menschen, der das Schwert nicht führen will, doch so nützlich sein kann, daß der schwertführende Staat, der einen solchen „Wehrlosen" gemäß seinen Gesetzen hinrichten oder verbannen müßte, ihn dennoch duldet".[65] Für Marpeck mag diese Bemerkung John H. Yoders zutreffen, sie trifft aber nicht die Absicht und Situation der Schweizer Brüder. Marpeck ist nicht der Mann, der die Lehre der Schweizer Täufer in ihrer reinsten Gestalt vertrat; er vertrat ein anderes Täufertum. Sein Pazifismus entsprang der Aufforderung zur Nachfolge Christi, die ihren Grund einzig und allein in der freien und liebenden Zuwendung Gottes zum Menschen hatte; er wurde christologisch begründet.

Ein apokalyptisch-revolutionäres Obrigkeitsverständnis, das sich allerdings von den Anschauungen Hans Huts unterscheidet, hat Melchior Hoffman in das niederdeutsche Täufertum getragen. Von Livland über Dänemark und Ostfriesland bis nach Straßburg konnte er unterschiedliche Erfahrungen mit weltlichen Obrigkeiten sammeln. Einmal wurde er ausgehalten und beschützt, ein anderes Mal bedrängt und verfolgt. Der Eindruck der guten Erfahrungen muß aber so nachhaltig gewesen sein, daß er seinen Anhängern einschärfte, ganz im Einklang mit seiner lutherischen Herkunft, nicht gegen die Obrigkeit aufzubegehren, und der Obrigkeit darüber hinaus einen festen Platz in seinen Visionen vom Ende der Welt zuwies. Klaus Deppermann ist der Verknüpfung von apokalyptischer Geschichtsschau und obrigkeitlichem Amt in der Entwicklung Hoffmans nachgegangen und zu Ergebnissen gelangt, die sich in der Forschung durchsetzen werden.[66] Hier interessiert vor allem der Hinweis, daß die allgemeine Erwartung von einem „geistlichen Jerusalem", das sich in der Versammlung der Gläubigen einstellen würde, nach der Begegnung mit den Straßburger Propheten konkrete Formen annahm. Einmal übertrug er den Reichsstädten den Auftrag, die Pfaffen auszurotten und für den Kampf gegen den Kaiser, den Drachen der Apokalypse, zu rüsten. Und zum andern sollte das Neue Jerusalem in Straßburg erscheinen. Hoffman dachte an den Ausbau einer Theokratie zwischen dem Rachefeldzug gegen die Gottlosen und der Wiederkunft Christi. Davon berichtete auch Obbe Philips in seinen „Bekenntnissen" von 1556: „Es wurde damals auch prophezeit, Straßburg sollte das neue Jerusalem sein, und nach der Prophezeiung des alten Mannes in Ostfriesland sollte Melchior, nachdem er ein halbes Jahr gefangen gewesen war, mit 144000 wahrhaftigen Predigern, Aposteln und Sendboten Gottes aus Straßburg mit Kraft, Zeichen und Wundertaten ausziehen, und zwar mit solcher Kraft des Geistes, daß ihr niemand wiederstehen konnte."[67] Auf diese Weise hatte Hoffman das Täuferreich von Münster vorbereitet. Ihm lag zwar daran, die Gläubigen vor dem Gebrauch des Schwertes zurückzuhalten, grundsätzlich aber sollten sie hinter diesen endzeitlich-revolutionären Aktionen stehen. „Auf Geheiß der ‚Vollendeten', die sich nicht mit Blut besudeln, sollen die ‚Gläubigen', d.h. hier die frommen Magistrate der Freien Reichsstädte, das Racheschwert ergreifen und die Gottlosen vernichten."[68] So hat Deppermann den vielbeschworenen Pazifismus Hoffmans, der im Gegensatz zur Militanz des Täuferreichs in Münster gesehen wurde und eine Fortsetzung bei Menno Simons gefunden haben soll, als revolutionär enthüllt. Friedfertigkeit und Gewaltsamkeit stehen bei Hoffman vage nebeneinander, die Tendenz aber ist doch revolutionär. Er trat, und das ist eine weitere Variante des täuferischen Obrigkeitsverständnisses, für eine endzeitliche „Revolution von oben" ein.

Die Täufer, die in Münster auf legale Weise an die Macht gekommen waren, konnten an diese revolutionäre Apokalyptik Hoffmans anknüpfen. Sie brauchten nur die erwartete Erscheinung des Neuen Jerusalem von Straßburg nach Münster zu verlegen (wofür sie allerdings den Segen Hoffmans nicht erhielten), mit neuem charismatisch-prophetischem Anspruch aufzutreten und die niedere Obrigkeit der Stadt gegen die höhere des bischöflichen Landesherrn durchzusetzen. Der Übergang von der herkömmlichen Ratsverfassung über die Herrschaft der zwölf Ältesten zur Einführung der monarchischen Verfassung nach alttestamentlichem Vorbild, der unter Jan van Leiden vollzogen wurde, schaltete die bischöfliche Obrigkeit endgültig aus, mehr noch: in dieser Verfassung warf sich das

9. Belagerung des von Täufern besetzten Oldekloosters bei Bolsward

Königreich als Gegenreich zum „Heiligen Römischen Reich" auf, das
vom Kaiser repräsentiert wurde. Die apokalyptische Rolle, die Hoffman
den Reichsstädten zugedacht hatte, zog Münster an sich. Diese Stadt
sollte, so bekräftigte es auch Bernhard Rothmann mit seinem Traktat
„Von der Wrake" (1534), Rache an den Gottlosen üben. Im Unterschied
zu Hoffman war an dem militanten Kampf gegen die Gottlosen, das ergab
sich aus der anders gearteten politischen Situation und dem demokra-
tisch-theokratischen Grundzug des Täuferreichs in Münster, jeder Gläubige beteiligt. Der Vorbehalt Hoffmans, nur die Obrigkeiten kämpfen zu
lassen, war gefallen.

In der melchioritischen Tradition stand auch Menno Simons. Er
hatte sich zwar heftig gegen die Militanz des Täuferreichs von Münster
ausgesprochen und gehörte mit Obbe und Dirk Philips zu den friedfertigen Täufern in den Niederlanden, doch grundsätzlich war auch er in
seinem Obrigkeitsverständnis von Hoffman geprägt. Die Friedfertigkeit,
die er landauf und landab predigte, ging nicht mit dem Dualismus von
Gemeinde und Welt einher, der den scharfen Kontrasten in den Schleitheimer Artikeln vergleichbar gewesen wäre, sondern fügte sich zu der
Vorstellung von einer „frommen" Obrigkeit. In seinem Fundamentbuch

konnte er die Obrigkeit auffordern, gegen die Gefahren anzugehen, die
der Christenheit von Priestern und Pfaffen drohten. Das war fraglos
melchioritisches Erbe. Erst später schwanden die Erwartungen, die er
an eine „fromme" Obrigkeit geknüpft hatte, und sein Dualismus zog,
wenn auch nicht prinzipiell, so doch praktisch, auch die weltliche Obrigkeit in die Verworfenheit „Babylons" hinein, wie schon vorher sein Pazifismus im Grunde von diesem Dualismus bestimmt worden war: Auf der
einen Seite standen die blutrünstigen Pfaffen und auf der andern die
friedfertigen Jünger Jesu. Der Pazifismus Mennos hatte einen antiklerikalen Ursprung. Die Militanz der Münsteraner Täufer und der Pazifismus
der Mennoniten zeigen, daß die revolutionär bestimmte Friedfertigkeit
Hoffmans sich nicht durchhalten ließ. Sie war offensichtlich in sich zu
widersprüchlich und brach auseinander. In Münster ging sie im Furioso
von apokalyptischer Rachsucht, Belagerung und Sturm auf die Stadt
unter, und im Mennonitentum ließ sie sich so domestizieren, daß die Kinder Mennos bald bereit waren, sich in den Schutz von Landesherren und
Magistraten zu begeben und in aller Stille ihres Glaubens zu leben.

Das Obrigkeitsverständnis der Täufer hat so unterschiedliche Gestalt
angenommen, daß es nicht auf die Formel „Trennung von Kirche und
Obrigkeit" gebracht werden kann. Wirklich herausgefordert haben das
Corpus Christianum, vor dessen Hintergrund diese Formel ihren Sinn erhält, nur die Schweizer Brüder, die Huterer, in abgeschwächter Form
Pilgram Marpeck und Menno Simons. Doch diese Täufer hatten gegenüber dem politischen Bereich nicht eine Haltung eingenommen, die der
modernen Forderung nach Entkonstantinisierung der Kirche entspro-
chen hätte, wie es in der Diskussion um den Pazifismus in den letzten
Jahrzehnten oft behauptet wurde.[69] Ein konstruktiv-kritisches Obrigkeitsverständnis, dem Impulse für die neuzeitliche Entwicklung von
Kirche und Staat zu entnehmen wären, hatte allenfalls Pilgram Marpeck
begründet; aber sein Täufertum ist, nicht ganz zufällig vielleicht, zu
schwach gewesen, um sich historisch überhaupt halten zu können.

Einheit des Leibes Christi und Neues Reich

Die Täufer mußten sich bald mit dem Vorwurf auseinandersetzen, sie
hätten die Einheit der Kirche zerstört. Dieser Vorwurf geht auf Zwingli
und Bullinger zurück und ist oft wiederholt worden.[70] Die Täufer ließen
ihn aber nicht auf sich sitzen. Im Zofinger Gespräch von 1532 etwa, das
sie mit reformierten Prädikanten führten, kehrten sie ihn um und behaup-
teten, nicht sie, sondern die Reformierten würden den Leib Christi „zerteilen". Bezeichnenderweise tauchte diese Replik in einem Zusammenhang auf, in dem über die Rechtmäßigkeit einer christlichen Obrigkeit

gesprochen wurde. Die Täufer vertraten die Auffassung, daß ein „Herr“, der zum Glauben gekommen sei, sein obrigkeitliches Amt aufgeben müsse. „Dann sobald einer gloubt, so ist er in die gemeynd Gottes zelt. Dieselbig kilchen lassend wir nit zerteilen, als wenig als ein lyb deß menschen.“ Obrigkeit und Gemeinde konnten keine Einheit bilden. Die Prädikanten meinten stattdessen, daß der obrigkeitliche Amtsträger ein Glied unter anderen Gliedern am Leib Christi sei und die Einheit dieses Leibes gerade in dem helfenden Miteinander verschiedener Ämter bestehe. Doch genau das bestritten die Täufer. Die Trennung geschehe „in ußteylung der e̊mptern“.[71] Die Reformierten begründeten ihr Einheitsverständnis mit dem berühmten paulinischen Bild vom Leib und den Gliedern aus 1. Kor. 12. Die Täufer lockten die Prädikanten zu Röm. 12,8 hinüber „Regiert yemant, so sye sorgfåltig“ und fragten, „ob ir es wollend ziehen uff das wåeltlich regiment deß schwåerts oder uff das geystlich der gmeynd gottes vorzeston.“[72] Beide Seiten wollten die Einheit der Kirche wahren, beide gaben dieser Einheit jedoch unterschiedliche Inhalte, je nachdem welchem kirchlichen Selbstverständnis sie sich verpflichtet fühlten. Die Reformierten, denen es längst gelungen war, eine volkskirchliche Reformation durchzusetzen, füllten den Begriff der Einheit mit dem Corpus Christianum, während die Täufer, die in abgesonderten Gemeinden lebten, ihn mit ihrer Vorstellung vom Leib Christi füllten, wie er sich ihnen in der Abendmahlsgemeinschaft darstellte.

Es dürfte nicht sinnvoll sein, der einen oder der anderen Seite das ehrliche Bemühen abzusprechen, die Einheit der Kirche wahren zu wollen. Doch dieser Wille konnte nicht zu einer Einigung der zerstrittenen Kirchen führen, solange diese Kirchen ihn an ein exklusives Kirchenverständnis knüpften und die eine Kirche nicht bereit war, die andere als Kirche anzuerkennen. Besonders deutlich wird die Bindung der Einheitsvorstellung an den jeweils eigenen Kirchenbegriff im Berner Gespräch von 1538. Hier tauchte die Einheitsfrage bzw. der Vorwurf der Trennung von der wahren Kirche in dem Zusammenhang auf, in dem über die rechtmäßige Berufung zum Predigtamt verhandelt wurde. Gesandt zu predigen ist nur derjenige, der von der wahren Kirche berufen sei. Diese Meinung war beiden Seiten gemeinsam. Auseinander ging das Urteil über die wahre Kirche. Die Prädikanten haben die Täufer durch eine raffinierte Argumentation einzufangen versucht. Sie erinnerten daran, daß die reformierte Kirche den entscheidenden Stoß gegen die Messe der römisch-katholischen Kirche geführt habe und daß die Täufer, die ja zunächst zu ihr gehörten, auch der Meinung gewesen seien, ein solcher Stoß könne nur „durch den heiligen geist harfürkommen“ sein. So sollte den Täufern das Eingeständnis abgerungen werden, „daß der heilig geist by unns gsin unnd wir die rechte ware khilchen habennt“, sie selber aber, da sie sich von dieser Kirche getrennt haben, gar keine Kirche seien, sondern nur eine „sect und rot".[73] Doch die Täufer ließen sich auf diese Argumentation nicht ein. Sie erwiderten: Wäre die Kirche tatsächlich unter den Reformierten gewesen, hätten sie keine Ursache gehabt, von ihnen „ußzegan". Soviel die Reformierten von der Gemeinde Christi auch geredet haben mögen, das entscheidende sei, daß sie nicht „nach artt und der regell Christi gelept oder die gebrucht habennt."[74] Die Frage nach der wahren Kirche wird nicht in der Lehre sondern im Leben entschieden. Nur wo die Regel Christi angewandt werde, sei wahre Kirche, eine Kirche übrigens, die schon mit der Urgemeinde auf den Plan getreten, dann aber untergegangen sei. Der Wille zur Einheit der Kirche ist das Bemühen, die Kirche der Apostel wiederherzustellen. Die Täufer hatten zwar mit der kirchlichen Tradition gebrochen, ihnen darf jedoch kein Bruch mit der geschichtlichen Kontinuität der Kirche vorgeworfen werden. Sie hatten nämlich am Ursprung der Kirche angeknüpft, um die Diskontinuität der Kirchengeschichte mit diesem Ursprung herauszustellen und einen neuen Anfang zu suchen. Die Einheit der Kirche, wenn man zu ihrem Merkmal den geschichtlichen Ausdruck der Apostolizität zählt, konnte unter den Bedingungen des Corpus Christianum nur auf dem Wege der Trennung von der bestehenden Christenheit gewahrt werden. So gewannen sie den Lebenszusammenhang mit der Urkirche zurück. Mehr als eine Reformation wollten sie eine Restitution der Kirche.[75] Unter dem Gesichtspunkt der Apostolizität war die Separation der Täufer ein ökumenischer Akt. Die Einheit der Kirche verwirklicht sich aber nicht nur in Apostolizität, sondern auch in der geschichtlichen Gestalt der Katholizität; und diese schloß eine zeitliche und eine räumliche Dimension ein: In der zeitlichen Dimension der Katholizität wird zum Ausdruck gebracht, daß die wahre Kirche sich auch über die Zeiten hinweg unter der Mißgestalt der bestehenden Kirche erhält; und in der räumlichen Dimension, daß die Menschen mit den religiösen *und* den leiblichen Bedürfnissen unter der Herrschaft Gottes stehen. Die Reformationszeit war von einem tiefen Verständnis für die Einheit der Kirche durchdrungen, obwohl oder vielleicht gerade weil es damals keiner Kirche gelang, die Trennungen in der Christenheit zu verhindern oder zu überbrücken. Keine Kirche war, theologisch gesprochen, in der Lage, die Einheit in Apostolizität und Katholizität zugleich zu verwirklichen. Gelang das eine, mißlang das andere und umgekehrt. Die Bemühungen um Ökumenizität endeten in Separatismus, nicht nur bei den Täufern, sondern auch bei den großen Kirchen. Die Einheit des Leibes Christi konnte im 16. Jahrhundert keine Gestalt annehmen. Sie war, kritisch betrachtet, nur Hoffnung auf das Neue Reich, das auf die eine oder andere Weise alle erwarteten, die sich an der Erneuerung der Christenheit abmühten.

Fünftes Kapitel

Ketzer, Aufrührer und Märtyrer

Die Verfolgung der Täufer

Der zweite Reichstag zu Speyer 1529 ist ein Meilenstein auf dem Wege zu neuzeitlicher Gewissensfreiheit. Er ist auch eine Wegmarke in der Geschichte der Intoleranz gegenüber Andersgläubigen und Nonkonformisten, sofern diese ohne politischen Einfluß und gesellschaftlichen Nutzen waren. Auf der einen Seite steht die mutige Protestation der neunzehn evangelischen Reichsstände, und auf der anderen Seite steht das Mandat gegen die Täufer, das die Todesstrafe reichsrechtlich verfügt. Wohl haben die evangelischen Reichsstände sich der Erneuerung des Wormser Edikts von 1521, das die Reformation verhindern sollte, widersetzt; sie haben jedoch nicht gegen die verschärften Verfolgungsmaßnahmen, denen die Täufer ausgesetzt werden sollten, protestiert. Das Wiedertäufermandat wurde vielmehr einmütig zum Reichsgesetz erhoben und dem Reichsabschied einverleibt. Der Speyerer Reichstag ist die Geburtsstunde des Protestantismus genannt worden. Es darf jedoch nicht vergessen werden, daß mit ihm auch die Sterbestunde des Täufertums eingeläutet wurde. Einige Gruppen konnten die schweren Verfolgungen zwar überstehen, der vitale Schwung des Aufbruchs wurde aber gebrochen und verflüchtigte sich in Kümmerformen täuferischer Gemeindebildungen.

Das Wiedertäufermandat von Speyer

Der Inhalt des Wiedertäufermandats, genauer der „Konstitution", die dem Reichsabschied beigefügt wurde, ist schnell zusammengefaßt:

1. Wer wiedertauft oder sich der Wiedertaufe unterzogen hat, ob Mann oder Frau, ist mit dem Tode zu bestrafen, ohne daß vorher noch ein geistliches Inquisitionsgericht tätig zu werden braucht.

2. Wer sein Bekenntnis zu den Wiedertäufern widerruft und bereit ist, für seinen Irrtum zu sühnen, soll begnadigt werden. Er darf jedoch nicht Gelegenheit erhalten, sich durch Ausweisung in ein anderes Territorium einer ständigen Aufsicht zu entziehen und eventuell rückfällig zu werden.

Die hartnäckig auf der Lehre der Täufer Beharrenden werden mit dem Tode bestraft.

3. Wer die Wiedertäufer anführt oder für deren Verbreitung sorgt (Fürprediger, Hauptsacher, Landlauffer und die aufrührerischen Aufwiegler), soll „keines wegs“, also auch bei Widerruf nicht, begnadigt werden.

4. Wer nach einem ersten Widerruf rückfällig geworden ist und abermals widerruft, soll nicht mehr begnadigt werden. Ihn trifft die volle Strafe.

5. Wer die Taufe für seine neugeborenen Kinder.verweigert, fällt ebenfalls unter die Strafe, die auf Wiedertaufe steht.

6. Wer von den Täufern in ein anderes Territorium entwichen ist, soll dort verfolgt und der Bestrafung zugeführt werden.

7. Wer von den Amtspersonen nicht bereit ist, nach diesen Anordnungen streng zu verfahren, muß mit kaiserlicher Ungnade und schwerer Strafe rechnen.[1]

Diese Bestimmungen stehen in einer Reihe städtischer und territorialer Mandate gegen die Täufer seit 1526. Sie sollen die Rechtspraxis auf Reichsebene vereinheitlichen und vereinfachen. Wie noch zu zeigen sein wird, bedeuten diese Bestimmungen auch eine Verschärfung gegenüber manchen territorialen Verordnungen, und das heißt insgesamt: Die Verfolgung der Täufer wird intensiviert.

Begründet werden Straftat und Strafmaß mit dem Hinweis auf den Codex Justinianus, in dem die Ketzerei der Manichäer und Donatisten, auch die dort geübte Praxis der Wiedertaufe, unter Todesstrafe gestellt worden war.[2] Es brauchte also kein neues Reichsrecht geschaffen, sondern nur ein altes bestätigt und reaktiviert zu werden. Das Delikt ist eine kultische Handlung, und Delikt ist zugleich die Wirkung, die davon ausgeht: Unfriede und Uneinigkeit im Reich, obwohl dieser Aspekt, bis auf die Erwähnung der „aufrührerischen Aufwiegler“, in diesem Mandat sonst mehr indirekt als direkt zum Ausdruck gebracht wird. Der Kaiser erläßt das Mandat, um „fried und einigkeit im h. reich zu erhalten“.[3] Die Täufer wurden also wegen eines geistlich-weltlichen Delikts verfolgt. Claus-Peter Clasen unterscheidet in seiner Sozialgeschichte des Täufertums drei Begründungen, die in den Verfahren gegen die Täufer angeführt wurden: 1. Verstoß gegen bürgerliche Gesetze, 2. Aufruhr und 3. Ketzerei *und* Aufruhr.[4] In Speyer wird die dritte, zweifellos bald die häufigste, Begründung gewählt. Freilich steht die Ketzerei im Vordergrund, doch nicht um das Vorgehen gegen die Täufer der geistlichen Gerichtsbarkeit zu überlassen, sie wird in diesem Fall ja gerade für überflüssig erklärt, sondern um die Wiedertaufe als deutliches Erkennungszeichen für Verfolgung und Rechtsprechung nutzbar zu machen. Die Erkenntnis, daß Ketzer auch Aufrührer seien, wird damit nicht zurückgenommen. Der

Akzent, der hier auf die Wiedertaufe gelegt wird, hat einen pragmatischen Grund. Mit der Wiedertaufe ist ein Strafbestand so eindeutig gegeben, daß ohne Umschweife und Verzögerung zur Bestrafung geschritten werden kann. Eindeutigkeit und schnelles Aburteilen sollen langwierige und laxe Gerichtsverfahren gegen die Täufer gar nicht erst weiter einreißen lassen. Was noch alles hinzukommen, zur Entlastung oder Milderung der Strafe beigebracht werden mag, Wiedertaufe ist ein eindeutiger und ausreichender Strafbestand. Sie ist Ketzerei und wird mit dem Tode bestraft. Wer diese Anordnung nicht befolgt, wird mit Reichsacht bedroht. Diese Drohung soll die unbedingte Notwendigkeit der Täuferverfolgung unterstreichen. Sie bringt freilich auch die Ohnmacht zum Ausdruck, in der die Reichsexekutive sich befand. Denn die „tatsächliche Ausführung (ist) weitgehend ins Belieben der einzelnen Stände gestellt".[5] Das erklärt, worauf später noch zu achten ist, die unterschiedliche Behandlung der Täufer in den einzelnen Städten und Territorien. So gnadenlos, wie es das Reichsmandat verfügt, ist nämlich nicht überall gegen die Täufer vorgegangen worden.

Zur Vorgeschichte und Beratung des Mandats

Das Begehren, gegen die Täufer strafrechtlich vorzugehen, ist nicht plötzlich auf der Tagesordnung des Reichstags erschienen. Es hat eine Vorgeschichte. Das erste Mandat gegen die Täufer wurde am 7. März 1526 in Zürich erlassen und am 19. November desselben Jahres durch ein weiteres bestätigt, ergänzt und verschärft: nicht allein die Wiedertaufe wurde unter die Todesstrafe gestellt, sondern bereits auch die Predigt der Täufer.[6] Diese beiden Mandate bildeten die rechtliche Grundlage für das Todesurteil, das durch Ertränken in der Limmat an dem Täuferführer Felix Mantz zu Beginn des Jahres 1527 vollstreckt wurde.[7] Der Zürcher Rat hatte zunächst versucht, die Täufer durch Disputationen, gutes Zureden und milde Strafen von ihren Anschauungen abzubringen. Als das jedoch nicht zum erwünschten Erfolg geführt hatte und die Täufer sich immer mehr ausbreiteten, entschloß sich der Rat zu rigorosem Vorgehen. Zwingli kommentierte das erste Wiedertäufermandat in einem Brief an Vadian, den Bürgermeister in St. Gallen, so: „wer sich von jetzt an noch taufen lasse, der werde ganz untergetaucht; das Urteil ist schon gefällt. So hat sich endlich die lang genug auf die Probe gestellte Geduld erschöpft."[8] Der Rat hatte sich von diesem Mandat vor allem eine abschreckende Wirkung erhofft. Als Begründung des Todesurteils gegen Mantz hat er es jedoch nur indirekt verwandt. In der Urteilsbegründung spielt nämlich weniger die Wiedertaufe als solche eine Rolle als vielmehr der Bruch des Eides, den Mantz einst geleistet hatte, hinfort nicht mehr zu taufen, — wie ja auch besonders auf die obrigkeitsfeindlichen und aufrührerischen Konsequenzen seines Handelns, die Zerrüttung des gemeinen christlichen Friedens, hingewiesen wird.[9] Offensichtlich konnte die junge Reformation Zürichs in ihrer altgläubig-feindlichen Umgebung es sich nicht leisten, mit dem Ketzervorwurf und dem Ketzerrecht gegen die Täufer vorzugehen. Sie hätte möglicherweise den Stab über sich selbst gebrochen. Der Rat zog es vor, das rigorose Urteil mit dem Verstoß gegen bürgerliche Gesetze begründen zu lassen. So ist beispielsweise noch später, wie Horst Schraepler in seiner Untersuchung über die „Rechtliche Behandlung der Täufer" erwähnt, auch im Kanton Bern und in anderen Territorien verfahren worden.[10]

Der Zürcher Rat hat bald erkennen müssen, daß gegen die Täufer nur wirksam vorgegangen werden könne, wenn die Verfolgung überregional organisiert würde. So entstand im Spätsommer 1527 ein „Abschied der Städte Zürich, Bern und St. Gallen wegen der Täufer".[11] Die Irrtümer der Täufer werden so beschrieben, daß sich der Eindruck von ihrem „aufrührerischen Wesen" alsbald aufdrängen und eine gemeinsame Beratung dringend nahelegen muß, „wie wir diß unchristlich, boßhafftig, ergerlich und auffrürisch unkraut außreüten und temmen möchten".[12] Es ist, als ob der berüchtigte Thomas Müntzer, unter umgekehrtem Vorzeichen freilich, von den Toten auferstanden sei. Wieder wird versucht, die Täufer zunächst nur zum Widerruf zu nötigen oder sie zum Schwören der Urfehde zu bewegen, bevor zu kräftigeren Mitteln zu greifen ist. Und Milde soll übrigens gegenüber denen walten, die als unschuldige Menschen von den Täufern zur Wiedertaufe verführt worden sind. Wem allerdings der Bruch der Urfehde nachgewiesen werden könne, der solle „on alle gnad ertrenckt werden"[13], wie Hartnäckige und Anführer auch. Eines fällt gegenüber dem Zürcher Mandat auf und ist möglicherweise eine Konsequenz, die aus dem Urteil gegen Felix Mantz gezogen wurde, daß die Todesstrafe hier nämlich nicht auf die Wiedertaufe fixiert, sondern auf das allgemeine „aufrührerische Wesen" des Täufertums bezogen wird. Täufermandate, die die Todesstrafe androhen, gab es noch in anderen schweizerischen Städten und Kantonen. Sobald alle Täuferaktenbände für die Schweiz publiziert sind, müßten diese Mandate einmal systematisch untersucht werden. Claus-Peter Clasen hat versucht, die Anzahl der exekutierten Täufer in der Schweiz zu ermitteln. Er kommt nach seinen Berechnungen auf 30 mit Sicherheit und 43 mit Wahrscheinlichkeit feststellbare Hinrichtungen in der Zeit von 1525 bis 1618, wobei die meisten Hinrichtungen in die Jahre von 1527 bis 1533 fallen.[14] Da Clasen die Verflechtung der Täufer mit den Bauernerhebungen nicht so eng sieht, wie es neuere Forschungen nahelegen, dürfte die Zahl der Hinrichtungen, vermehrt um unerkannte Täufer und Täufersympathisanten, vielleicht noch ein wenig höher sein, doch insgesamt sind weit weniger Täufer in der Schweiz hingerichtet worden, als bisher im allgemeinen angenommen wurde.

Die eidgenössische Schweiz, die übrigens auch zum Reichstag nach Speyer geladen war, ist *ein* Ursprungsland des Täufertums, ein anderes ist Mittel- und Oberdeutschland, das der Müntzerschüler Hans Hut mit missionarischem Eifer durchzog, um für ein mystisch-apokalyptisches Täufertum zu werben. Sehr schnell drang er mit seinen Anschauungen in die habsburgisch-österreichischen Lande ein und fand soviel Resonanz, daß Erzherzog Ferdinand I., König von Böhmen und Ungarn, bald auf die Täufer aufmerksam wurde. Die täuferische Bewegung sickerte sehr viel spektakulärer als die übrigen reformatorischen Bewegungen in Österreich ein und zog den Affekt gegen die Reformation allgemein auf sich. Vorgegangen wurde gegen alle Reformbewegungen auf der Rechtsgrundlage des Wormser Edikts, so beispielsweise auch gegen den Schweizer Täuferführer Michael Sattler in dem aufsehenerregenden Prozeß in Rottenburg am Neckar im Mai 1527. Das Urteil lautete: „Zwischen dem Anwalt Seiner kaiserlichen Majestät und Michael Sattler ist zu Recht erkannt, daß man ihn dem Henker an die Hand geben soll. Der soll ihn auf den Platz führen und ihm allda zuerst die Zunge abschneiden, ihn dann auf den Wagen schmieden, zwiemal mit einer glühenden Zange Stücke aus dem Leib reißen und ihm auf dem Weg zur Malstatt noch weitere fünf solcher Griffe geben. Darnach soll er seinen Leib als den eines Erzketzers verbrennen."[15] Mit Recht hat Horst Schraepler hier von einem „Ketzerprozeß vor weltlichem Gericht" gesprochen.[16] Ab 1527 scheint das Täufertum in Österreich so anzuwachsen, daß Ferdinand I. mit dem Vorgehen seiner Behörden und Gerichte gegen die Täufer selber befaßt wird und dieser Bewegung mit mehreren Mandaten Einhalt zu gebieten versucht. Im August 1527 bestätigt er noch einmal das Wormser Edikt und wendet sich nicht nur gegen die reformatorischen Bewegungen allgemein, sondern vor allem auch gegen die „new erschrockenlich unerhört leren" der Täufer und Sakramentierer.[17] Unter Hinweis auf das alte kaiserliche Recht droht er dieser Ketzerei die Todesstrafe an. Es finden sich hier allerdings noch keine Regelungen, wie bei Widerruf im Falle von verführten Personen etc. zu verfahren sei. Wie ernst ihm die Verfolgung der reformatorischen Bewegungen ist, zeigt jedoch die detaillierte Beschreibung der Delikte und die präzise Festsetzung des jeweiligen Strafmaßes, auch die eindringliche Drohung gegen jeden, der dieses Mandat nicht strikt befolgt.

Das erste Mandat, das sich speziell gegen die Täufer wendet, wurde im Oktober desselben Jahres von seinem oberösterreichischen Landeshaupt-

mann erlassen, genaugenommen ist das kein Strafmandat, sondern eine
Aufforderung an die Untertanen, die Täufer anzuzeigen und den Behörden zur Bestrafung zuzuführen. Bemerkenswert ist hieran, was in dem
Mandat zuvor nur leise angeklungen ist, daß von diesen Ketzern nicht
nur die christliche Einheit in Mitleidenschaft gezogen werde, sondern daß
von ihnen auch „widerwillen, auffruer,. abfallung der obrigkeit und
besunderung des gemain mans" ausgehen könne.[18] Das ist offensichtlich
eine Erinnerung an die Bauernunruhen der Vorjahre. Deutlicher noch
kommt in dem Mandat Ferdinands I. vom Dezember 1527 zum Ausdruck, wie stark die Furcht vor einem „khünfftigen aufstandt von der gemain wider all ober- und erbarkaitten" ist.[19] So tritt allmählich neben
den Ketzervorwurf auch der Vorwurf des Aufruhrs.[20] Ketzerei und Aufruhr werden aber noch nicht miteinander identifiziert. Es wird nur gesagt, daß Aufruhr aus der Ketzerei folgen könne. Deutlich erkennbar
wird aber die Tendenz zur Verschärfung der antitäuferischen Maßnahmen; das geht soweit, daß Ferdinand ein Urteil gegen Täufer in Steyr,
das ihm zu milde ausgefallen ist, kassiert und in ein Todesurteil um-
wandelt.[21]

Am 4. Januar 1528 wird schließlich ein kaiserliches Mandat in Speyer,
dem Sitz des Reichsregiments, erlassen, in das zweifellos die Erfahrungen
und Regelungen Österreichs eingegangen sind. Es wird gesagt, daß nach
geistlichem und weltlichem Recht die Todesstrafe auf Wiedertaufe steht
und daß die Wiedertäufer („wie dan auß bösem irrigen grundt nichts guts
volgen mag") den Umsturz und die Abschaffung der Obrigkeiten im
Schilde führten.[22] Der Kaiser erinnert die Obrigkeiten an ihre Pflicht,
gegen diese Bewegung streng vorzugehen. Die Schlußpassage dieses Mandats ist jedoch so abgefaßt, daß es das vorher gesetzte Strafmaß nicht
noch einmal ausdrücklich zur verpflichtenden Norm erklärt. Dies Mandat ist das erste auf Reichsebene und der unmittelbare Vorläufer des
Wiedertäufermandats, das ein Jahr später auf dem Reichstag zum Reichsgesetz erhoben wird.

Das rechtliche Vorgehen gegen die Täufer ist vor dem Reichstag jedoch nicht überall so rigoros gewesen wie in der Schweiz und in Österreich. In Kursachsen und Straßburg beispielsweise wurden die Täufer
nur mit Ausweisung bestraft, in Straßburg wurden sie auch nicht wegen
ihres Glaubens, sondern allein wegen Zerrüttung des bürgerlichen Gemeinwesens verfolgt. Sehr milde ging man gegen sie auch in Hessen
vor.[23] Und in der Kurpfalz weigerte sich das Landgericht Alzey auf der
Grundlage eines Gutachtens, das der pfälzische Kanzler Florenz von Ven-
ningen angefertigt hatte, die dort einsitzenden Täufer ohne ein vorhergehendes Urteil eines geistlichen Inquisitionsgerichts abzuurteilen, da
diese Täufer sich lediglich eines geistlichen, nicht aber eines bürgerlich-

10. Hinrichtungen in Salzburg (1528), Jan Luyken

rechtlichen oder kirchlichen Delikts schuldig gemacht hätten. Nach dem Urteil des Inquisitionsgerichts sei allerdings mit der Todesstrafe gegen die Täufer vorzugehen. Kurfürst Ludwig V. setzte aber, wohl aus Angst vor Habsburg, wie Schraepler vermutet, das Todesurteil in Anlehnung an das kaiserliche Mandat vom Januar 1528 direkt durch.[24] Die Beratungen auf dem Reichstag mußten also Klärung und Vereinheitlichung im rechtlichen Vorgehen gegen die Täufer bringen. Er verfügte, wie bereits angedeutet wurde: Die Todesstrafe wird obligatorisch, die Ketzerei reicht als Rechtsbegründung aus, ein vorhergehendes Inquisitionsverfahren erübrigt sich, eine Ausweisung ist nicht gestattet.

Die Beratungen, die auf dem Reichstag zu dem Wiedertäufermandat geführt haben, scheinen unproblematisch verlaufen zu sein. Das jedenfalls ist der Eindruck, den die Reichstagsakten vermitteln.[25] In der kaiserlichen Proposition, die ja ganz die Handschrift König Ferdinands trägt[26], ist noch keine Maßnahme gegen die Täufer vorgesehen. Erst in den Bedenken der Stände auf die kaiserliche Proposition, die in einem Großen Ausschuß formuliert wurden, taucht die Forderung nach einem Mandat gegen die Täufer auf.[27] Dagegen erhebt sich weder bei den Für-

sten noch bei den Städten irgendein Widerspruch, auch in den beiden
Protestationen der evangelischen Stände nicht. Die Altgläubigen sehen in
einem solchen Mandat eine wirksame Waffe gegen das grenzüberschrei-
tende Auftauchen der Täufer. So kommt diese Forderung vor allem
König Ferdinand gelegen, denn das Vorgehen gegen die „aufrühreri-
sche(n), besonders täuferische(n), Sekte", so läßt er sich schon vorher
vernehmen, gehört zu jenen Angelegenheiten, die „außerhalb des Reichstags nit wol fueglichen zu vergleichen oder hinzulegen sein".[28] Den
evangelischen Ständen kommt diese Forderung ebenfalls gelegen, ja, sie
bietet sich ihnen als ein politisches Argument gegen die Absicht Ferdinands geradezu an, den Abschied des Ersten Speyerer Reichstags zu kas-
sieren und das Wormser Edikt wieder zum Zuge zu bringen. Mit ihrer Zustimmung zu einem strengen Wiedertäufermandat konnten sie *erstens* den
Ketzervorwurf von sich auf die Täufer ablenken und zeigen, wie wider-
sinnig es sei, die Erneuerung des Wormser Edikts zu betreiben, um Ruhe
und Frieden im Reich zu gewährleisten. Dieses Ziel ist nicht mit dem
Wormser Edikt, sondern mit einem Wiedertäufermandat zu erreichen.
Und mit ihrer Zustimmung konnten sie *zweitens* unterstreichen, wie abwegig es sei, den Konsens des Ersten Speyerer Reichstags von 1526 aufs
Spiel zu setzen, der gefunden worden war, um Aufruhr und Empörung
des gemeinen Mannes zu beseitigen[29], eine Gefahr übrigens, die, so meinten vor allem viele Territorialherren, noch nicht gebannt war. Nicht die
Anhänger des neuen Glaubens, sondern die „aufrührerischen" Täufer
seien die wahren Feinde des Reichs und der Christenheit, gegen die mit
aller Entschiedenheit vorgegangen werden müsse. Und *drittens* ließen
sich auch die evangelischen Stände gern von einem Reichstag indirekt be-
stätigen, daß die geistlich-kirchliche Jurisdiktion eine Angelegenheit der
weltlichen Gewalt ist. Wenn es die Aufgabe der Obrigkeit sei, auf Ketzerei zu befinden („one vorgeend der geistlichen richter inquisicion"[30]),
dann, so müßte man schließen, konnte diese Obrigkeit doch selber nur
orthodox sein. Diese politischen Argumente werden in dieser Form nicht
ausgesprochen, doch sie stehen hinter der protestantischen Entscheidung.
Die Zustimmung zum Wiedertäufermandat ließe sich nämlich als die poli-
tisch-rechtliche Rechtfertigung der eigenen Protestation gegen die Erneuerung des Wormser Edikts begreifen. Nur so erklärt sich, daß die
evangelischen Reichsstände, die ja teilweise eine mildere Behandlung der
Täufer in ihren eigenen Territorien gewählt hatten, einer rigorosen Strafverfolgung zustimmten. Auch Philipp von Hessen stimmte zu, obwohl er
wahrscheinlich schon damals nicht daran dachte, in Zukunft schärfere
Maßnahmen gegen die Täufer zu ergreifen. Offensichtlich wollten die
evangelischen Reichsstände ihren eigenen Rechtfertigungsgrund nicht gefährden.

Wirkungen des Wiedertäufermandats im Reich

Auf das Reichsgesetz gegen die Täufer wurde in den einzelnen Territorien und Städten unterschiedlich reagiert, obwohl es von allen Ständen einmütig beschlossen worden war. Ferdinand I. mußte sich von seiner Innsbrucker Regierung sagen lassen, daß es nicht günstig sei, das Mandat in den eigenen Erblanden zu veröffentlichen, da es milder ausgefallen sei als die bisherige Rechtspraxis. Man befürchtete, die Täufer könnten sich mit einem bereitwillig gegebenen Widerruf allzu leicht aus der Affäre ziehen. Ferdinand interpretierte die Widerrufklausel zwar als Kann- und nicht als Mußbestimmung und legte den Behörden nahe, nur in den seltensten Fällen an eine Begnadigung zu denken; er überließ es aber der Innsbrucker Regierung, das Mandat auch ohne die Widerrufklausel zu veröffentlichen.[31] Auf keinen Fall wollte er den Eindruck entstehen lassen, die Täufer könnten bei ihm auf Nachsicht rechnen.

Philipp von Hessen ließ sich dagegen nicht von dem Reichsgesetz beirren, in seiner relativ toleranten Haltung gegenüber Andersgläubigen fortzufahren. In seinem Territorium wurde zwar strafrechtlich gegen die Täufer vorgegangen, es ist aber nicht bekannt, daß dort jemals ein Täufer zum Tode verurteilt worden wäre.[32] Ähnlich verfuhr auch Straßburg, um ein anderes Beispiel zu nennen. Hier wurde zwar im August 1529 ein Ratsbeschluß gefaßt, der in bestimmten Fällen von Gotteslästerung die Todesstrafe androhte (nicht expressis verbis gegen die Täufer gerichtet), zur Anwendung dieser Strafe gegen Täufer ist es aber nicht gekommen.[33] Im September 1530 wurde das Wiedertäufermandat vom Juli 1527 erneuert, in dem die Todesstrafe nicht vorgesehen war, bezeichnenderweise jedoch nicht im Sinne des Speyerer Mandats verschärft.[34] Nach der Katastrophe von Münster 1535 versuchten die Prädikanten, den Rat zu strikter Anwendung des Speyerer Wiedertäufermandats zu bewegen; doch der Rat überging dieses Ansinnen mit Stillschweigen und hielt an seiner gemäßigten Strafjustiz fest.[35] Selbst der gefährliche Täuferführer Melchior Hoffman, der das Wiedertäuferreich von Münster ideologisch vorbereiten half, wurde nur in lebenslanger Haft gehalten, ohne daß ihm je ein Prozeß gemacht worden wäre.

An das Reichsgesetz angeglichen wurde die Praxis allerdings in Kursachsen, dem Ursprungsland der Reformation. Der Kurfürst wollte dem Reichsgesetz, dem er selber zugestimmt hatte, Genüge tun und konnte sich auf ein von ihm angefordertes Gutachten berufen, das Melanchthon angefertigt und dem Luther zugestimmt hatte.[36] Im Gegenzug zur abgemilderten Rezeption des Speyerer Mandats durch andere evangelische Reichsstände und Reichsstädte meinte Melanchthon, selbst die Täufer, denen keine aufrührerischen Lehren nachgewiesen werden könnten, seien

mit dem Tode zu bestrafen, weil „sie das öffentlich ministerium verbi
verwerfen, und lehren, man soll sonst heilig werden ohne Predigt und Kir-
chenamt."[37] Die Verachtung des „öffentlich ministerium verbi" sei Gotteslästerung und müsse mit dem Tode bestraft werden. Bei Aufrührern
ist die Begründung der Todesstrafe ohnehin kein Problem. Milde sollte nur
bei den Schwachen walten, die zum Täufertum verführt worden und nun
bereit seien, einen Widerruf zu leisten. Es muß auffallen, daß Melanchthon, der ja den Reichstag in Speyer besucht hatte, die Todesstrafe nicht
wie das Mandat mit dem Hinweis auf die Ketzerei der Wiedertaufe, sondern mit dem Vorwurf der Gotteslästerung begründet. In einem evangelischen Territorium ließ sich Gotteslästerung offensichtlich eher als ein
crimen publicum plausibel machen, für das die weltliche Obrigkeit zu-
ständig sei, denn als Ketzerei. Gegen Ketzer, das haben die Reformatoren
früher lauthals unter das Volk gebracht, dürfe nur mit geistlichen und
nicht mit weltlichen Mitteln vorgegangen werden. Melanchthon ver-
schiebt die Begründung der Todesstrafe gegen Täufer nicht von „Aufruhr" auf „Gotteslästerung", wie Horst Schraepler meint, sondern von
„Ketzerei" auf „Gotteslästerung".[38] Er rechtfertigt das Strafmaß des
Speyerer Reichsgesetzes mit einem Argument, das dem landesherrlichen
Kirchenregiment eines evangelischen Territoriums angemessener war als
das katholisch empfundene Argument der Ketzerei. Im Speyerer Wiedertäufermandat war der Vorwurf des Aufruhrs in dem der Ketzerei enthalten; in Melanchthons Gutachten rückten Gotteslästerung und Aufruhr
eng zusammen. Luther hat das Gutachten seines Kollegen kommentiert:
„Wiewohl es crudele anzusehen, daß man sie mit dem Schwert straft, so
ist doch crudelius, daß sie ministerium verbi damniren, und keine gewisse
Lehre treiben, und rechte Lehr unterdrucken, und dazu regna mundi zerstören wollen."[39] Gotteslästerung und Aufruhr fließen hier zusammen.
Diese Zustimmung Luthers zur Todesstrafe überrascht, da er noch in seiner Schrift „Von der Widdertauffe an Zween Pfarrherren" (1528) geschrieben hatte: „Doch ists nicht recht vnd ist mir warlich leid das man
solche elende leute (die Wiedertäufer) so jemmerlich ermordet, verbren-
net vnd grewlich vmbringt. Man solt ja einen jeglichen lassen gleuben, was
er wolt. Gleubt er vnrecht, so hat er gnug straffen an dem ewigen fewer
jnn der Hellen. Warumb wil man sie denn auch noch zeitlich martern?"
Er schränkt sein Urteil allerdings ein: „so ferne sie allein im glauben jrren
vnd nicht auch daneben auffrürisch oder sonst der Oberkeit widderstre-
ben."[40] 1528 ist Luther noch bereit, den Strafbestand differenziert zu
erwägen (Glaubensirrtum oder Aufruhr), 1531 kommt er zu einem pau-
schalen Urteil. Die Wittenberger Reformatoren holen hier theologisch
nach, was politisch auf Reichsebene bereits beschlossen worden war, und
geben dem Kurfürsten, dem sie den Gang der Reformation mit der Auf-

sicht über die Kirchenvisitationen 1528 inzwischen ganz anvertraut hatten, das gute Gewissen, gegen die Täufer mit der Todesstrafe drastisch vorgehen zu dürfen. Vor Jahren noch hatte Luther es Thomas Müntzer nicht durchgehen lassen, die Ausrottung der Gottlosen mit dem mosaischen Gesetz zu rechtfertigen;[41] jetzt stört es ihn nicht, wenn Melanchthon die Hinrichtung der öffentlichen Gotteslästerer mit eben demselben Gesetz begründete, ja, er hat dieser Begründung in seiner Auslegung des 82. Psalms von 1530, wo er übrigens eine standrechtliche Bestrafung der Gotteslästerer empfiehlt, selber vorgearbeitet.[42] Die Wittenberger Theologie büßt nach und nach ihre innere Unabhängigkeit ein und wird zur Rechtfertigungsideologie ihres weltlichen Schutzherrn.[43]

Diese Beispiele genügen, um anzudeuten, wie unterschiedlich das Wiedertäufermandat im Reich angewandt wurde. Während es in den katholischen Territorien strikt exekutiert und in einigen evangelischen Herrschaftsgebieten mit eigener Begründung ebenfalls befolgt wurde, ist in anderen evangelischen Gebieten jedoch zu beobachten, daß es mißachtet wurde oder nur halbwegs und bald gar nicht mehr zur Anwendung kam. Von 1525 bis 1618 sind in katholischen Herrschaftsgebieten 84, in protestantischen hingegen nur 16 Prozent der Hinrichtungen vorgenommen worden.[44] Verfolgt wurden die Täufer zwar in allen Territorien, doch das harte Strafmaß des Reichsgesetzes hat sich nicht überall durchgesetzt. Die dezidierte Haltung Kursachsens kann nicht für die übrigen evangelischen Herrschaftsgebiete verallgemeinert werden. Sie ist eher die Ausnahme als die Regel.[45] Diese evangelischen Territorien und Städte fanden Schutz im Schmalkaldischen Bund, der 1531 das Reichsgesetz wegen dessen undifferenzierter Beurteilung der einzelnen Täufergruppen kritisierte und feststellte, daß nicht der Glaube, sondern nur die obrigkeitliche Herausforderung unter Strafe gestellt werden dürfte[46], im übrigen aber aus eben diesem Grund seine Mitglieder verpflichtete, „Schwärmer" und „Sektierer" auch weiterhin zu unterdrücken. In dieser Akzentverschiebung des Verfolgungsgrundes deutet sich möglicherweise zaghaft an, daß der Protestantismus den Täufern die Glaubens- und Gewissensfreiheit, die er auf dem Reichstag für sich selber beansprucht hatte, nicht mehr guten Gewissens zum Tode ausschlagen lassen konnte. Luther ist später von der Todesstrafe gegen die Täufer, sofern diese nicht ausgesprochen aufrührerisch waren, möglicherweise wieder abgerückt und zu seiner Haltung von 1528 zurückgekehrt.[47]

Das Wiedertäufermandat war erlassen worden, bevor sich das Täufertum in Nordwestdeutschland und in den Niederlanden ausbreitete und zur Katastrophe von Münster 1534/35 führte. Doch die Verfolgung der Täufer in diesen Gebieten ist dann später häufig mit dem Speyerer Wiedertäufermandat begründet worden. Es war die Rechtsgrundlage, wenn

Strafnorm und Strafpraxis auch hier gelegentlich auseinanderfielen. Erneuert und erweitert wurde dieses Mandat noch auf den Reichstagen von 1544 und 1551.[48]

Claus-Peter Clasen hat errechnet, daß außerhalb der Schweiz im Reich mit Bestimmtheit 715 und mit Wahrscheinlichkeit 130 weitere Täufer hingerichtet wurden, mehr als 400 in den Habsburgischen Erblanden und nur 61 in den Reichsstädten. Nicht berücksichtigt wurde allerdings der niederdeutsche Raum, für den bisher noch keine Angaben vorliegen. Gleichzeitig hat Clasen festgestellt, daß die meisten Hinrichtungen auf die Jahre 1528 und 1529, 41 Prozent aller Exekutionen zwischen 1525 und 1618, entfallen.[49] Die kaiserlichen Mandate dieser beiden Jahre haben sicherlich ihr Teil dazu beigetragen; sie haben die Sterbestunde des Täufertums eingeläutet. Danach ist, bis auf die Hinrichtungswelle nach der Katastrophe von Münster, die harte Strafverfolgung gegen die Täufer abgeflaut. Verfolgt freilich wurden sie noch lange. Das Zeitalter der Toleranz hat für das Täufertum nicht 1529 angefangen, sondern später, und dann nicht mit einer religiös, sondern mit einer wirtschaftspolitisch motivierten Toleranz.

Ketzer, Aufrührer oder Märtyrer?

Die Täufer haben auf die ihnen drohende Todesgefahr nicht unvorbereitet reagiert. Bereits in dem bedeutsamen Brief des Zürcher Grebelkreises an Thomas Müntzer aus dem Jahre 1524 heißt es: „Rechte gläubige Christen sind Schafe mitten unter den Wölfen, Schafe zum Schlachten, müssen in Angst und Not, Trübsal, Verfolgung, Leiden und Sterben getauft werden, sich im Feuer bewähren". Ein wenig später heißt es: „Und wenn Du darum leiden mußt, weißt Du wohl, daß es nicht anders sein kann. Christus muß noch mehr leiden in seinen Gliedern. Er aber wird sie stärken und fest erhalten bis zum Ende."[50] Und Leonhard Schiemer hat in seinem Märtyrerlied „Wie köstlich ist der Heilgen Tod" (1526/27) gesungen:

> Wir schleichen in den Wäldern um.
> Man sucht uns mit den Hunden.
> Man führt uns als die Lämmlein stumm
> gefangen und gebunden.
> Man zeigt uns an vor jedermann,
> als wären wir Aufrührer.
> Wir sind geacht
> wie Schaf zur Schlacht,
> als Ketzer und Verführer.[51]

Die Täufer haben das Martyrium vorausgesehen und als ein notwendiges Kennzeichen der wahren Kirche angenommen. Sie waren entschlossen, Jesus nachzufolgen — und konnten dem Kreuz nicht aus dem Wege gehen. Ein wenig idealisiert, doch im Grunde wohl richtig, ist das für das Schweizer Täufertum einmal so beschrieben worden: „Das Kreuz ist nicht eine leider unvermeidliche Verstrickung in die Übel der gefallenen Schöpfung, sondern ein Teilhaben an dem Sieg Jesu Christi über die Gewalten dieses Äons."[52] Auch das oberdeutsche, von Hans Hut und Hans Denck geprägte Täufertum, war durch die aus der mittelalterlichen Mystik übernommene Vorstellung vom Leiden darauf vorbereitet, das äußere Leid, das ihren Anhängern zugefügt wurde, als Schicksal in der Nachfolge Christi zu akzeptieren. Das niederdeutsche Täufertum begrüßt die Verfolgung als endzeitliche Trübsal, die von jedem willig ertragen wird, der das Reich des ewigen Friedens erwartet oder mit herbeiführen darf. Viele wurden schwach und haben widerrufen, viele blieben auch standhaft und sind mit einem Gebet für ihre Richter und Henker auf dem Scheiterhaufen verbrannt. Später wurde ihr Schicksal in Chroniken, Liedern und im sogenannten „Märtyrerspiegel" der Taufgesinnten zum Anlaß genommen, so etwas wie eine „Märtyrertheologie" zu entwickeln.[53] Der Historiker und Theologe steht heute vor der Frage: Waren die Täufer Ketzer, Aufrührer und Gotteslästerer, die zur Recht mit der Todesstrafe verfolgt wurden, oder waren sie Märtyrer, deren Verfolgung bitteres Unrecht war?

Aus der Perspektive des modernen Rechtsempfindens, das sich auf die Menschenrechte gründet, dürfte die Antwort nicht schwerfallen. Die Täufer sind zu Unrecht mit dem Tode bestraft worden. Im Horizont der Reformationszeit wird es allerdings schwieriger, die Frage nach Recht und Unrecht der Täuferverfolgung zu beantworten.

1. Aus der Sicht der altgläubigen Stände war es kein Problem, in den Täufern Ketzer zu sehen. Ketzer waren auch die übrigen Reformatoren. Nur so ist zu erklären, daß diese Stände wieder das Wormser Edikt zum Zuge bringen wollten. Probleme mit dem Ketzerbegriff hatten freilich die Evangelischen. Luther hatte wiederholt und sogar spektakulär in eigener Sache darauf hingewiesen, daß der Ketzerprozeß in die Sphäre des Glaubens und nicht in die Sphäre des Rechts gehöre, also auch nicht mit Mitteln des Rechts verfolgt werden könne.[54] Für Luther waren die Altgläubigen Ketzer, weil sie die Schrift falsch auslegten, für ihn mögen auch die Täufer Ketzer gewesen sein. Ketzerei aber hätte, folgt man seinen Argumenten, nicht auf der Tagesordnung eines Reichstages stehen dürfen. Die evangelischen Stände haben dem auf Ketzerei abhebenden Wiedertäufermandat jedoch zugestimmt, weil sie die Ansprüche der geistlichen Jurisdiktion in ihren Territorien zurückdrängen wollten und in ihrer Zu-

stimmung ein Mittel sahen, sich von dem altgläubigen Ketzervorwurf zu
reinigen. Daß die Ketzerei eigentlich nicht mit weltlichen Strafmitteln
verfolgt werden sollte, ist ein Problem, mit dem die evangelischen Autoritäten nach 1529 rangen. Es bleibt noch die Frage zu klären, ob die
Täufer denn nun überhaupt Ketzer gewesen sind. Die Antwort darauf
hängt ganz von dem Maßstab ab, an dem Orthodoxie und Heterodoxie
gemessen werden. Die Täufer wiesen den Ketzervorwurf von sich. Balthasar Hubmaier liegt da beispielsweise ganz auf der Linie Luthers, wenn
er sagt: ,,Ketzer sind, die fräuenlich der hailigen gschrifft widerfech-
tend" und ,,die so die gschrifft verblendend vnd anderst auslegend dann
der hailig gayst erfordert".[55] Luther hat das Kriterium für die rechte
Schriftauslegung bald an das Bekenntnis gebunden und schließlich aus
der Sphäre des Glaubens in die Sphäre des weltlichen Rechts verlagert.
Wäre es bei seinem obrigkeitlich nicht abgestützten Kriterium geblieben,
müßte man noch viel Kraft aufwenden, um die Täufer, zumal dort gelegentlich recht skurrile Vorstellungen herrschten, von dem Ketzervorwurf
zu befreien. Jetzt hat Luther das, freilich ungewollt, selber besorgt. Sein
Ketzerbegriff, wie er auf dem Hintergrund der Zwei-Reiche-Lehre konzipiert worden war, ließ sich auf die Täufer nicht anwenden.

2. Der andere Vorwurf, der mit Ketzerei eng verknüpft wurde, war der
Vorwurf des Aufruhrs. In der Täuferforschung unseres Jahrhunderts
neigte man ganz allgemein dazu, die Täufer, im Gegensatz zu Thomas
Müntzer, von dem Verdacht auf Aufruhr oder Revolution zu entlasten.
Es wurde an dem Bild einer apolitischen und rein religiösen Bewegung
gearbeitet. In den letzten Jahren ist dieses Bild verändert worden. Gerade
das frühe Schweizer Täufertum erscheint jetzt als eine aus dem reformierten Kongregationalismus hervorgegangene Bewegung, die eng mit dem
bäuerlichen Befreiungskampf der Zürcher Landgemeinden vom Stadt-
regiment in Zürich verbunden war. Hier wurde eine volkskirchliche, noch
keine freikirchliche Täuferreformation angestrebt, und die Wehrlosigkeit war noch nicht als Prinzip auf dem Programm erschienen. Das frühe
Täufertum war eine religiöse *und* sozialrevolutionäre Bewegung.[56] Und
so ist es nicht abwegig, wenn die Behörden einige Täufer unter die Anklage des Aufruhrs stellten.[57] Das freikirchlich orientierte Täufertum,
das sich erst eigentlich mit den Schleitheimer Artikeln von 1527 konsti-
tuierte und dessen prominenter Führer Michael Sattler war, versuchte
sich von dem anfänglichen Reformkurs zu trennen, wurde von den Behörden und ihren Theologen jedoch weiterhin als latent aufrührerisch
eingeschätzt. Es war selber nicht in der Lage, diesen Verdacht zu zerstreuen. Ihm wurde auch gar keine Gelegenheit dazu gegeben, denn jeder
Versuch, gegen die strafrechtliche Verfolgung Einspruch zu erheben,
wurde ihm als ziviler Ungehorsam oder revolutionärer Anschlag ausge-

legt. Und jede Maßnahme, die Täufer zu einer Loyalitätserklärung für die Obrigkeit zu bewegen, mußte scheitern, da diese Obrigkeit es ja war, die deren geistliche Haltung unter Strafe stellte. Die Täufer, die nach dem Speyerer Reichstag in den Gesichtskreis der Wittenberger Reformatoren traten, waren offensichtlich so wenig eindeutig als aufrührerisch und revolutionär zu bezeichnen, daß es notwendig wurde, den Strafbestand der Gotteslästerung dem des Aufruhrs vor- und überzuordnen. Es ist von vielen Zeitgenossen sicherlich richtig empfunden worden, daß die täuferischen Grundanschauungen dazu beitrugen, die Grundlagen der geistlich-weltlichen Gesellschaftsform des Corpus Christianum aufzulösen. Dazu zählten auch die Anschauungen der friedlichen Täufer, die sich weigerten, öffentliche Ämter zu bekleiden, den Eid zu schwören und Wehrdienst zu leisten. Doch offensichtlich war es um 1529 nicht möglich, die ganze Bewegung rechtsverwertbar unter den Verdacht des Aufruhrs im Sinne militanter Aggressivität zu stellen. Das ist für kurze Zeit erst wieder bei den revolutionären Täufern Niederdeutschlands möglich geworden.

11. Täufer wollen das Rathaus in Amsterdam erobern (1535)

3. In dem Vorwurf der Gotteslästerung sahen die Reformatoren eine günstige Gelegenheit, den Ketzerbegriff des Wiedertäufermandats umzudeuten, um die Entwicklung zu einem landesherrlichen Kirchenregiment nicht durch einen reformatorisch verstandenen Ketzerbegriff zu gefährden, sondern mit Nachdruck zu fördern. Denn genaugenommen hätte das evangelische Ketzerverständnis denen in die Hände arbeiten müssen, die nicht bereit waren, auf eine geistliche Jurisdiktion zu verzichten. Gotteslästerer waren für Melanchthon und Luther vor allem diejenigen, die das „ministerium verbi" verachteten. Wenn die Täufer den offiziellen Amtsträgern mißtrauten und ihre Predigten und Gottesdienste mieden, mußte das ja noch nicht heißen, daß sie grundsätzlich das „ministerium verbi"· verwarfen. Sie hatten nur eine andere Vorstellung von Funktion und Wesen dieses Dienstes. Eine obrigkeitlich angeordnete und überwachte Visitation der Amtsträger war in den Augen der Täufer alles andere als biblisch zu rechtfertigen. So nützlich es den Reformatoren erscheinen mochte, die Begründung der täuferischen Straftat von Ketzerei auf Gotteslästerung umzustellen, so problematisch war dieser Schritt. Eindeutiger konnte die reformatorische Entdeckung der Zwei-Reiche-Lehre, die ein hohes biblisches Recht für sich hatte, nicht desavouiert werden. Die Entscheidung für das Speyerer Wiedertäufermandat, die von den evangelischen Ständen gefällt und den kursächsischen Reformatoren nachvollzogen wurde, stand unter einem paradoxen Zeichen. Die evangelischen Stände haben sich auf dem Reichstag gegen die altgläubige Zumutung, das Wormser Edikt zu erneuern, gerade im Namen der Trennung von Geistlichem und Weltlichem gewandt, die sie den Täufern selber zum Verhängnis werden ließen, da sie in ihren eigenen Territorien den bereits eingeschlagenen Weg zu einem landesherrlichen Kirchenregiment ungestört fortsetzen wollten. Eine politisch abgesicherte Verkündigung des Evangeliums aber dürfte ein fragwürdiger Bestimmungsgrund für Gotteslästerung sein.

„Non poena, sed causa facit martyrem." Diesen Grundsatz Augustins, der gewiß nicht falsch ist, sprach Luther 1540 nach.[58] Ketzerei, Aufruhr und Gotteslästerung aber können, das ist das Ergebnis meiner Überlegungen, nicht der Grund sein, der es rechtfertigt, den Täufern die Krone der Märtyrer vorzuenthalten. Die Straßburger Prädikanten zweifelten nicht daran, daß Michael Sattler als „marter Christi" in Rottenburg am Neckar gestorben sei, denn „der erloesung Christi Jesu halb, daran es alles ligt, habenn wir kein sollich irthum bey disem Michael Satler . . . gefunden."[59] Anders urteilten sie über Hans Denck. Und in den badischen und pfälzischen Täuferakten wird berichtet, daß ein Pfarrer, der übrigens kein Parteigänger der Täufer war, die Richter ganz allgemein ermahnte, sich nicht an dem unschuldigen Blut der „Märtyrer Gottes" zu vergrei-

12. Predigt unter freiem Himmel, Holzschnitt aus Martin Luthers Bibelübersetzung, Wittenberg 1534

fen: „Sihe, mit was grosser geduldt, lieb und andacht seind diese fromme leut gestorben, wie redlich haben sie der welt widerstrebt! O möchten wir in ihrer unschuld bei gott auch leben!"[60] Die Täufer sind mit dem Bekenntnis zu Jesus Christus, ja, wegen dieses Bekenntnisses gestorben, so unbeholfen und theologisch fragwürdig sie es oft auch formuliert haben. Entscheidend für die Frage nach dem Martyrium ist nicht die „doctrina", entscheidend ist das Bekenntnis[61], das in den Loyalitätskonflikten des Christen in dieser Welt eindeutig durchgehalten wird und Zeugnis dafür ablegt, daß das Leben, das Gott will, noch anders ist, als das Leben, das Menschen einander bereiten.

Das Bekenntnis der Täufer hat die Gesellschaft des 16. Jahrhunderts herausgefordert, ihre Grundlagen neu zu überdenken und zu verändern; und das Martyrium der Täufer hat dieser Gesellschaft einen Pfahl ins Fleisch getrieben, der für die Einsicht sorgen wird, daß Religionsfreiheit und Toleranz nicht Forderungen sind, die eine Gesellschaft zerstören, sondern vermenschlichen. Freilich sind sie selber oft denjenigen nicht tolerant begegnet, die in ihrem eigenen Einflußbereich von der herrschenden Norm abwichen: in Waldshut, Nikolsburg und Münster. Unter den gesellschaftlichen Bedingungen des 16. Jahrhunderts war es offensichtlich auch den Nonkonformisten nicht immer möglich, Nonkonformismus zu ertragen. Und doch ist das Leiden der Täufer, wo es still ertragen wurde, ein Meilenstein auf dem Wege zu neuzeitlicher Religions- und Gewissensfreiheit.[62]

Sechstes Kapitel

Ideale Formen kränkeln

Probleme und Aufgaben der Täuferforschung

Über die Anfänge, die Entwicklung und den Charakter des Täufertums besteht keine einhellige Meinung. Die Ursache dafür ist hauptsächlich in den konfessionellen Perspektiven zu suchen, unter denen die Täufer betrachtet werden. Die konfessionalistische Polemik hat sich im Laufe dieses Jahrhunderts zwar abgeschliffen, eine konfessionelle Betrachtungsweise ist aber noch nicht grundsätzlich zugunsten einer überkonfessionellen Analyse gewichen. So ist verständlich, daß die freikirchlich orientierte Täuferforschung das konfessionelle Interesse der großkirchlichen Geschichtsschreibung weiterhin freilegt, um Spielraum für die eigene historische Arbeit zu gewinnen; weniger verständlich ist allerdings, daß freikirchliche Historiker, die einen großen Anteil an der Erforschung des Täufertums haben, sich selber ein kirchlich gebundenes Legitimationsinteresse, das bis auf die historischen Ergebnisse durchschlägt, nicht so recht eingestehen wollen. Sie weigern sich in der Regel, der Gefahr ins Auge zu sehen, die Heiko A. Oberman ganz allgemein „als das vorschnelle Sich-Duzen mit der Vergangenheit" bezeichnet hat, „welches durch ideologische Verbrüderung die Kluft der Zeit überdeckt".[1]

Die konfessionelle Perspektive ist aber nicht das Problem, das die Täuferforschung heute beunruhigen muß. Dies Problem ist inzwischen erkannt und durchschaut, in gewisser Weise also schon entschärft.[2] Das Problem, dem hier nachzugehen ist, fordert stärker heraus und ist komplizierter. Es stellt sich mit den Arbeiten zum Täufertum, die weder einem konfessionellen noch einem christlichen Erbe verpflichtet sind und doch ebenso ernstgenommen werden wollen wie die traditionelle Kirchengeschichtsschreibung. Das erste Mal dürfte dieser Anspruch mit den marxistischen Untersuchungen zum Täufertum aufgetreten sein.[3] Doch diese Untersuchungen, die das Täufertum von der revolutionären Situation der Reformationszeit her begreifen, sind im Westen zunächst ohne ernsthafte Auseinandersetzung beiseite gelegt worden.[4] Dann aber ist uns dieser Anspruch massiv und unabweisbar mit den beiden wichtigsten Veröffentlichungen zur Täuferforschung in den letzten Jahren entgegengetreten, mit James M. Stayers „Anabaptists and the Sword" und Claus-

Peter Clasens „Anabaptism. A Social History".[5] Beide Autoren distanzieren sich von der konfessionellen Geschichtsschreibung. Stayer deutet in seiner Einleitung an, unter einer liberalen, ideengeschichtlich und nicht theologisch orientierten Perspektive an dem Verhältnis von Gewalt und ethischen Werten bei den Täufern zu arbeiten.[6] „Das bedeutet, daß ich nicht so sehr an der Auswirkung dieser Glaubensvorstellungen auf die Kirche oder an ihrer Angemessenheit als Ausdruck des Evangeliums interessiert bin wie meine kirchengeschichtlichen Kollegen."[7] Und Clasen bekennt, „daß mich nicht so sehr die Ideologien, ob christlich oder marxistisch, interessieren. Mir geht es nicht besonders um die Wiederentdeckung christlicher Wahrheiten oder die Errichtung des Reiches Gottes." Als Sozialhistoriker ist er dagegen bemüht, die Frage zu klären, „ob die politischen Lehren der Täufer während des 16. Jahrhunderts, oder sogar heute, als eine brauchbare Basis für das Funktionieren der Gesellschaft betrachtet werden könnten."[8] Diese Historiker verzichten bewußt darauf, die theologische Einsicht als ein Erkenntnismittel für die Analyse des Täufertums einzusetzen, und doch leugnen sie nicht, „daß Gott in der lebendig gefühlten Vorstellungswelt der meisten Menschen einen festen Platz besaß und daß seine Gebote keinesfalls belangloser Natur waren."[9] Sie sind „Profanhistoriker"; sie fallen aber nicht unter die landläufige Kritik, sie würden das theologische Anliegen einer reformatorischen Bewegung auf ihren sozialen oder rationalen Kern reduzieren und die Geschichtsmächtigkeit des religiösen Faktors bestreiten. Das Problem stellt sich der traditionellen Täuferforschung nicht deshalb so scharf und bedrängend, weil hier bewußt auf Gläubigkeit oder theologische Vernunft als Voraussetzung und Werkzeug historischer Arbeit verzichtet, sondern weil mit dem Verzicht gerade keine Attacke gegen die theologische Intention der Täufer verbunden wird.

Drei neue Interpretationsansätze

Niemand unter den marxistisch-leninistischen Historikern hat sich selbstkritischer und behutsamer um das Täufertum gekümmert als Gerhard Zschäbitz in seinem Buch „Zur mitteldeutschen Wiedertäuferbewegung nach dem großen Bauernkrieg" (1958). Leider ist diesem Buch der Einlaß in die westliche Täuferforschung verwehrt worden. Zu bedauern ist auch, daß die umfangreiche Sozialgeschichte des Täufertums von Clasen bisher kaum so diskutiert worden ist, wie sie es verdient hätte. Auf eine weite Resonanz indessen sind die Arbeiten von Stayer gestoßen. Freikirchliche Täuferforscher haben sie aber größtenteils eher, wenn auch interessiert, abgewehrt als aufgenommen. Einem Forschungszugriff, der bewußt auf die theologische Einsicht als historisches Erkenntnismittel verzichtet, wird bestritten, die „Dynamik der Bewegung" überhaupt in den Blick bekommen zu können; voll und ganz erfasse das Wesen des Täufertums nur, wer in der Lage sei, diese Dynamik aus tiefer theologischer Übereinstimmung zur Kenntnis zu bringen.[10]

Bevor ich das Problem von Historie und Theologie wieder allgemein aufgreife, müssen die Grundanliegen dieser drei Untersuchungen im Blick auf dieses Problem erörtert werden.

1. *Gerhard Zschäbitz* sieht im traditionellen Täuferbild eine unerlaubte Eingrenzung der täuferischen Bewegungen auf das von Zürich ausgehende Täufertum und eine Isolierung der Täufer von den revolutionären Volksbewegungen um 1525. Schuld an dieser eingeengten Sicht sei die „christlich-abendländische Betrachtungsweise", die mit ihrem geistesgeschichtlichen Zugriff nicht in der Lage sei, das Täufertum voll zu erfassen, da ihr der Blick für „die innere Verknüpfung des historischen Flusses" abgeht. Die Begründung für dieses Urteil gibt Zschäbitz aus den Prämissen des historischen Materialismus: „Der Versuch einer Einschätzung und Deutung religiöser Ausdrucksformen kann nur Aussicht auf Erfolg haben, wenn anerkannt wird, daß der Ablauf der Geschichte der menschlichen Gesellschaft trotz aller Verschlingungen und scheinbarer Rückläufigkeiten letztlich von objektiven ökonomischen Gesetzmäßigkeiten bestimmt wird."[11] Es sei noch einmal wiederholt, daß Zschäbitz die religiösen Motive für das Denken und Handeln der Täufer nicht aus den wirtschaftlichen Bedingungen ableiten will, er meint aber doch, daß sich auch das religiöse Anliegen innerhalb der sozialen und ökonomischen Verhältnisse einer bestimmten Gesellschaft realisiert. Ähnlich wie die Interpretation, die auf die „theologische Dynamik" abhebt, will auch Zschäbitz die eigene Interpretationsmethode als diejenige erweisen, die das Wesen des Täufertums *voll* und *ganz* zu erfassen vermag. Ausgetauscht werden nur die Bezugsgrößen: Auf der einen Seite ist es der historische Fluß und auf der anderen Seite die theologische Dynamik. Der wissenschaftliche Anspruch hier ist nicht exklusiver als das theologische Selbstbewußtsein dort.

Die marxistisch-leninistische Erforschung der Reformationszeit, die inzwischen in eine vieldiskutierte „Theorie der frühbürgerlichen Revolution" eingemündet ist, muß einer gründlichen Kritik unterzogen werden. Es ist zu fragen, ob die historischen Kategorien, die von den Klassikern des Marxismus am Beispiel des Kapitalismus entwickelt wurden, geeignet sind, die frühe Neuzeit auf den Begriff zu bringen[12], und ob der Entstehung und Entwicklung des täuferischen Ideenguts tatsächlich jene Selbstmächtigkeit gegenüber den ökonomischen und gesellschaftlichen Strukturen zuerkannt wird, wie Zschäbitz es ihnen zumindest theoretisch zu konzedieren bereit ist. Zu fragen ist auch, ob die Affinität der Täufer zu den Unterschichten wirklich so groß war, wie die marxistische Betrachtungsweise es nahelegt, und ob sozialrevolutionäre Züge nicht auch im Schweizer Täufertum zu finden wären. Doch hier ist nicht der Ort, eine solche Auseinandersetzung zu führen.[13] Aufs ganze gesehen hat Zschäbitz überzeugend dargelegt, daß von einem mitteldeutschen Ursprung des Täufertums, in das der Geist Thomas Müntzers über Hans Hut eingeflossen ist, genauso gesprochen werden müsse wie von einem schweizerischen Anfang. Überzeugend ist auch der innere Zusammenhang dieses Täufertums mit der revolutionären Erhebung und dem resignierenden Rückzug der Bauern nach der Niederlage 1525 erwiesen worden.[14] Aus diesen Beobachtungen können zwei Forderungen abgeleitet werden: *Erstens* wird man davon ausgehen müssen, daß die Größe „Täufertum" aus zunächst amorphen und nicht von vornherein definierten historischen Erscheinungen erarbeitet werden muß, bevor die theologische Dynamik überhaupt erst in den Blick kommen kann. Und *zweitens* wird man mehr als bisher beachten müssen, daß jede Theologie ihre geschichtlichen Entstehungsbedingungen und ihre geschichtlichen „Denkschranken" hat, die historisch aufgedeckt sein müssen, bevor eine theologische Analyse überhaupt erst einsetzen kann.

2. *Claus-Peter Clasen* geht von der Feststellung aus, daß die Ursprünge und theologischen Anschauungen der Täufer hinlänglich erforscht seien, nicht dagegen „die Struktur und Natur der täuferischen Bewegung selbst"[15], gemeint ist die Sozialgestalt der täuferischen Gruppen, wie sie sich an verschiedenen Orten herausbildete und in einen Gegensatz zur gesamtgesellschaftlichen Umwelt trat. Untersucht wird das Täufertum in der Schweiz, Ober- und Mitteldeutschland, Österreich und Mähren; ausgespart bleibt leider das niederdeutsche und niederländische Täufertum. Die sozialgeschichtlich relevanten Fakten, die Clasen aus dem weitverstreuten Quellenmaterial erschließt und auswertet, sind immens; beeindruckend ist auch der Zeitraum von 1525 bis 1618, der im Blick auf die Entwicklungstendenzen der täuferischen Bewegungen erforscht wird. Das Auseinanderfallen des Täufertums in viele Gruppen wird präziser beschrieben und erklärt als bisher, ebenso die allmähliche Verkümmerung der Gemeinden am Vorabend des Dreißigjährigen Krieges. So sehr die Täufer zu Beginn in einigen Regionen versucht haben, sich Rückhalt in der Bevölkerung zu verschaffen, so wenig könnten sie insgesamt jedoch — und das nicht nur in ihrer sektenhaften Stagnation am Ende — als eine bedeutende Erscheinung angesehen werden. Das Täufertum sei nur eine „kleinere Episode" in der Gesellschaft des 16. Jahrhunderts gewesen.[16] Folgerichtig bezweifelt Clasen auch, daß die bedeutungsvolle Trennung von Kirche und Staat in der angelsächsischen Welt des 17. und 18. Jahr-

hunderts auf die Täufer zurückgeführt werden könne. Vom Täufertum
sei im übrigen ja keine aufbauende oder erhaltende, sondern eine zerstö-
rerische Wirkung auf Gesellschaft, Kultur und Zivilisation ausgegangen.
„So schienen diese bescheidenen Leute, die danach trachteten, das Reich
der Liebe im Namen Christi zu errichten, ironischerweise in Wirklichkeit
darauf versessen zu sein, die Zivilisation zu zerstören."[17] Zum Wohl der
gesellschaftlichen Entwicklung, so meint Clasen, haben die Zeitgenossen
diesen destruktiven Tendenzen Widerstand entgegengesetzt.

James M. Stayer hat diese Sozialgeschichte ausführlich und kritisch
gewürdigt.[18] Er hat vor allem gezeigt, wie problematisch es ist, aus nicht
vollständig zu erhebenden und nicht einwandfrei zu quantifizierenden
Fakten ein so weitreichendes Urteil über die historische Bedeutung des
Täufertums abzuleiten; er hat auch auf die positivistische Faktengläu-
bigkeit Clasens hingewiesen, die zu recht selbstsicheren Ergebnissen führt,
sobald sie sich mit dem Kriterium des „gesunden Menschenverstands"
verbindet, an dem das Verhältnis der Täufer zu ihrer Gesellschaft gemessen wird. Im übrigen ist dem Einwand zuzustimmen, den Klaus Deppermann gegen Clasen erhoben hat: „Auch wenn man mit Clasen die Überzeugung teilt, daß das Täufertum keine tragfähige Grundlage für eine
Gesellschaftsform im 16. Jahrhundert bot, so braucht man die Rolle
derer, die damals die Parole der „Großen Weigerung" ausgaben, nicht
nur negativ zu betrachten. Der Protest der Täufer gegen die endlosen
Kriege und gegen das brutale Strafrecht, ihre Verdammung des Zinswu-
chers und Fürkaufs, der Pfründenwirtschaft und des Zehntsystems, ihr
Einspruch gegen die Entmündigung der Gemeinde und gegen den neu
aufkommenden Sakramentalismus der lutherischen Orthodoxie waren
berechtigt. Auch sind die von einigen Täufergruppen verbreiteten Ideen
des Pazifismus, der Sittenzucht als Merkmal einer christlichen Kirche und
der Gemeindedemokratie keineswegs spurlos aus der europäischen Geschichte verschwunden."[19] Doch was hier interessiert, ist die Zuordnung von historischer und theologischer Arbeit. Dies Problem stellt sich
nicht wie im Rahmen der marxistischen Geschichtsschreibung auf der
Ebene der Erkenntnis, sondern auf der Ebene des Gegenstands selber.
Das Täufertum ist nach Clasen unbestritten vor allem eine religiöse Bewegung.[20] Doch diesem Aspekt gilt nicht seine Aufmerksamkeit, so sehr
er ihn auch anerkennt und respektiert. Ihn beschäftigt vielmehr die empirische Seite des Täufertums, die soziale Erscheinungsform und die politischen Ambitionen oder Implikationen, sofern sie eine neue Gestalt der
Gesellschaft ins Auge fassen.[21] Diese Zweiteilung des Untersuchungs-
gegenstands in eine theologische und eine empirische oder soziologische
Seite ist für den Kirchenhistoriker weniger anstößig als der umfassendere,
die geistesgeschichtlich-theologische Betrachtungsweise abwertende Zu-

griff von Zschäbitz. Clasen fügt sich dem theologischen Denkschema ein, welches das Wesen der Kirche allein theologischer Einsicht zugänglich sein läßt, ihre soziale Gestalt hingegen auch dem Erkenntnisdrang profaner Wissenschaften freigibt. Er überschreitet die ihm überlassene Sachkompetenz nicht; doch zahlt er dafür einen hohen Preis: Die Rückfrage nach der Sozialstruktur und den politischen Implikationen des Täufertums schränkt den historischen Gegenstand ein und wird „die Natur der täuferischen Bewegung" kaum erhellen. Sozialgeschichte darf die Geschichte nicht zu einer „history with the ideas left out" reduzieren, sie muß sich vielmehr um die Verschränkung von Ideen, politischen Entscheidungen und sozialen Strukturen bemühen.

3. Anders stellt sich das Problem von Historie und Theologie mit den Untersuchungen, die *James M. Stayer* vorgelegt hat. Wie bereits angedeutet wurde, arbeitet Stayer in den Bahnen der „Ideengeschichte", ohne die grundsätzliche Bedeutung allerdings zu übersehen, die dem „Sitz im Leben" täuferischer Gedankenbildung zukommt. Er achtet, mit besonderer Aufmerksamkeit sogar, auf die Verschränkung von gedanklicher Artikulation und gesellschaftlicher Entwicklung, vermeidet es jedoch, in der wirtschaftlich-sozialen Entwicklung eine letzte Begründung der Ideen zu sehen, wie es Zschäbitz trotz seiner Abkehr von einem rigiden Ökonomismus dennoch tut. In seinem Buch „Anabaptists and the Sword"[22] weist Stayer nach, daß die Ablehnung der Schwertgewalt bei den Täufern längst nicht so eindeutig und allgemein war, wie es das weithin anerkannte Bild von den „friedfertigen" oder „apolitischen" Täufern immer noch nahelegt. Mit der Frage nach der Stellung zum Schwert stößt er auf eine Vielfalt täuferischer Gruppen von eigener Konsistenz (ähnlich wie Clasen) und teilweise selbständigem Ursprung (ähnlich wie Zschäbitz). Die „Schweizer Brüder", die sich in Schleitheim 1527 auf die Wehrlosigkeit geeinigt haben, erscheinen nur als *eine* Antwort und keinesfalls als diejenige, die sich überall im Täufertum auch durchgesetzt hätte. Sie repräsentieren nicht einmal das ursprüngliche Täufertum; den ursprünglichen Täufern war das freikirchlich-pazifistische Merkmal fremd. Dies Ergebnis stützt Stayer mit weiteren, thematisch breiter angelegten Untersuchungen ab.[23] Der entscheidende Entstehungsimpuls ging für das Täufertum von der revolutionären Situation in den Zürcher Landgemeinden aus, die sich von der Vorherrschaft des Zürcher Rats zu befreien versuchten. Ein Mittel dieses Befreiungskampfs war das Bemühen, eine radikale kongregationalistisch gefaßte Reformation durchzuführen, ein anderes war die Erhebung der Bauern. Entzündet hat sich die Auseinandersetzung an der Frage des „Zehnten". Stayer spricht von einem „Ineinander von Reformation, Bauernkrieg und Widerstand"[24], aus dem die Bewegung der Täufer hervorgegangen sei. Das frühe Täufer-

tum ist eine „religiöse und soziale"[25] Reformbewegung gewesen und hat
in den Landgemeinden und dann auch in Zürich zunächst eine radikale
volkskirchliche Erneuerung angestrebt. Als die Radikalen damit scheiter-
ten, zogen sie sich auf ein freikirchliches Konzept zurück. Doch zwischen
1525 und 1527 schillerte das kirchliche Selbstverständnis der Täufer
noch zwischen Volks- und Freikirche. Erst mit der „Brüderlichen Vereinigung" von Schleitheim 1527 ging eine Gruppe dieser Täufer dann endgültig in die Absonderung; und erst hier wurden Taufe und Pazifismus zu
Merkmalen separatistischer Gemeinden.

   Entschiedener und kompetenter hat niemand das traditionelle Täuferbild herausgefordert als Stayer: *Erstens* schränkt er das „wesentliche"
Täufertum ein und zeigt, wie abwegig die Suche nach einem „mainline"
Täufertum ist. *Zweitens* bestreitet er dieser Gruppe das Erstgeburtsrecht;
drittens attestiert er dem frühen Täufertum einen revolutionären Charakter; und *viertens* plädiert er für ein polygenetisches Täufertum mit Ur-
sprungsherden in der Schweiz, in Mitteldeutschland und in Nieder-
deutschland. Sein historischer Anspruch zwingt die traditionelle Forschung, ihr Verhältnis zur Historie neu zu überdenken.

   Wenn John H. Yoder seiner Kritik an Stayer den Untertitel gibt „Systematische Historiographie und undogmatische Wehrlosigkeit",[26] dann
hat er die Hauptsache übersehen. Er hat übersehen, daß das behutsame
Aufsuchen der historischen Entstehungs- und Entwicklungsbedingungen
für die täuferische Theologie gerade in der Front gegen eine systematisch-
theologische Geschichtsschreibung steht, die zur Abstraktion von der
historischen Wirklichkeit neigt. Der täuferischen Theologie können wir
uns heute nur auf dem Wege nähern, den die historische Vernunft uns
weist. Nichts hat Stayer jedoch dem Kirchenhistoriker in den Weg gestellt, historische Ergebnisse theologisch weiter zu verarbeiten; niemand
kann auch dem Kirchenhistoriker verbieten, in sachgemäßer Weise historische Arbeit selber zu leisten. – Alvin Beachy wirft Stayer vor, er habe
den Pazifismus der Täufer aus einer „Strategie zum Überleben" erklärt,
aber nicht zur Kenntnis genommen, daß die täuferische Wehrlosigkeit
allein auf eine „christozentrische Hermeneutik" zurückzuführen sei.[27]
Beachy argumentiert aus der Sicht dessen, dem die theologische Dynamik
so zugänglich ist, daß sie gegenüber einer historischen Beschäftigung mit
den Täufern unbedingten Vorrang beanspruchen müsse. Stayer hat ja
doch nur zu zeigen versucht, daß den frühen Täufern die Erkenntnis der
„separatistischen Wehrlosigkeit" nicht aus freien Stücken oder aus heite-
rem Himmel zugefallen, sondern in bedrängter, ja, aussichtsloser Situation als Korrektur ihrer ursprünglichen Absichten aufgegangen sei. Wie
dieser Vorgang theologisch zu bewerten ist, ist eine Frage, die nicht der
Profanhistoriker beantworten kann. Stayer greift also nicht in das eigent-

liche Herrschaftsgebiet der Theologen ein, wenn er die traditionellen Täuferforscher — allerdings nicht direkt, sondern nur indirekt — herausfor-
dert, das Verhältnis von Historie und Theologie neu zu überdenken. Er
fordert dazu heraus, indem er sich streng auf die historische Aufgabe beschränkt.

Anzumerken ist an dieser Stelle auch schon, daß die Berufung auf die
Theologie als tertium comparationis zwischen den Täufern damals und
den Kirchenhistorikern heute geistesgeschichtlich und sozialgeschichtlich
problematisch ist. Religion und Religiosität sind im 16. Jahrhundert
etwas anderes als im 20. Jahrhundert. Wir leben, geistesgeschichtlich gesehen, in einer Welt, in der Religion „privatisiert" ist und der Anspruch,
der Gesellschaft unserer Tage Sinn und Richtung zu geben, nicht mehr mit
allgemein wahrgenommener Plausibilität aufrecht erhalten werden kann.
Religion war damals noch, sozialgeschichtlich gesehen, kein gesellschaft-
liches „Subsystem". Diese Differenz zwischen der Vergangenheit und der
Gegenwart wird paradoxerweise am besten von den Forschern bestätigt,
die im Täufertum nur eine religiöse Bewegung zu sehen vermögen und
sich weigern, in ihm auch eine politische und soziale Reformbewegung zu
entdecken. Der Blick für das „Nur-Religiöse" ist eine Verengung aus der
Sicht des neuzeitlich-privatisierten, aber nicht mehr rückgängig zu ma-
chenden Religionsverständnisses.

Rehistorisierung des Täufertums

Ernst Bloch hat einmal geschrieben: „Man scheut sich durchaus, etwas
schön zu beginnen. Nicht nur, weil man nichts berufen will, sondern
ideale Formen kränkeln. Der erste Streit holt alles wieder auf, was vorher keinen Platz hatte in der edlen stillen Luft. Die Dinge dürfen nicht
wie gemalt sein, sonst halten sie im Leben nicht".[28] Die Forschungen
von Zschäbitz, Clasen und Stayer geben Bloch recht. Auf ganz unterschiedliche Weise enthüllen sie den „gemalten" Charakter des traditionellen Täuferbildes. Es ist ein Bild, das ideale Züge trägt. Ganz offensichtlich kommt ein solches Bild zustande, wenn die Geschichte sich
nach den Bedürfnissen der Theologie richten muß, die es sich ja kaum leisten kann, nicht idealen Forderungen zu entsprechen. Die Theologie
trägt normativen Charakter, und ihre Normativität normiert die Historie
(die Rede vom „normativen" Täufertum ist nicht zufällig). Sie tut es
freilich nicht selbstlos, sondern um sich ihrerseits gegen die Anfechtun-
gen der Gegenwart von der Geschichte abschirmen zu lassen. Und für
diesen Dienst wird die Geschichte entschädigt. Die idealen Formen der
Theologie verleihen auch ihr eine ideale Form. Doch unter dem Eindruck

der neueren Forschungen beginnen die idealen Formen der Geschichte zu kränkeln. Bloch sagt: „Der erste Streit holt alles wieder auf, was vorher keinen Platz hatte in der edlen stillen Luft". Und so scheint es, daß die genannten Forschungen wieder rückgängig machen, was die kirchenhistorische Täuferforschung erkämpft hat: den nichtrevolutionären Charakter des Täufertums, die freikirchliche Ekklesiologie, die Einheit des Täufertums, die Bedeutung des Täufertums für die Heraufkunft der modernen Welt. Diese Forschungen stehen im Zeichen des Revisionismus, sie wollen den Stand historischer Erkenntnis jedoch nicht zurückschrauben. Zschäbitz versichert, die Bedeutung der traditionellen Untersuchungen „für die zukünftige Aufgabe" in keiner Weise mindern zu wollen[29]; Clasen und Stayer suchen den Dialog mit den Kirchenhistorikern. In den „Reflections and Retractions", die Stayer der zweiten Auflage von „Anabaptists and the Sword" voranstellt, hat er unmißverständlich zum Ausdruck gebracht, daß seine Beobachtungen und Erkenntnisse nicht dem Täuferbild zuarbeiten wollen, das die mennonitische Forschung, der er sich im übrigen stark verpflichtet weiß, überwunden hat. Stayer arbeitet jenseits der eingefahrenen kirchenhistorischen Fronten in Vergangenheit und Gegenwart. Sein Revisionismus steht im Dienste forschungsgeschichtlichen Fortschritts. Und ein Fortschritt dürfte es auch sein, sich in Zukunft über das Verhältnis von Historie und Theologie klar zu werden.

Vor mehr als zehn Jahren hat Bernd Moeller vor einer fortschreitenden Theologisierung der Reformationsgeschichte in Deutschland gewarnt und den Verlust an Historizität beklagt: „In ihrem Gefolge ist uns nun aber vielfach die Reformation in ihrer geschichtlichen Qualität, als Vorgang entfernter Vergangenheit und als vielschichtiges Geflecht geschichtlicher Beziehungen aus dem Blick geraten, und wir haben uns damit die Auffassung sowohl wie die Auswertung der reformatorischen Theologie selbst bedenklich vereinfacht, die doch gerade und nur darum in der Geschichte mächtig geworden ist, weil sie fest in sie hineinverflochten war".[30] Die Täuferforschung ist also nicht alleine der Versuchung erlegen, die Historie theologisch zu bevormunden. Sie nimmt an dem Schicksal der Reformationsgeschichtsschreibung in unserem Jahrhundert vielmehr ganz allgemein teil. Moeller hat gemeint, mit der Verbreiterung des Blicks auf das historisch-gesellschaftliche Gesamtgeflecht eine Wende in der Geschichtsschreibung dieses Zeitalters, eine Rehistorisierung, einleiten zu können. Er hat einst die nichttheologischen Historiker, die sich aus der Arbeit an dieser Epoche zurückgezogen hatten, gebeten, sich daran doch wieder zu beteiligen; er hat damals aber wohl noch nicht ahnen können, daß ein grundsätzliches Problem auftritt, sobald solche Historiker seinem Ruf folgen, die sich weder einem konfessionellen, noch dem christlichen Erbe überhaupt verpflichtet fühlen, sich von diesem Erbe vielleicht sogar entschieden distanzieren wollen. Doch im Grunde hat sich das Problem, vor dem die Täuferforschung heute steht, auch der allgemeinen Reformationsgeschichtsschreibung schon mit dem energischen Vorstoß der marxistisch-leninistischen Forschung in dieses Terrain gestellt. Damals hat Moeller diesen Vorstoß noch mit einigen Bemerkungen abtun können, heute bedarf es schon einer größeren theoretischen Anstrengung. Vielleicht können die Überlegungen zum Verhältnis von Historie und Theologie, die sich an der Täuferforschung entzündet haben, auch für die Reformationsgeschichtsschreibung insgesamt hilfreich sein.

Die Geschichte der Täuferforschung legt es nahe, einen Lösungsversuch für das Verhältnis von Historie und Theologie in dem wissenschaftstheoretischen Umkreis Ernst Troeltschs zu suchen. Von den „Soziallehren der christlichen Kirchen und Gruppen", die Troeltsch 1912 veröffentlicht hat, waren nämlich ganz entscheidende Impulse für die Täuferforschung ausgegangen. Vor allem die mennonitische Forschung hat die recht positive Beleuchtung der Täufer freudig aufgegriffen. Troeltsch hat sich den Täufern auf religionssoziologischem Wege genähert, die mennonitische Täuferforschung indes hat seine Erkenntnisse theologisch aufgenommen und schließlich in jene normativen Gefilde geführt, die vorhin angedeutet wurden. Wer weiß, daß im wissenschaftstheoretischen Fahrwasser Max Webers, in dem Troeltsch sich bewegte, sehr streng zwischen einer soziologischen bzw. historischen und einer dogmatischen oder theologischen Methode unterschieden wurde, wird sehr schnell bemerken, daß die nachfolgende Täuferforschung diese Trennung nicht respektiert hat. Sie hat die historischen oder soziologischen Ergebnisse, die gegenüber einer polemisch konfessionalistischen Forschung wie eine Befreiung empfunden werden mußten, wieder theologisiert bzw. im Sinne der eigenen Konfession ausgelegt und verwertet. Max Weber hatte von der Wertgebundenheit des Forschungsinteresses und der Auswahl des Forschungsgegenstandes gesprochen, für die konkret soziologische oder historische Erkenntnisarbeit jedoch hatte er Wertfreiheit gefordert. Ganz gleich von welchen Werten her die Forscher sich dem Täufertum zuwenden, auf der Ebene des historischen Erkenntnisprozesses dürfen diese Werte keine Rolle spielen, jedenfalls nicht so, daß von bestimmten Werten her ein höheres Erkenntnisrecht beansprucht werden kann. Hier gelten allgemeinverbindliche, jedermann zugängliche oder einsichtige Regeln.[31] Oder mit den pointierten Worten des Religionssoziologen Peter Berger gesprochen, der in der Tradition Max Webers steht, die soziologische oder historische Erkenntnis einer religiösen Erscheinung muß den Regeln eines „methodologischen Atheismus" folgen.[32] Dahinter steht eine wissenssoziologische Grundannahme. Berger ist davon überzeugt, daß keine Idee für sich oder als „nudum factum" existiert, sondern nur gebunden an Erfahrungen des Menschen, der Ideen hat oder sie aufnimmt, Gestalt gewinnt. Und das gilt umso mehr, wenn Ideen eine überindividuelle Wirksamkeit entfalten sollen. Gegenstand der historischen Untersuchung sind daher nicht die Ideen an sich, sondern die Ideen in ihrem gebundenen Zustand. Mit Ideen an sich mag der Theologe und Philosoph umgehen, der Historiker und Soziologe darf es nicht. Und wenn der „Geistesgeschichtler" es dennoch tut, dann wird er sich sehr schnell den Vorwurf zuziehen, er habe die Geschichte theologisiert oder von ihr abstrahiert. Die hier vorgelegte Argumentation soll allerdings nicht den Eindruck erwecken, als könne die von Weber geforderte Trennung zwischen Wertbeziehung und Wertfreiheit wissenschaftlicher Arbeit auf die Theologie einerseits und Historie andererseits verrechnet werden. Selbstverständlich ist auch die historische Forschung wertbestimmt. Doch hier kommt es mir nur darauf an, den normativen Anspruch der Theologie bzw. der Kirchengeschichtsschreibung gegenüber der profangeschichtlichen Forschung insgesamt zurückzudrängen. Dieser Anspruch kann wissenschaftlich nicht begründet werden. Allein diesen Punkt sollte die Erwähnung der wissenschaftstheoretischen Position Webers verdeutlichen. An vier Beispielen will ich nur kurz zeigen, was sich daraus für die Täuferforschung ergeben kann.

1. Für die Täuferforschung bedeutet das, daß die Theologie der Täufer in dem historischen Geflecht aufgesucht werden muß, bevor sie einer anderen als einer historischen Erkenntnis und Verarbeitung überhaupt zugänglich wird. Das freikirchlich-pazifistische Reformkonzept der Schweizer Brüder kann historisch als Ergebnis einer Ohnmachtserfahrung der frühen Täufer aufgefaßt werden, die bewußt oder unbewußt nach einer Rechtfertigung ihrer Misere in der Heiligen Schrift suchen, theologisch jedoch kann gesagt werden, daß Ohnmächtige die Heilige Schrift anders lesen als Mächtige, evangeliumsgemäßer. Theologisch kann die Entscheidung von Schleitheim 1527 durchaus in den Kategorien einer christozentrischen Hermeneutik begriffen werden. Diese Erkenntnis darf bloß nicht, wie Beachy es getan hat, kritisch gegen eine historische Analyse ins Feld geführt werden. Für den Theologen mag die Kategorie der christlichen Hermeneutik nützlich sein, für den Historiker hat sie jedoch einen verminderten Erkenntniswert, denn er muß sofort nach den geschichtlichen Bedingungen und Formen dieser Kategorie fragen. Sie wird bei Paulus etwas anderes bedeuten als bei Luther oder bei den Täufern, etwas anderes sogar bei den frühen Täufern um 1525 als bei den Schweizer Brüdern von 1527.

2. Umstritten ist seit langem, ob die Täufer mit ihrem Vorwurf recht hatten, nicht sie, sondern Zwingli habe sich von den ursprünglichen Re-

formeinsichten abgewandt. Wenn man davon ausgehen muß, daß jede theologische Absicht sich geschichtlich zum Ausdruck bringt, dann muß es möglich sein, diese Frage eindeutiger als bisher auf historischem Wege zu klären. Sie darf nicht der Interessen- oder Wertgebundenheit des Forschers ausgeliefert werden, so daß die eine Meinung von dem Standpunkt des einen genauso möglich ist wie die andere Meinung vom Standpunkt des anderen. Eine *solche* pluralistische Lösung wäre eine theologische, jedoch nicht eine historische, es sei denn, daß sich diese Frage von selbst erledigt, sobald historisch erwiesen wird, daß weder Zwingli noch die Täufer in ihrem Trennungsprozeß dieselben geblieben sind.

3. Die Täuferforschung hat die Frage nach dem „eigentlichen" Täufertum bewegt. Kürzlich hat Heinold Fast dieses Problem auf sehr reflektierte Weise erörtert und die freikirchlich-pazifistische Haltung, die „Linie Grebel-Sattler", als die für ihn „systemimmanent konsequente Linie" bezeichnet.[33] Fast legt Wert auf die Feststellung, daß es sich hierbei um eine Wertung handelt, die seiner eigenen Glaubensüberzeugung vom Kreuz als dem wesentlichen Inhalt des Evangeliums entsprungen sei, die sich aber mit der von Grebel und Sattler einst vertretenen Überzeugung decke. So tritt er sehr deutlich dafür ein, sich Rechenschaft über die Wertbeziehung wissenschaftlicher Arbeit abzulegen. Bedenklich wird sein Konzept jedoch, wenn er sagt: „Von dieser Überzeugung kann ich nun nicht absehen, wenn es an eine historische Verarbeitung der variationsreichen Ansichten der ersten Täufer (über die Haltung zur Schwertgewalt, d. Vf.) geht".[34] Im Sinne Max Webers müßte man stattdessen fordern, in einer Analyse, die historische Einsichten über die Zuordnung der täuferischen Gruppen zueinander und über das Wesen des historischen Täufertums zutage fördern will, gerade davon abzusehen. Welchen historischen Ausdruck und Niederschlag die theologische Überzeugung vom Kreuz als Inhalt des Evangeliums im Täufertum gefunden hat, muß auch ohne Übereinstimmung mit der eigenen Glaubensüberzeugung herauszufinden sein. Fasts Argumentation könnte geradezu als ein Beweis dafür genommen werden, daß sich die Frage nach dem „eigentlichen" Täufertum historisch nicht beantworten läßt.

4. Umstritten ist schließlich die Frage nach der gesellschaftlichen Relevanz des Täufertums, die Clasen aufgeworfen hat. Historisch betrachtet haben die Täufer in der Tat die Grundprinzipien, auf denen die Gesellschaft im 16. Jahrhundert ruhte, berührt, angegriffen oder zerstört. Daraus könnte man ableiten, daß sie zu Recht verfolgt oder hingerichtet worden sind. Sie haben sich an den Regeln menschlicher Vergesellschaftung, ohne die es sich nicht leben läßt, vergangen. Theologisch gesehen kann Destruktion und Exekution ganz anders gesehen werden: Die Täufer haben die Menschen des 16. Jahrhunderts daran erinnert, daß die

Grundprinzipien einer herrschenden Gesellschaft mit den Prinzipien kollidieren müssen, die für das Reich Gottes bestimmend sind, und daß Exekution für sie Martyrium ist, das coram deo nicht wert ist, gegen ein
irdisches Weiterleben in Kompromissen eingetauscht zu werden. Das ist
eine theologische Wertung, die mit dem christlichen Wertgefühl heute
übereinstimmt. Das kann freilich auch die eigentliche Intention der Täufer damals gewesen sein; und dann würde dieses Beispiel freilich gegen die
hier vorgeschlagene Trennung von Historie und Theologie sprechen. Doch
die Intention, die sich ja historisch ausmachen lassen muß, ist nicht der
einzige Gegenstand historischer Forschung. Die Historie versucht, die Intention aus einem überintentionalen historischen Geflecht zu erarbeiten,
denn vieles, was den Menschen bewegt und zu zielgerichtetem Handeln
treibt, geschieht hinter seinem Rücken. Historische Forschung kann die
Intention also nicht für sich nehmen, sie muß zugleich ihre historischen
Bedingungen einerseits und ihre gesellschaftlichen Implikationen andererseits in Rechnung stellen. Nicht was die Täufer wollten, macht ihr Wesen
als historische Erscheinung aus, sondern was sie waren.

Diese Beispiele zeigen, daß historische und theologische Arbeit am
Täufertum auch ohne eine theologisch-normative Verformung der täuferischen Bewegungen möglich ist. Die Theologie muß nur bereit sein,
zunächst erst einmal den Erfahrungszusammenhang des täuferischen
Denkens untersuchen zu lassen, bevor sie an ihr eigenes Werk geht. Sie
kann allerdings Fragen stellen und auf Probleme aufmerksam machen,
die einem Historiker vielleicht nicht aufgefallen wären; doch sie wird,
wenn sie selber die historische Arbeit aufnimmt, reflektierter als bisher
darauf achten müssen, daß die Theologie der Täufer sich in historischer
Gestalt, also zeitlich bedingt, erfahren und beschränkt, artikuliert hat.

Aufgaben der Forschung

Diese Bemerkungen wollen die Forschung nicht unter Methodenzwang
setzen. Sie wären mißverstanden, wenn sie als Bestreitung und nicht als
Förderung eines pluralistischen Zugangs zum Täufertum aufgefaßt würden. In Frage gestellt wird dieser Pluralismus aber von einer Kirchengeschichtsschreibung, deren Wertimplikationen die Beschäftigung mit der
Reformationszeit noch recht häufig bewußt oder unbewußt beherrschen.
Theologische Einsicht, die einer besonderen Begabung durch den göttlichen Geist entspringt, wird zweifellos dazu beitragen, diese Zeit zu verstehen; sie darf jedoch nicht als Vorrecht begriffen werden, das andere
Einsichten auf den zweiten Rang verweist oder gar aus dem Felde schlägt.
Auf der anderen Seite könnte eine allzu weitherzige Einladung zur Inter-

pretation des Täufertums an alle möglichen Interessenten dazu führen, daß die Forschung verwildert. Methodischer Pluralismus wird die historische Erkenntnis wohl nur bereichern, wenn er sich geschichtstheoretisch zu verantworten weiß. James M. Stayer hat mir auf eine frühere Fassung dieses Kapitels geantwortet: „Laß hundert Blumen blühen und hundert Gelehrtenschulen miteinander in Wettstreit treten".[35] Ich kann dieser sympathischen Aufforderung durchaus zustimmen; doch es gibt gelegentlich Blumen, die ihre volle Blütenpracht erst entfalten, wenn sie vorher drastisch beschnitten worden sind. Nur das habe ich in den kritischen Abschnitten dieses Kapitels zu begründen versucht.

Niemand wird behaupten, das Täufertum sei immer noch ein Stiefkind der historischen und theologischen Forschung. Die stattliche Zahl der Täuferaktenbände, die in den letzten Jahrzehnten ediert wurden, die zahlreichen Dissertationen und Habilitationsschriften, die vielen speziellen Monographien und Aufsätze und die allgemeinen Darstellungen haben dem Täufertum vielleicht sogar ein Gewicht verliehen, das ihm historisch nicht zukommt. Doch um diese Entwicklung abzubremsen, wird es nicht allein genügen, die genaue Zahl der Täufer zu ermitteln, um von der numerischen Bedeutungslosigkeit her ihre historiographische Überschätzung zu kritisieren, so verdienstvoll solche statistischen Erhebungen an sich sind.[36] Es wird wohl auch sinnvoll sein, die Anregungen aufzugreifen, die das Täufertum stärker als bisher aus dem Geflecht mit anderen reformerischen Bewegungen und sozialen Kämpfen in der ersten Hälfte des 16. Jahrhunderts deuten. Zu denken ist zunächst an das sprunghaft angestiegene Interesse an den Zusammenhängen von Stadt und Reformation, also an dem konkreten Durchsetzungsprozeß der Reformen in Reichs-, Residenz-, Bischofs- und Landstädten.[37] In vielen Städten läßt sich beispielsweise eine Radikalisierung der reformerischen Bewegungen beobachten; in einigen Städten, wie in Zürich, führte diese Radikalisierung zur Bildung täuferischer Gruppen und Gemeinschaften, in anderen Städten, wie in Memmingen, nicht, obwohl der Durchsetzungsprozeß der Reformation dort in ähnlichen Bahnen verlief wie in Zürich. Solche Vergleiche könnten, einmal in aller Breite durchgeführt, einen genaueren Aufschluß darüber geben, welche gesellschaftlichen und religiösen Mechanismen zur Entstehung des Täufertums geführt haben und ob das Täufertum von seinem Ansatz her ein notwendiges Produkt der reformatorischen Prozesse oder eine Störung dieser Prozesse aus Quellen war, die in keinem inneren Zusammenhang mit der Reformation standen. Weitere Aufmerksamkeit müßte auch den bereits erwähnten Verflechtungen von bäuerlichen Unruhen und täuferischen Bewegungen geschenkt werden. Besonders weiterhelfen könnte eine Untersuchung, die sich auf detaillierte Weise der ländlichen Territorien in der Ostschweiz und in Tirol

annähme. Schließlich wäre es jetzt an der Zeit, die täuferischen Bewegungen in Mähren und in den Niederlanden einer gründlichen sozialgeschichtlichen Analyse zu unterziehen. In Mähren haben vor allem die
Huterer ein Gemeinschaftsleben entwickelt, das sich stark von ihrer Umwelt absetzte, aber mit dieser auch in wirtschaftlich und sozial relevante
Beziehungen trat. In den Niederlanden erscheint das Täufertum häufig an
den Orten sozialer Unruhen und in Zeiten wirtschaftlicher Bedrängnis.
Diese Zusammenhänge, oft von der theologisch interessierten Forschung
verdeckt, sind inzwischen gesehen worden, sie müßten aber bis in die
lokalgeschichtlichen Details hinein untersucht werden. Hilfreich wäre für
den niederdeutschen Raum auch eine Analyse der täuferischen Sozialgestalt, ähnlich wie Claus-Peter Clasen sie für das übrige Verbreitungsgebiet
der Täufer vorgelegt hat.

Walther Köhler hatte das schweizerische Täufertum vor mehr als fünfzig Jahren ein „Originalgewächs der Reformationszeit" genannt.[38] Seither ist diese Charakterisierung in die Prämissen der Forschung eingegangen. Sie hat freilich auch dazu beigetragen, daß die Frage nach den möglichen Verwurzelungen des Täufertums in spätmittelalterlicher Frömmigkeit und Theologie bald verstummt ist. Die Untersuchungen von D. Steinmetz, Chr. Windhorst, G. Seebaß, W.O. Packull und K. Davis[39] haben
jedoch gezeigt, wie intensiv spätmittelalterliche Impulse im Täufertum
wirksam waren, so daß Zweifel an der reformatorischen Originalität des
Täufertums wachgerufen werden. Solange es allerdings nicht gelingt,
Trägergruppen ausfindig zu machen, die zwischen mittelalterlichen Bewegungen und Täufertum vermittelt und ihre Vorstellungen bis in die
Sturmjahre der Reformation hinübergetragen haben könnten, ist weiter
davon auszugehen, daß das Täufertum „in, mit und unter" der Reformation entstanden sei.[40] Es schält sich aber immer mehr die Auffassung
heraus, daß das Täufertum trotz seines reformatorischen Entstehungsimpulses nicht auf dem „Boden des reformatorischen Evangeliums"[41]
stand, wie Köhler meinte und freikirchliche Historiker es ihm bereitwillig
nachsprachen. Der Entstehungsimpuls ist eines, der Begründungszusammenhang täuferischer Vorstellungen ein anderes. Aus der Sicht spätmittelalterlicher Theologie und Frömmigkeit fällt es offensichtlich nicht
schwer, den nichtreformatorischen Charakter der Gnaden- und Rechtfertigungsvorstellung, worin der Hauptartikel der Reformation gesehen
wird, im Täufertum zu erkennen. Ein Problem scheint nur zu sein, in welchen Kategorien die täuferischen Ansichten angemessen beschrieben werden. James M. Stayer hat kürzlich darauf hingewiesen, daß es nicht ratsam sei, die bereits von den Reformatoren benutzten Begriffe „Pelagianismus" oder „Semipelagianismus" zu erneuern, weil damit die „Art und
Weise der streitenden Reformationstheologen übernommen würde, die

fortwährend nach überzogenen Analogien zwischen ihren Gegnern und altkirchlichen Häretikern suchten", Begriffe, die jedoch nicht „das ganze Spektrum möglicher Beziehungen zwischen Gott und Mensch im Rechtfertigungsprozeß" abdeckten.[42] Die spät veröffentlichte Dissertation von Alvin J. Beachy über die täuferischen Gnadenvorstellungen[43] ist wegen ihres veralteten Forschungsstandes fast unbrauchbar, die Ausführungen von Kenneth Davis[44], können nützliche Anregungen bieten, doch im ganzen ist in theologiegeschichtlicher Sicht nichts dringlicher als eine Untersuchung der Rechtfertigungsproblematik in den verschiedenen täuferischen Bewegungen, um das theologische Verhältnis von Täufertum und Reformation präziser als bisher bestimmen zu können.

In den letzten Jahrzehnten sind mehrere Biographien täuferischer Führer geschrieben worden. Teilweise waren das, wie Harold S. Benders Buch über Konrad Grebel und Torsten Bergstens Buch über Balthasar Hubmaier[45], Pionierleistungen. Doch diese Biographien müßten jetzt auf den neuesten Stand der Forschung gebracht und um Darstellungen anderer Täuferführer ergänzt werden. Besonders Hans Denck, Michael Sattler, Melchior Rinck, Bernhard Rothmann[46] und David Joris warten auf eine umfassende biographische Darstellung. Es ist sicherlich nicht ganz unproblematisch, heute Anregungen zum biographischen Studium zu geben, da das Augenmerk gewöhnlich mehr auf die überindividuellen Entwicklungen und gesellschaftlichen Strukturen als auf die intellektuellen Intentionen einer einzelnen Persönlichkeit gelenkt wird. Doch die biographische Arbeit am Täufertum hat es nicht mit Männern zu tun, die „Geschichte machten", wogegen sich die gegenwärtige Kritik an der klassischen Biographie ja richtet, sondern eher mit solchen, die Geschichte erlitten. So dürfte auch eine sozialgeschichtliche Betrachtungsweise Interesse an einer Aufhellung der Lebensumstände und des Denkens der Figuren haben, die im Schatten der großen politischen Ereignisse standen. Täuferbiographie ist ein Stück weit ein Beitrag zur Geschichte des „gemeinen Mannes". Einen Maßstab für eine Biographie, die geistes- und sozialgeschichtliche Aspekte miteinander zu verbinden weiß, hat inzwischen das Buch von Klaus Deppermann über Melchior Hoffman gesetzt.[47] Im Rahmen der biographischen Arbeit wird immer wieder auch nach den Einflüssen gefragt werden müssen, die von Reformatoren, Humanisten, radikalen Reformern und spätmittelalterlichen Geistesbewegungen auf die Täufer ausgegangen sein mögen.

Doch es genügt nicht, wie es oft geschah, einfach nur nach wörtlichen oder gedanklichen Übereinstimmungen zwischen den einen und den andern zu suchen; es muß vielmehr, wenn solche Übereinstimmungen beobachtet werden, gleich danach weitergefragt werden, was die Täufer für die verschiedenen Einflüsse empfänglich gemacht oder was sie veranlaßt haben könnte, diese Gedanken und Vorstellungen aufzunehmen und jene nicht. Es muß auch genau geprüft werden, welche Veränderungen des Übernommenen eventuell durch den Wechsel in andere Erfahrungsbereiche hinein eingetreten sein könnten. Nur wenn die Frage nach den Einflüssen methodisch reflektiert gestellt und beantwortet wird, kann von ihr eine Bereicherung für die biographische Interpretation der Täufer erwartet werden.

Diese Aufgaben, die sich zweifellos vermehren ließen, sind mit ihren sozial-, theologie- und personengeschichtlichen Aspekten so weit gefaßt, daß sie noch einmal die Absicht dieses Kapitels unterstreichen, Raum für eine pluralistisch eingestellte Arbeit am Täufertum zu schaffen. Auf diese Weise wird soviel historische Realität wie eben möglich erschlossen. Anmaßende Einseitigkeit erschließt sie genauso wenig wie biedere Einfachheit. „Es gehört Geduld dazu, heute noch mit der sanften Unbarmherzigkeit des Erasmus zu sprechen, Fanatismus und Vereinfachung zu bekämpfen und das Extrem, wo immer es die Totalität auch zu zerbrechen droht, entschlossen zu verneinen.“[4 8] Diese Geduld, die Walter Jens von dem Dichter und Schriftsteller gefordert hat, wird auch demjenigen nützlich sein, der nach historischer Erkenntnis sucht.

Nachwort

Historisch läßt sich die Frage, wer unter den vielen täuferischen Gruppen eigentlich die „echten" Täufer waren, nicht beantworten. Das bringt freilich auch die theologische Frage nach der normativen Kraft des konfessionellen Aufbruchs in Verlegenheit; und mit den Täufern entwickelte sich doch ein Frömmigkeits- und Gemeinschaftstyp, der später vor allem das angelsächsische Christentum prägte. Wer das pazifistische Erbe pflegt, wird sich von den revolutionären Absichten des frühen Täufertums in der Schweiz irritiert fühlen; wer sich nicht aus der sozial-politischen Verantwortung für die Gesellschaft drängen läßt, wird das Prinzip der Absonderung in den Schleitheimer Artikeln als Zumutung zurückweisen; wer sich noch einen Rest chiliastischen Bewußtseins bewahrt hat, wird Hans Hut und Melchior Hoffman mit Verständnis begegnen; wer nach alternativen Formen des gemeinsamen Lebens sucht, wird von den huterischen Bruderhöfen in Mähren fasziniert; wer die Wurzeln der bürgerlichen Revolution bis in die Reformationszeit zurückverfolgt, wird sein Interesse vor allem auf das von Thomas Müntzer geprägte Täufertum und die Wiedertäuferkommune in Münster lenken; und wer in einer genealogischen Tradition mit den niederländischen Täufern steht, wird auf Menno Simons hören. So werden nur einzelne täuferische Bewegungen, nicht aber das Täufertum insgesamt beerbt.

Aus dieser Verlegenheit hilft auch nicht, wenn das Augenmerk auf die Glaubenstaufe als auf den gemeinsamen Nenner aller täuferischen Bewegungen gelenkt wird. Denn erstens fügt sich die Taufe in ein Gesamtkonzept nonkonformistischer Lebenshaltung oder Gemeindebildung ein, darf also nicht zu einem übergeordneten Wesensmerkmal des Täufertums gemacht werden. Und zweitens wird die kirchliche Funktion genauso wie die theologische Begründung der Taufe in den einzelnen Bewegungen ganz unterschiedlich bestimmt und vorgenommen. Aus dieser Verlegenheit hilft auch nicht, wenn die Freikirchenidee zu einem übergeordneten Prinzip erklärt wird. Denn gerade dies Prinzip hat nicht für die Entstehung des Täufertums Pate gestanden — es hat sich erst ein wenig später herausgebildet — und ist auch nicht für alle täuferischen Bewegungen charakteristisch.

Aus dieser Verlegenheit könnte vielleicht etwas anderes helfen. Es muß aufgefallen sein, daß alle täuferischen Bewegungen aus einer engen Verflechtung von politischer Erfahrung und biblischer Lektüre oder theo-

logischer Überlegung hervorgingen. Kirchenpolitisch wurzelten die Männer, die später das Täufertum repräsentieren sollten, in den großen reformatorischen Bewegungen ihrer Zeit. Dort erhielten sie ihre Impulse zur
Erneuerung der Christenheit und engagierten sich in den Kämpfen des
Tages auf antiklerikale Manier. Das bedeutete jedoch nicht, daß sie die
komplizierten Gedanken der Reformatoren ganz verstanden und aufgenommen hätten. Sie machten sich sehr früh schon ihre eigenen Gedanken und nahmen auf, was ihnen half, sich im Streit der Meinungen zu
orientieren. Eine erneuerte Christenheit konnten sie sich nur als eine radikale Alternative zur bestehenden Kirche und Gesellschaft vorstellen. Und
wo die Vision der Alternative in Zugeständnissen oder Kompromissen,
wie sie es sahen, zu verkommen drohte, kehrten sie ihren antiklerikalen
Affront gegen die Reformatoren und traten selber als Sachwalter der
Reformation auf. Sie erinnerten daran, daß der Glaube auch Früchte
tragen müsse, und setzten sich dem Vorwurf aus, die alte Werkgerechtigkeit wieder eingeführt zu haben. Sie wollten eine neue Ordnung des gemeinsamen Lebens errichten und zogen sich den Tadel zu, die Schwachen im Glauben, auf die ja die Hauptreformatoren Rücksicht nehmen
wollten, einem kirchlichen Strukturprinzip geopfert zu haben. Sie widersetzten sich, teilweise wenigstens, der Tendenz zu einem landesherrlichen
Kirchenregiment und mußten es sich gefallen lassen, in den Untergrund
oder an den Rand der Gesellschaft gedrückt zu werden. So sind die täuferischen Bewegungen aus ganz unterschiedlichen Versuchen entstanden,
die Vision von einer alternativen Christenheit in die Praxis umzusetzen,
und umgekehrt hat sich die konkrete Gestalt dieser Vision auch oft erst
in der Praxis herausgebildet. Von außerordentlicher Bedeutung war für
das Denken der Täufer der Standort in einem fast schon ritualisierten
Antiklerikalismus. Das antiklerikale Milieu war ihr „Sitz im Leben". Die
Argumente, um ihre Visionen zu begründen und ihre Erfahrungen auszu-
drücken, haben die Täufer sich überall hergeholt, wo sie sich ihnen an-
boten: aus den Schriften der Reformatoren und Humanisten, aus der
mittelalterlichen Theologie, aus spätmittelalterlichen Frömmigkeits- oder
Laienbewegungen und aus der Heiligen Schrift. Das erklärt zu einem großen Teil die Heterogenität ihrer Gedankenwelt. Die Glaubenstaufe, der
Ruf in die Nachfolge Jesu Christi, das Modell der separatistischen Gemeinschaft, die Proklamation des Neuen Jerusalem: all das sind kirchen-
und gesellschaftskritische Ausdrucksformen eines alternativen Christen-
tums, das auf Erfahrung an und mit dem eigenen Geist und Leib beruht.
Das Martyrium, das den Täufern nicht erspart blieb, wurde deshalb auch
nicht so sehr als von außen zugefügtes Unrecht empfunden; es wurde
vielmehr als ein Weg angenommen, auf dem sich die Vision einer erneuer-
ten Christenheit am Maßstab des Urchristentums verwirklicht. So wurde

das Martyrium für viele Täufer zu einem Wesensmerkmal der Kirche schlechthin. Das theologisch Hellsichtige wie das Fragwürdige, das urtümlich Apostolische wie das Verquer-Bizarre sind Äußerungen eines Geistes, der bedrängt, aber unbeirrt bezeugt, daß die Jünger Jesu in dieser Welt nicht „von dieser Welt" sind. Mit ihren Alternativen brachten die Täufer eine Unruhe in die geistlich-weltlichen Mischformen des Corpus Christianum, die nicht aus einem Geist entsprungen war, der nur zerstörte, sondern aus einem Geist, der einen „neuen Himmel und eine neue Erde" erwarten oder schaffen wollte, auch wenn das nicht immer in dieser apokalyptischen Sprache zum Ausdruck gebracht wurde. Damit reihten sich die Täufer in die radikale Reformation ein, die eine Überwindung der gesellschaftlichen Grundordnung des 16. Jahrhunderts anstrebte. Sie waren nicht die theologischen Schüler Luthers oder Zwinglis, die sich aus Unverstand, Überdruß oder gar besserer Einsicht gegen die Lehrer selber gekehrt hätten. Sie waren auch nicht die Überbringer eines Frömmigkeitsideals, das aus der mittelalterlichen franziskanisch-asketischen Tradition nach Wegen in die Neuzeit suchte. Sie waren Reformer, die ihre Radikalität aus dem antiklerikalen Milieu der frühen Reformationsjahre bezogen und von ihrer Vision einer besseren Kirche und Gesellschaft nicht lassen wollten.

Früher ist vor allem unter einem theologisch-konfessionellen Gesichtspunkt das Täufertum als eine eigengeprägte und biblisch gerechtfertigte Verwirklichung des christlichen Glaubens aus dem größeren Zusammenhang der radikalen Reformation herausgehoben worden; heute muß das Täufertum gerade unter einem theologischen oder geistesgeschichtlichen Gesichtspunkt wieder in diesen Zusammenhang zurückgestellt werden, wenn es auf dem Hintergrund der historischen Differenzierungen doch als ein Ganzes beurteilt werden soll. Ansonsten bleibt nur noch der Weg, nachdem die historische Analyse die Suche nach einem „eigentlichen" Täufertum beendet hat, sich theologisch oder geistesgeschichtlich für *eine* täuferische Bewegung zu entscheiden und die übrigen Bewegungen als unbedeutende oder abwegige Formen des Täufertums auf sich beruhen zu lassen. Wer diesen Weg betritt, wird sich allerdings fragen lassen müssen, ob er der Geschichte innerlich unabhängig und frei oder fixiert auf das ihm Genehme gegenübertritt.

Doch es ist nicht nur die Vielfalt der täuferischen Bewegungen, die eine theologische Frage nach der normativen Kraft des konfessionellen Aufbruchs in Verlegenheit bringt. Erschwert wird diese Rückfrage auch durch die besondere Art der Täufer, die politisch-sozialen Erfahrungen in die theologischen Aussagen so hineinzuziehen, daß beide nicht mehr voneinander getrennt werden können. Erfahrungen haben die Täufer in einer Gesellschaftsordnung gesammelt, die im Laufe der abendländischen Geschichte in revolutionären Umbrüchen rigoros abgestoßen wurde. Heute wird nicht mehr erfahren, was die Täufer einst als Fesseln der christlichen Vision empfanden. Und das stellt uns vor die Frage: Kann die Theologie der Täufer für die Kirchen, für das emanzipatorische Bewußtsein oder für die historische Rechtfertigung einer bestimmten Gesellschaftsordnung heute noch irgendeine Bedeutung haben, wenn sie von den Erfahrungen gelöst wird, die jetzt nicht mehr gemacht werden? Wer den Praxiszusammenhang der täuferischen Theologie jedoch ernst nimmt, wird nicht auf die Idee kommen, diese Theologie hinter dem Rücken der europäischen Revolutionen zu beerben. Diese Theologie gehört mit den politischen und gesellschaftlichen Erfahrungen der Täufer zur Konkursmasse eines revolutionären Zeitalters. Mit der alteuropäischen Gesellschaftsstruktur ist auch die Theologie vergangen, die in ihr entstanden war. Davon läßt sich – zumindest in der ursprünglichen Form – nichts mehr über die Schwelle der revolutionären Zäsuren ziehen. Es mag wohl richtig sein, daß die Forderung einiger Täufergruppen nach einer radikalen Trennung von Kirche und Staat, nach Glaubensfreiheit und dem Recht, wehrlos leben zu dürfen, „das Kommen der modernen Welt vorausgenommen" hat; damit ist die Theologie der Täufer aber noch lange nicht zur Ideologie einer neuzeitlichen Gesellschaft geworden. Diese Gesellschaft ist auch nicht die Gesellschaft, die den Täufern einst vor Augen stand. Die Theologie der Täufer ist genauso unzeitgemäß wie die Theologie derer, die sie verketzerten und verfolgten. Das schließt jedoch nicht aus, daß nicht Impulse aus diesen alternativen Bewegungen des 16. Jahrhunderts in der Gegenwart überall dort aufgenommen werden könnten, wo in den kirchlichen und gesellschaftlichen Erfahrungen die Ursachen für die Unfreiheiten aufgespürt werden, die sich der Vision von einem „neuen Himmel und einer neuen Erde", auf die immer noch gewartet wird, in den Weg stellen, oder wo nach den kleinen Chancen der Freiheit gesucht wird.

Anmerkungen

1. Kapitel: Die Alternativen der Täufer

1 Heinold Fast, Reformation durch Provokation. Predigtstörungen in den ersten Jahren der Reformation in der Schweiz. UT, 79–110.
2 Vgl. David C. Steinmetz, Scholasticism and Radical Reform: Nominalist Motifs in the Theology of Balthasar Hubmaier. In: MQR 45, 1971, 123–144. Christof Windhorst, Täuferisches Taufverständnis. Balthasar Hubmaiers Lehre zwischen traditioneller und reformatorischer Theologie. Leiden 1976. Kenneth R. Davis, Anabaptism and Ascetism. A Study in Intellectual Origins. Scottdale, Pa., 1974.
3 Walter Klaassen, Anabaptism neither Catholic nor Protestant, Waterloo, Ontario 1974.
4 LF, 8 f.
5 Klaus Deppermann, Werner O. Packull, James M. Stayer, From Monogenesis to Polygenesis. The Historical Discussion of Anabaptist Origins. In: MQR 49, 1975, 83–122.
6 Hubmaier, Schriften, 490 und 487 (modern. Fassung vom Vf.)
7 J.F. Gerhard Goeters, Die Vorgeschichte des Täufertums in Zürich, in: L. Abramowski und J.F.G. Goeters (Hgg.), Studien zur Geschichte und Theologie der Reformation. Festschrift für E. Bizer, Neukirchen-Vluyn 1969, 241.
8 Heinold Fast, Reformation durch Provokation, UT, 80 f.
9 J.F. Gerhard Goeters, a.a.O., 264.
10 Ebd., 249.
11 Ebd., 249 f.; zur Einrichtung der Disputationen: Bernd Moeller, Zwinglis Disputationen, I. Teil, in: Zeitschrift der Savigny-Stiftung für Rechtsgeschichte 87, Kanonistische Abt. LVI, Weimar 1970, 275–324.
12 Vgl. im einzelnen: J.F. Gerhard Goeters, a.a.O., 256 ff. und James M. Stayer, Die Anfänge des schweizerischen Täufertums im reformierten Kongregationalismus, UT, 27 ff.
13 James M. Stayer, a.a.O., 28 ff.
14 J.F.G. Goeters, a.a.O., 256.
15 Vgl. Martin Haas, Der Weg der Täufer in die Absonderung, UT, 65.
16 Calvin A. Pater, Andreas Bodenstein von Karlstadt as the Intellectual Founder of Anabaptism, Ph. D. diss. Harvard 1979, 213 ff.
17 Vgl. John H. Yoder, Täufertum und Reformation in der Schweiz, I. Die Gespräche zwischen Täufern und Reformatoren 1523–1538. Karlsruhe 1962.
18 LF, 19.
19 Vgl. James M. Stayer, Reublin and Brötli. The Revolutionary Beginnings of Swiss Anabaptism, ChOA, 83–104.
20 Martin Haas, a.a.O., 61.
21 Vgl. folgende Kontroverse: John H. Yoder, Der Kristallisationspunkt des Täufertums, in: MGBl 1972, 35–47. Klaus Deppermann, Die Straßburger Reformatoren und die Krise des oberdeutschen Täufertums im Jahre 1527, in: MGBl 1973, 24–52 (anschließend Briefwechsel zwischen beiden Autoren).

22 LF, 64.

23 Beatrice Jenny, Das Schleitheimer Täuferbekenntnis 1527, Schaffhauser Beiträge zur vaterländischen Geschichte 28, 1951. Zu Reublin vgl. James M. Stayer, Wilhelm Reublin. Eine pikareske Wanderung durch das frühe Täufertum. RR, 93–102.

24 LF, 61.

25 LF, 65.

26 Zit. nach: Günter Jäckel, Kaiser, Gott und Bauer. Die Zeit des Deutschen Bauernkrieges im Spiegel der Literatur. Berlin 1975, 444 f.

27 LF, 62.

28 LF, 13.

29 Gottfried Seebaß, Hans Denck, in: Fränkische Lebensbilder, VI, Würzburg 1975, 126.

30 Gottfried Seebaß, Müntzers Erbe. Leben und Theologie des Hans Hut. Theol. Habil. (MS), Erlangen 1972. Werner O. Packull, Mysticism and the Early South German-Austrian Anabaptist Movement 1525–1531, Scottdale, Pa., 1977.

31 James M. Stayer, Anabaptists and the Sword, Lawrence ² 1976, 161.

32 Gottfried Seebaß, Bauernkrieg und Täufertum in Franken, in: ZKG 85, 1974, 284–300.

33 Werner O. Packull, a.a.O., 180 f.

34 GZ I, 162.

35 Zit. nach Robert Friedmann, Die hutterischen Brüder und die Gütergemeinschaft, in: TEV, 83 (C. Braitmichel, Große Chronik der Brüder, vgl. Rudolf Wolkan, Geschicht-Buch der hutterischen Brüder, Wien 1923, 63).

36 Ebd., 83.

37 Ebd., 82 und ME, I. 445.

38 Vgl. Horst von Gizycki, Farmkollektive der deutschstämmigen Hutterer in Süd-Dakota, in: ders. und Hubert Habicht (Hgg.), Oasen der Freiheit. Von der Schwierigkeit der Selbstbestimmung. Berichte, Erfahrungen, Modelle. Frankfurt/M. 1978, 12–23.

39 Ferdinand Seibt, Utopica. Modelle totaler Sozialplanung. Düsseldorf 1972, 174.

40 Ebd., 178 ff.

41 Werner O. Packull, a.a.O., 127.

42 James M. Stayer, Wilhelm Reublin, a.a.O., 100 f.

43 Zur Anwendung der „Fremdenthese" auf einen anderen Zweig des Täufer-Mennonitentums vgl. Ernst W. Schepansky, Ein Beispiel zur Sozialgeschichte des Fremden. Mennoniten in Hamburg und Altona zur Zeit des Merkantilismus. In: Hamburger Jahrbuch für Wirtschafts- und Gesellschaftspolitik 24, 1979, 219–234.

44 Vgl. Heinold Fast, Pilgram Marbeck und das oberdeutsche Täufertum. Ein neuer Handschriftenfund. In: ARG 47, 1956, 212–242.

45 Walter Klaassen, Michael Gaismair. Revolutionary and Reformer. Leiden 1978. Jürgen Bücking. Michael Gaismair. Reformer – Sozialrebell – Revolutionär. Seine Rolle im Tiroler „Bauernkrieg" (1525/32). Stuttgart 1978.

46 TQ Elsaß I, 362.

47 Heinold Fast (Hg.), Kunstbuch (Manuskript), Nr. 7 und 8, 31 (Abgeschrift einer epistl, so an die, so man die schweitzer Brueder nennth, geschrieben worden, von wegen der gähen gricht und urtel, darum dann etliche nit mitstimen mögen etc., 1531), fol. 48ᵛ. Die Herausgabe des Kunstbuchs wird vorbereitet.

48 Ebd., Nr. 3, 4 (Ein abschrift einer epistel, meldende von den fleischfreyen, die alles macht wollen haben und inen kein gwissen nennen etc., 1544), fol. 8ʳ.

49 James M. Stayer, Anabaptists and the Sword, 181.

50 Heinold Fast (Hg.), Kunstbuch, fol. 162^r.

51 Klaus Deppermann, Melchior Hoffman. Widersprüche zwischen lutherischer Obrigkeitstreue und apokalyptischem Traum. RR, 156.

52 Vgl. Calvin A. Pater, a.a.O., 309 ff.

53 Klaus Deppermann, a.a.O., 164.

54 Richard van Dülmen, Das Täuferreich zu Münster 1534–1535. Berichte und Dokumente. München 1974, 111. Neuere Darstellungen: Ders., Reformation als Revolution. Soziale Bewegung und religiöser Radikalismus in der deutschen Reformation. München 1977, 229–360; Willem de Bakker, Bernhard Rothmann. Die Dialektik der Radikalisierung in Münster. RR, 167–178.

55 Heinz Schilling, Aufstandsbewegungen in der Stadtbürgerlichen Gesellschaft des Alten Reiches. Die Vorgeschichte des Münsteraner Täuferreichs 1525–1534. In: Hans-Ulrich Wehler (Hg.), Der Deutsche Bauernkrieg 1524–1526, Göttingen 1975, 193–238.

56 James M. Stayer, a.a.O., 290. Vgl. Klaus Deppermann, Melchior Hoffmann. Soziale Unruhen und apokalyptische Visionen im Zeitalter der Reformation. Göttingen 1979, 312 ff.

57 Albert F. Mellink, De Wederdopers in de noordelijke Nederlanden, Groningen 1953.

58 James M. Stayer, a.a.O., 297.

59 Christoph Bornhäuser, Leben und Lehre Menno Simons'. Ein Kampf um das Fundament des Glaubens (etwa 1496–1561). Neukirchen-Vluyn 1973.

60 James M. Stayer, Oldeklooster and Menno, in: Sixteenth Century Journal 9, 1978, 51–67.

61 Christoph Bornhäuser, a.a.O., 109.

62 Sebastian Franck, Chronica. Zeytbuch und Geschychtbibel. Straßburg 1531, 444.

2. *Kapitel: Antiklerikalismus und „Besserung des Lebens"*

1 Erasmus von Rotterdam, Handbüchlein des christlichen Streiters, Olten und Freiburg i.Br. 1952, 105.

2 Zit. nach Günther Franz, Der Deutsche Bauernkrieg, Darmstadt 1975, 46.

3 Ebd., 49.

4 Bernd Moeller, Frömmigkeit in Deutschland um 1500, in: ARG 56, 1965, 25.

5 Martin Luther, WA, 6, 347.

6 Max Steinmetz u.a., Illustrierte Geschichte der frühbürgerlichen Revolution, Berlin (Ost) 1975, 147. Ronald Sider, Andreas Bodenstein von Karlstadt zwischen Liberalität und Radikalität. RR, 23.

7 Carl Hinrichs, Luther und Müntzer. Ihre Auseinandersetzung über Obrigkeit und Widerstandsrecht, Berlin 1962, 9 ff.

8 Max Steinmetz u.a. (Hgg.), a.a.O., 145.

9 Vgl. K. Amon, Die Steiermark vor der Glaubensspaltung 1, Geschichte der Diözese Selkau 3/1, 1960, 276 (Hinweis bei B. Moeller, a.a.O., 22).

10 Heinold Fast, Reformation durch Provokation, UT, 98.

11 TQ Zürich, 121.

12 LF, 262.

13 LF, 26.

14 LF, 265 f.
15 LF, 33; vgl. auch TQ Ostschweiz II, 331.
16 TQ Ostschweiz, 338 ff.
17 LF, 37 f.
18 Hubmaier, Schriften, 308 f.
19 Ebd., 200.
20 Ebd., 188.
21 TQ Ostschweiz, 110 und 112.
22 LF, 64 f.
23 Vgl. Hans-Jürgen Goertz, „Lebendiges Wort" und „totes Ding". Zum Schriftverständnis Thomas Müntzers im Prager Manifest. In: ARG 67, 1976, 153–178.
24 LF, 82.
25 LF, 80.
26 LF, 86.
27 Heinold Fast, Pilgram Marbeck und das oberdeutsche Täufertum. Ein neuer Handschriftenfund. In: ARG 47, 1956, 214.
28 Zit. nach Klaus Deppermann, a.a.O., 102.
29 Ebd., 90.
30 Ebd., 59.
31 Ebd., 62.
32 TQ Elsaß II, 393; vgl. Deppermann, a.a.O., 226 ff.
33 LF, 154 f.
34 Menno Simons, Dat Fundament des Christelycken Leers, hg. von H.W. Meihuizen, den Haag 1967, bes. 127 ff.
35 LF, 4.
35a TQ Zürich, 8.
36 GZ I, 89, 173 ff. u.ö.
36a LF, 65.
37 LF, 62 und 64.
38 TQ Ostschweiz, 226.
39 LF, 65.
40 TQ Hessen, 40.
41 GZ I, 89 f.
42 TQ Zürich, 39.
43 Clarence Bauman, Gewaltlosigkeit im Täufertum. Eine Untersuchung zur theologischen Ethik des oberdeutschen Täufertums der Reformationszeit. Leiden 1968, 134 f.
44 TQ.Täufergespräche, 91 f.
45 TQ Ostschweiz, 364.
46 Elsa Bernhofer-Pippert, Täuferische Denkweisen und Lebensformen im Spiegel oberdeutscher Täuferverhöre, Münster 1967, 77.
47 Claus-Peter Clasen, Anabaptism. A Social History, 1525–1618. Switzerland, Austria, Moravia, South and Central Germany. Ithaca und London 1972, 82.
48 Zit. nach Günther Franz, a.a.O., 88.
49 TQ Ostschweiz, 344.
50 LF, 13.
51 John H. Yoder. The Turning Point in the Zwinglian Reformation, in: MQR 32, 1958, 128–140; Robert Walton, Zwingli's Theocracy, Toronto 1967.
52 LF, 19.
53 Claus-Peter Clasen, a.a.O., 79.

54 Clarence Bauman, a.a.O., 153.
55 Zit. nach John C. Wenger, Der Biblizismus der Täufer, TEV, 168 (Sattlers Brief an die Gemeinde in Horb).
56 LF, 34.
57 LF, 32 und TQ Zürich, 200.
58 John H. Yoder, Täufertum und Reformation im Gespräch. Dogmengeschichtliche Untersuchung der frühen Gespräche zwischen schweizerischen Täufern und Reformatoren. Zürich 1968, 83 f.
59 Vgl. Christof Windhorst, a.a.O., 195 ff.
60 John H. Yoder, a.a.O., 85.
61 Clarence Bauman, a.a.O., 157.
62 Zit. nach ML I, 316.
63 Heinold Fast, Die Täuferbewegung im Lichte des Frankenthaler Gespräches, 1571, in: MGBl, 1973, 7–23.
64 Denck, Schriften II, 59.
65 GZ I, 14.
66 Denck, Schriften II, 106.
67 Werner O. Packull, a.a.O., 129 ff.
68 Denck, Schriften II, 106.
69 GZ I, 45.
70 Clarence Bauman, a.a.O., 124–170. Der Vorwurf der Harmonisierung muß auch gegen Georg Gottfried Gerner, Der Gebrauch der Heiligen Schrift in der oberdeutschen Täuferbewegung, theol. Diss. Heidelberg 1973, erhoben werden.
71 TQ Elsaß II, 352.
72 Gegen John H. Yoder, a.a.O., 86; zu Marpecks Schriftverständnis: William Klassen, Covenant and Community, Grand Rapids 1968.
73 Klaus Deppermann, a.a.O., 217.
74 Ebd., 212–226.
75 Ebd., 223.
76 Menno Simons, a.a.O., 106.
77 LF, 163.
78 LF, 163.
79 LF, 166.
80 Christoph Bornhäuser, a.a.O., 56.
81 Ebd., 60.
82 Ebd., 61.
83 Harold S. Bender, in: ME I, 322.
84 J. Lawrence Burkholder, Nachfolge in täuferischer Sicht, TEV, 142.
85 Denck, Schriften II, 57.
86 Ebd., 21 und 107.
87 Vgl. Hans-Jürgen Goertz, Innere und äußere Ordnung in der Theologie Thomas Müntzers, Leiden 1967; Werner O. Packull, a.a.O., 62 ff.
88 Denck, Schriften II, 90.
89 Ebd., 44.
90 Ebd., 53.
91 Ebd., 43.
92 Ebd., 44.
93 Ebd., 30.
94 Ebd., 44.
95 LF, 13 und 30.

96 John H. Yoder, a.a.O., 3.
97 Torsten Bergsten, Balthasar Hubmaier. Seine Stellung zu Reformation und Täufertum, 1521–1528. Kassel 1961.
98 Hubmaier, Schriften, 340.
99 Ebd., 322 und 386.
100 Ebd., 390.
101 Ebd., 391.
102 Kenneth R. Davis, a.a.O., 149 ff.
103 Hubmaier, Schriften, 430.
104 Torsten Bergsten, a.a.O., 443 ff.
105 Hubmaier, Schriften, 396.
106 Ebd., 462.
107 Menno Simons, Opera Omnia Theologica, Amsterdam 1681, 128 (fortan: Opera omnia).
108 Ebd., 311.
109 Ebd., 461 ff.
110 Ebd., 463.
111 Ebd., 129.
112 Christoph Bornhäuser, a.a.O., 74–82.
113 Opera omnia, 442 u.ö.
114 Ebd., 449.
115 Klaus Deppermann, a.a.O., 203.
116 Kenneth R. Davis, a.a.O.

3. Kapitel: Taufe als öffentliches Bekenntnis

1 Günther Franz (Hg.), Thomas Müntzer, Schriften und Briefe. Gütersloh 1967, 228.
2 Jacob Strauß, Von dem ynnerlichen vnnd ausserlichem Tauff, Erfurt 1523. Ders., Wider den symoneisch. / eñ tauff vnderkauftn (n)/ ertichten krysem vnd oel/ auch warin die recht cristlich tauff ... begriffen sey, Augsburg 1523. Ulrich Zwingli, Von dem touff, vom widertouff unnd vom kindertouff, in: Zwingli, Sämtliche Werke IV, 228 ff.
3 Fritz Blanke, Täufertum und Reformation, TEV, 57 f.
4 Heinrich Bullinger, Der Widertöufferen vrsprung, fürgang, Secten, wäsen, fürnemen vnd gmeine jrer leer Artickel, ouch jre gründ, Zürich 1561, 15b. Vgl. Heinold Fast, Bullinger und die Täufer. Ein Beitrag zur Historiographie und Theologie im 16. Jahrhundert, Weierhof 1959.
5 LF, 13.
6 Hubmaier, Schriften, 189.
7 Rollin S. Armour, Anabaptist Baptism. A Representative Study. Scottdale, Pa., 1966. Kritisch dazu: Hans-Jürgen Goertz, Die Taufe im Täufertum. Anmerkungen zur ersten Gesamtdarstellung. In: MGBl 1970, 37–47.
8 Heinold Fast, Bemerkungen zur Taufanschauung der Täufer, in: ARG 57, 1966, 131–151. Hans-Jürgen Goertz, Das doppelte Bekenntnis in der Taufe, in: ders. (Hg.), Die Mennoniten, Stuttgart 1971, 70–99. Martin Brecht, Herkunft und Eigenart der Taufanschauung der Zürcher Täufer, in: ARG 64, 1973, 147–165.
9 John H. Yoder, Täufertum und Reformation im Gespräch, 1968, 17 ff. und 33 f. Clarence Bauman, a.a.O., 222 ff.
10 Christof Windhorst, a.a.O.

11 Calvin A. Pater, Andreas Bodenstein von Karlstadt as the Intellectual Founder of Anabaptism, Ph. D. diss. Harvard University 1977.

12 TQ Zürich, 17 f.

13 Zwingli Hauptschriften, Bd. 11, bearbeitet von R. Pfister, Zürich 1948, 27.

14 Christof Windhorst, a.a.O., 195, 212 f.

15 Heinold Fast, a.a.O., 132 und 136 f.

16 TQ Zürich, 17 f.

17 LF, 21; vgl. 33: „Die Kindertaufe ist wider Gott eine Schmähung Christi und ein unter die Füße Treten seines einzigen, wahren, ewigen Wortes" (Felix Mantz, Protestation).

18 John H. Yoder, a.a.O., 22.

19 TQ Zürich, 17 f.

20 Heinold Fast, a.a.O., 135.

21 LF, 28–36. Vgl. Calvin A. Pater, a.a.O., 286 ff.

22 James M. Stayer, Anfänge, UT, 36 ff.

23 Heinold Fast, a.a.O., 147.

24 James M. Stayer, Anfänge, UT, 39.

25 Christof Windhorst, a.a.O.

26 Hubmaier, Schriften, 254.

27 Ebd., 253.

28 Ebd., 127.

29 Ebd., 126.

30 Ebd., 127.

31 Ebd., 156.

32 Christof Windhorst, a.a.O., 104 f. Vf. weist auf die unterschiedliche Deutung des „Pflichtzeichens" bei Zwingli und Hubmaier hin: „Pflichtzeichen des neuen Lebens" (Hubmaier), „Pflichtzeichen des Volkes Gottes" (Zwingli).

33 Ebd., 257, vgl. auch 200 ff.

34 Hubmaier, Schriften, 160.

35 Ebd., 253.

36 Christof Windhorst, a.a.O., 149.

37 Hubmaier, Schriften, 315.

38 Gottfried Seebaß, Das Zeichen der Erwählten. Zum Verständnis der Taufe bei Hans Hut, UT, 138 ff.

39 GZ I, 15.

40 Ebd., 23.

41 Ebd., 20.

42 Gottfried Seebaß, a.a.O., 141.

43 GZ I, 25.

44 Ebd., 25.

45 Ebd., 20 und 21.

46 Ebd., 20.

47 Denck, Schriften II, 24 u.ö.

48 Rollin S. Armour, a.a.O., 86 ff.

49 GZ I, 20.

50 Gottfried Seebaß, a.a.O., 163.

51 Ebd., 162 f.

52 Christian Hege (Hg.), Pilgram Marbecks Vermahnung. Ein Wiedergefundenes Buch. Sonderdruck aus der Gedenkschrift zum 400jährigen Jubiläum der Mennoniten oder Taufgesinnten. Ludwigshafen a.Rh. 1925 (fortan: Vermahnung). Leider ist diese Ausgabe sehr fehlerhaft. Vgl. eine englische Fassung neuerdings

bei Walter Klaassen und William Klassen (Hgg.), The Writings of Pilgram Marpeck, Scottdale, Pa., 1978, 159–302.

53 Frank J. Wray, The „Vermahnung" of 1542 and Rothmann's „Bekenntnisse", in: ARG 47, 1956, 243–251. Die Zusätze von Marpeck sind in der englischen Ausgabe (s.o.) kenntlich gemacht worden. Zum Verhältnis von Marpeck und Rothmann vgl. auch Heinold Fast, a.a.O., 138 ff.

54 Jan J. Kiwiet, Pilgram Marbeck. Ein Führer der Täuferbewegung im süddeutschen Raum. Kassel ² 1958, 84 ff. William Klassen, Covenant and Community, Grand Rapids 1968.

55 Vermahnung, 232 f.

56 Ebd., 209.

57 Ebd., 207.

58 Ebd., 207.

59 Heinold Fast, a.a.O., 143.

60 Eine systematische Analyse der Bearbeitung von Rothmanns Schrift durch den Marpeck-Kreis wäre dringend geboten.

61 Bernhard Rothmann, Schriften, 155.

62 Vermahnung, 207.

63 Ebd., 208. Vgl. dazu Rollin S. Armour, a.a.O., 120–127.

64 Vermahnung, 276.

65 Ebd., 207.

66 Ebd., 217 f.

67 Jan J. Kiwiet, a.a.O., 125.

68 Heinold Fast, a.a.O., 143.

69 Hans-Jürgen Goertz, Innere und äußere Ordnung in der Theologie Thomas Müntzers, Leiden 1967, 113.

70 Christoph Bornhäuser, a.a.O., 88–92.

71 Menno Simons, Die vollständigen Werke, I, Elkhart 1876, 34 f.

72 Ebd., 40.

73 Ebd., II, 1881, 290.

74 Ebd., I, 35.

75 Ebd., 39 und 47.

76 Christoph Bornhäuser, a.a.O., 74 ff.

4. Kapitel: Gemeinde, Obrigkeit und Neues Reich

1 Vgl. für den Zusammenhang von Antiklerikalismus und Bauernkrieg: Henry J. Cohn, Anticlericalism in the German Peasants War 1525, in: Past and Present 83, 1979, 3–31.

2 James M. Stayer, Die Schweizer Brüder. Versuch einer historischen Definition. In: MGBl 1977, 7–34. Martin Haas, Der Weg der Täufer in die Absonderung, UT, 50–78.

3 John H. Yoder, The Turning Point in the Zwinglian Reformation, in: MQR 53, 1959, 5–17; ders., Täufertum und Reformation im Gespräch. Dogmengeschichtliche Untersuchung der frühen Gespräche zwischen schweizerischen Täufern und Reformatoren. Zürich 1968. Robert C. Walton, Was there a Turning Point of the Zwinglian Reformation? in: MQR 52, 1968, 45–52; ders., Zwingli's Theocracy, Toronto 1967.

4 James M. Stayer, Anfänge, UT, 19–49.

5 Fritz Blanke, Brüder in Christo. Die Geschichte der ältesten Täufergemeinde (Zollikon 1525), Zürich 1955, 15. Heinold Fast, Variationen des Kirchenbegriffs bei den Täufern, in: MGBl 1970, 5–18.

6 LF, 19.

7 LF, 13.

8 LF, 13.

9 LF, 19.

10 Heinold Fast, a.a.O., 8 f.

11 LF, 53.

12 LF, 20.

13 J.F. Gerhard Goeters, a.a.O., 276.

14 LF, 17.

15 Heinold Fast, a.a.O., 6.

16 LF, 19.

17 LF, 19.

18 LF, 63.

19 LF, 63.

20 LF, 65.

21 LF, 67.

22 Martin Haas, Der Weg der Täufer in die Absonderung, UT, 73; TQ Ostschweiz, 283.

23 TQ Ostschweiz, 608 (zit. bei M. Haas, a.a.O., 75).

24 Gegen Günther Bauer, Anfänge täuferischer Gemeindebildungen in Franken, Nürnberg 1966. Vgl. Gottfried Seebaß, Müntzers Erbe, 1972, 524–548.

25 LF, 92.

26 GZ I, 32.

27 Robert Friedmann, Hutterite Studies, ed. by Harold S. Bender, Goshen, Ind., 1961, 107 ff. (vgl. auch ME II, 454–55).

28 Walter Klaassen und William Klassen (Hgg.), The Writings of Pilgram Marpeck, Scottdale, Pa., 1977, 421 f.

29 Heinold Fast (Hg.), Kunstbuch Nr. 19, 2 (Ms.), fol. 180^{vf}.

30 Ebd., 5, fol. 183^r.

31 Jan J. Kiwiet, a.a.O., 117.

32 Klaus Deppermann, a.a.O., 233.

33 Heinold Fast, a.a.O., 13.

34 Opera omnia, 441.

35 Cornelius Krahn, Menno Simons. Ein Beitrag zur Geschichte und Theologie der Taufgesinnten. Karlsruhe 1936, 158.

36 Heinold Fast, a.a.O., 12.

37 Opera omnia, 442.

38 Opera omnia, 442.

39 Christoph Bornhäuser, a.a.O., 158 ff.

40 Opera omnia, 301.

41 Opera omnia, 301.

42 James M. Stayer, Davidite vs. Mennonite, in: Irvin B. Horst (Hg.), Dutch Dissenters, Leiden 1980. Irvin B. Horst, Menno Simons. Der neue Mensch in der Gemeinschaft. RR, 179 ff.

43 Vgl. Alexander und Margarete Mitscherlich, Die Unfähigkeit zu trauern. Grundlagen kollektiven Verhaltens, München 1968.

44 Christoph Bornhäuser, a.a.O., 158 ff.
45 Vgl. James M. Stayer, Anabaptists and the Sword, 1976.
46 LF, 66.
47 LF, 67.
48 LF, 67.
49 Vgl. Elfriede Lichdi, Die Täufer in Heilbronn (1528–1559). Bürgereid und christliche Lebenshaltung. In: MGBl 1978, 24 ff.
50 Zum Eid vgl. Heinold Fast, Die Eidesverweigerung bei den Mennoniten, in: Hildburg Bethke (Hg.), Eid, Gewissen, Treuepflicht, Frankfurt 1965, 136–151; Hans Adolf Hertzler, Die Verweigerung des Eides, in: Hans-Jürgen Goertz (Hg.), Die Mennoniten, Stuttgart 1971, 100–108.
51 James M. Stayer, a.a.O., 117–131.
52 Hubmaier, Schriften, 456.
53 Ebd., 448.
54 Ebd., 455.
55 James M. Stayer, a.a.O., 49 ff.
56 Hubmaier, Schriften, 435; vgl. auch 277.
57 Ebd., 456.
58 Torsten Bergsten, Balthasar Hubmaier. Seine Stellung zu Reformation und Täufertum 1521–1528. Kassel 1961, 451 ff.
59 Hubmaier, Schriften, 489.
60 James M. Stayer, a.a.O., 154.
61 Gottfried Seebaß, Hans Hut. Der leidende Rächer. RR, 49.
62 James M. Stayer, a.a.O., 190–193; Max Steinmetz u.a., Illustrierte Geschichte der frühbürgerlichen Revolution, Berlin (Ost) 1975, 324 f.
63 GZ I, 170.
64 GZ I, 187.
65 John H. Yoder, Täufertum und Reformation im Gespräch, 1968, 167.
66 Klaus Deppermann, Melchior Hoffman, 1979, bes. 217–233.
67 LF, 327.
68 Klaus Deppermann, a.a.O., 231.
69 Vgl. z.B. Clarence Bauman, Gewaltlosigkeit im Täufertum, 1968.
70 Vgl. Walter Klaassen, The Anabaptist Understanding of the Separation of the Church, in: Church History 46, 1977, 421 ff.
71 TQ Gespräche, 183.
72 Ebd., 184.
73 Ebd., 302.
74 Ebd., 303.
75 John H. Yoder, Täufertum und Reformation im Gespräch, Zürich 1968, 65. Unter der Überschrift „Die Autorität der Kirche" wird die Frage nach der Einheit der Kirche ausführlich behandelt (56–70). – Der Restitutionsbegriff spielt eine große Rolle bei Franklin H. Littell, Das Selbstverständnis der Täufer, Kassel 1966, 122–158.

5. Kapitel: Ketzer, Aufrührer und Märtyrer

1 DR, 2, 1325 ff.
2 Walther Köhler, Reformation und Ketzerprozeß, Tübingen und Leipzig 1910, 16.

3 DR, 2, 1326.

4 Claus-Peter Clasen, a.a.O., 374.

5 Hans H. Th. Stiasny, Die strafrechtliche Verfolgung der Täufer in der freien Reichsstadt Köln 1529–1618, Münster 1962, 113.

6 TQ Zürich, 180 f. und 210 f.

7 Ekkehard Krajewski, Leben und Sterben des Zürcher Täuferführers Felix Mantz. Über die Anfänge der Täuferbewegung und des Freikirchentums in der Reformationszeit, Kassel 1958.

8 Oskar Farner (Hg.), Zwinglis Briefe, II, Zürich 1920, 174.

9 TQ Zürich, 226. In dem Mandat vom 7. März 1526 wird zwar schon das obrigkeitsfeindliche Verhalten der Täufer gegeißelt, jedoch noch nicht zur Begründung der Todesstrafe angeführt. Dies Verhalten wurde lediglich mit „schwäre straff und gfengnuß" geahndet (TQ Zürich, 181). Anders z.b. die Urteilsbegründung 1529 gegen Jakob Schaufelberg, TQ Ostschweiz, 51. Hier bezieht sich wohl „irtung, unchristenlich handlung, ubel und mißthun" eher auf das hartnäckige Bekenntnis zur Wiedertaufe als auf den Eidbruch nach dem vorangegangenen Widerruf.

10 Horst Schraepler, Die rechtliche Behandlung der Täufer in der deutschen Schweiz, Südwestdeutschland und Hessen 1525–1618, Tübingen 1957, 36.

11 TQ Ostschweiz, 1–17.

12 Ebd., 5.

13 Ebd., 5.

14 Claus-Peter Clasen, a.a.O., 370.

15 Walther Köhler, Brüderliche Vereinigung etzlicher Kinder Gottes sieben Artikel betreffend. Item ein Sendbrief Michael Sattlers an eine Gemeinde Gottes samt seinem Martyrium (1527), in: Otto Clemen (Hg.), Flugschriften aus den ersten Jahren der Reformation, 2. Bd., Heft 3, Leipzig 1908, 331 f. Vgl. auch LF, 77.

16 Horst Schraepler, a.a.O., 42.

17 TQ Österreich I, 5.

18 Ebd., 27.

19 Ebd., 55.

20 Beide Vorwürfe bleiben nebeneinander bestehen; die Anklage steigt nicht, wie H. Schraepler, a.a.O., 19 und 42, übrigens ohne Beleg behauptet, von Ketzerei auf Aufruhr um. Vgl. gegen Schraepler auch Claus-Peter Clasen, a.a.O., 377: „In 1528, too, Anabaptism was considered both a heretical and a rebellious movement."

21 TQ Österreich I, 93.

22 DR, VII, 1, 177. Claus-Peter Clasen, a.a.O., 376 f., hat zu Recht darauf hingewiesen, daß die chiliastischen Vorstellungen Hans Huts als Bedrohung der Obrigkeit aufgefaßt werden und für die Intensivierung der Verfolgung 1528/29 mitverantwortlich sind.

23 Horst Schraepler, a.a.O., 32 f. und 46 f.

24 Ebd., 44 f.

25 Johannes Kühn, Die Geschichte des Speyerer Reichstages 1529, Leipzig 1929, 167 f.

26 Ebd., 59 ff.

27 DR VII, 2, 1142 f.

28 DR VII, 1, 224.

29 Vgl. Günter Vogler, Der deutsche Bauernkrieg und die Verhandlungen des Reichstages zu Speyer 1526, in: ZfG 23, 1975, 1396–1410; Rainer Wohlfeil,

Der Speyerer Reichstag von 1526, in: Blätter für Pfälzische Kirchengeschichte und Religiöse Volkskunde 43, 1976, 5–20.

30 DR VII, 2, 1326.

31 DR VII, 1, 870 Anm. 4. Am 9. April 1529 gibt Ferdinand I. das Reichsgesetz für seine Erblande bekannt: TQ Österreich I, 187 f.

32 Vgl. Horst Schraepler, a.a.O., 46 f.; vgl. auch Franklin H. Littell, Landgraf Philipp und die Toleranz, Bad Nauheim 1957.

33 TQ Elsaß I, 247 f. Zur Hinrichtung eines Trinitätsleugners kam es im Dezember 1527; auf Gotteslästerung stand auch schon früher die Todesstrafe: TQ Elsaß I, 136 Anm. 1. Vgl. Claus-Peter Clasen, a.a.O., 372 (aufgeführt werden noch: Ulm, Schwäbisch Hall, Reutlingen, Heilbronn, Nördlingen, Donauwörth und Windsheim). Zur Haltung des Straßburger Rates gegenüber den Täufern vgl. Marc Lienhard, Les autorités civiles et les anabaptistes: Attitudes du magistrat de Strasbourg (1526–1532), OChA, 196–215.

34 TQ Elsaß I, 122 (Wiedertäufermandat vom 27. Juli 1527); 268 (vom 24. September 1530).

35 Klaus Deppermann, a.a.O., 269.

36 Paul Wappler, Inquisition und Ketzerprozesse in Zwickau zur Reformationszeit. Dargestellt im Zusammenhang mit der Entwicklung der Ansichten Luthers und Melanchthons über Glaubens- und Gewissensfreiheit. Leipzig 1908, 57 ff. – Der Zusammenhang zwischen dem Reichsgesetz und der Begründung der Todesstrafe bei Melanchthon ist nicht berücksichtigt bei: John S. Oyer, Die Reformatoren als Gegner der täuferischen Theologie, TEV, 195–208; und ders., Lutheran Reformers Against Anabaptists. Luther, Melanchthon and Menius and the Anabaptists of Central Germany, Den Haag 1964, 156 ff.

37 Zit. bei Wappler, a.a.O., 61 f., nach Corpus Reformatorum IV, 737 ff.

38 Horst Schraepler, a.a.O., 24 f. Vf. stützt sich auf die sog. „Gotteslästerertheorie", die Erich Meißner, Die Rechtsprechung über die Wiedertäufer und die antitäuferische Publizistik, phil. Diss. Göttingen 1921, beschrieben hat. Schraepler hat nicht gesehen, daß es Melanchthon um eine neue Begründung des Reichsgesetzes und nicht um die Übertragung des Aufruhrvorwurfs von den aufständischen Bauern durch eine neue Begründung auf die Täufer ging.

39 WA, Briefe 6, 223.

40 WA 26, 145 f.

41 Leif Grane, Thomas Müntzer und Martin Luther, in: Abraham Friesen und Hans-Jürgen Goertz (Hgg.), Thomas Müntzer. Wege der Forschung 491, Darmstadt 1978, 90 ff.

42 WA 31, I, 208 ff. Ob Luther eine standrechtliche *Hinrichtung* gemeint hat, läßt sich nicht eindeutig aus dem Text erheben; vgl. dazu auch Horst Schraepler, a.a.O., 25.

43 Claus-Peter Clasen, a.a.O., 382, hat den Nachholcharakter der reformatorischen Begründung des Speyerer Reichsgesetzes nicht erkannt. Hinsichtlich des Strafmaßes und der konkreten Durchführung der Prozesse haben die Reformatoren den kursächsischen Hof nicht beeinflußt, sondern nur bestärkt. – Daß protestantische Gutachten auch für die Täufer positiver ausfallen konnten als die Gutachten der Wittenberger, zeigt das Beispiel des Johannes Brenz. Er steht nicht unter demselben obrigkeitlichen Erwartungsdruck wie die Wittenberger. In Nürnberg, in dessen Auftrag Brenz offensichtlich Gutachten verfaßte, war bereits die Tendenz zu spüren, nicht mehr mit der Todesstrafe gegen die Täufer vorgehen zu wollen. Die Gutachten sind kritisch ediert und kommentiert in:

Johannes Brenz, Frühschriften: Teil 2, hg. von Martin Brecht u.a., Tübingen 1974. Vgl. Gottfried Seebaß, An sint persequendi haeretici? Die Stellung des Johannes Brenz zur Verfolgung und Bestrafung der Täufer, in: Blätter für württembergische Kirchengeschichte 70, 1970, 40–99. Unter dem „Bedenken der Wiedertäufer halben" (1557 von Melanchthon in Worms verfaßt), das die Todesstrafe wegen Gotteslästerung empfiehlt, findet sich allerdings auch die Unterschrift von J. Brenz. Dazu schreibt Seebaß (a.a.O., 97), „daß Brenz hier nicht seine eigene Meinung vertrat, sondern mit Rücksicht auf politische Überlegungen und die erstrebte Übereinstimmung mit den Wittenberger Theologen einem Kompromiß zustimmte. Es wirft zweifellos einen Schatten auf seine Person, daß er an einer solchen Stelle, an der es um Leben und Tod von Menschen ging, die eigene Auffassung nicht konsequenter vertrat. Man darf aber auch nicht vergessen, daß die Beschlüsse von Ansbach (auch hier hat Brenz 1531 abweichend von seiner Überzeugung einem Gutachten zugestimmt, das die Todesstrafe rechtfertigte, d. Vf.) und Worms in den Gebieten, in denen Brenz Einfluß besaß, ein Stück Papier blieben und keine Auswirkungen hatten." Zum Schicksal der Täufer in Nürnberg vgl. Hans-Dieter Schmid, Täufertum und Obrigkeit in Nürnberg, Nürnberg 1972; neuerdings auch Gottfried Seebaß, Dissent und Konfessionalisierung. Zur Geschichte des „linken Flügels der Reformation" in Nürnberg. In Werner Brändle (Hg.), Martin Walser. Das Sauspiel. Szenen aus dem 16. Jahrhundert. Mit Materialien. Frankfurt 1978, 366–393.

44 Claus-Peter Clasen, a.a.O., 410.
45 Vgl. Gottfried Seebaß, Dissent und Konfessionalisierung, a.a.O., 382 und 387.
46 Ebd., 385.
47 John S. Oyer, a.a.O., 139.
48 Vgl. Hans H. Th. Stiasny, a.a.O., 113 f.
49 Claus-Peter Clasen, a.a.O., 370.
50 LF, 20 und 25.
51 LF, 101.
52 John H. Yoder, Sendung und Auftrag der Gemeinde, in: Hans-Jürgen Goertz (Hg.), Die Mennoniten, Stuttgart 1971, 124.
53 Ethelbert Stauffer, Märtyrertheologie und Täuferbewegung, in: ZKG 52, 1933, 345–398.
54 Walther Köhler, Reformation und Ketzerprozeß, Tübingen und Leipzig 1910, 4 ff.
55 Hubmaier, Schriften, 96.
56 James M. Stayer, Die Anfänge des Täufertums im reformierten Kongregationalismus, UT, 49.
57 TQ Ostschweiz, 42 ff. (Urteil gegen Hans Rüeger von Hallau); vgl. James M. Stayer, a.a.O., 43 f. Für das Zusammengehen von Täufern und Bauern vgl. auch ders., Reublin und Brötli: The Revolutionary Beginnings of Swiss Anabaptism, OChA, 83–102; ders. Wilhelm Reublin. Eine pikareske Wanderung durch das frühe Täufertum. RR, 93–102.
58 WA 51, 402.
59 TQ Elsaß I, 110.
60 TQ Pfalz, 135.
61 John H. Yoder, a.a.O., 121, weist darauf hin, daß im Täufertum beide neutestamentlichen Bedeutungen des Begriffs „martyria" zum Ausdruck gebracht werden: Zeugnis und Martyrium. Der Vorrang des Bekenntnisses vor der Lehre gilt auch für die Frage nach der Einheit der Kirche, vgl. Wolfhart Pannenberg, Kon-

fessionen und Einheit der Kirchen, in: Ökumenische Rundschau 23, 1973, 302 ff.
62 Vgl. Harold S. Bender, Täufer und Religionsfreiheit im 16. Jahrhundert, in: Heinrich Lutz (Hg.), Zur Geschichte der Toleranz und Religionsfreiheit. Wege der Forschung 246, Darmstadt 1977, 111–134. Vgl. auch Roland H. Bainton, Der täuferische Beitrag zur Geschichte, TEV, 304: ,,Um ihrer Leiden willen kann daher gesagt werden, daß sie unmittelbar zur Durchsetzung der Religionsfreiheit beigetragen haben.''

6. Kapitel: Ideale Formen kränkeln

1 Heiko A. Oberman, Reformation: Epoche oder Episode, in: ARG 68, 1977, 61.
2 Vgl. Rodney J. Sawatsky, History and Ideology: American Mennonite Identity Definition through History, Ph. D. diss. Princeton University 1977.
3 Bes. Gerhard Zschäbitz, Zur mitteldeutschen Wiedertäuferbewegung nach dem großen Bauernkrieg, Berlin (Ost) 1958; Gerhard Brendler, Das Täuferreich von Münster 1534/35, Berlin (Ost) 1966.
4 Vgl. neuerdings jedoch Abraham Friesen, Reformation and Utopia: The Marxist Interpretation of the Reformation and its Antecedents, Wiesbaden 1974; ders., The Marxist Interpretation of Anabaptism, in: Carl S. Meyer (Hg.), Sixteenth Century Essays and Studies I, St. Louis 1970, 17–34; Paul Peachey, Marxist Historiography of the Radical Reformation, ebd., 1–16.
5 James M. Stayer, Anabaptists and the Sword, Lawrence [2] 1976; Claus-Peter Clasen, a.a.O.; vgl. auch ders., The Anabaptists in South and Central Germany, Switzerland and Austria. Their Names, Occupations, Places of Residence and Dates of Conversion, 1525–1618, Separatdruck aus MQR 1978.
6 James M. Stayer, a.a.O., 2.
7 Ebd., 6.
8 Claus-Peter Clasen, Anabaptism, XVIII.
9 Gerhard Zschäbitz, a.a.O., 18.
10 Niederländische Besprechung von UT, in: DB 1977, 102.
11 Gerhard Zschäbitz, a.a.O., 16.
12 Vgl. Rainer Wohlfeil (Hg.), Der Bauernkrieg 1524–1526. Bauernkrieg und Reformation, München 1975, 35; ders., Reformation oder frühbürgerliche Revolution? München 1972, 7–41; Thomas Nipperdey, Die Reformation als Problem der marxistischen Geschichtswissenschaft, in: R. Wohlfeil, Reformation oder frühbürgerliche Revolution, 205–229; Hans-Jürgen Goertz, Barbara Talkenberger, Gabriele Wohlauf, Neue Forschungen zum deutschen Bauernkrieg. Überblick und Analyse, in: MGBl 1976, 24–65; 1977, 35–64, bes. 39–46.
13 Vgl. Karl-Heinz Kirchhoff, Die Täufer in Münster 1534/35, Münster 1973; James M. Stayer, Die Anfänge des schweizerischen Täufertums im reformierten Kongregationalismus, UT, 19–49.
14 Diese Ergebnisse sind kürzlich von nichtmarxistischen Historikern teilweise bestätigt worden: Gottfried Seebaß, Müntzers Erbe, 1972; ders., Bauernkrieg und Täufertum in Franken, in: ZKG 85, 1974, 284–300; Werner O. Packull, a.a.O.
15 Claus-Peter Clasen, a.a.O., IX.
16 Ebd., 428.
17 Ebd., 425.
18 Besprechung in MGBl 1973, 98 ff.

19 Klaus Deppermann, a.a.O., 17 f.

20 Claus-Peter Clasen, a.a.O., 425. Zum Verständnis Clasens muß allerdings auch folgender Satz herangezogen werden: „The Anabaptists were not purely religious thinkers like the fourteenth-century mystics; they envisaged a new form of society" (XI).

21 Ebd., XI.

22 James M. Stayer, a.a.O., Lawrence [1] 1972; [2] 1976 (mit „Reflections and Retractions").

23 James M. Stayer, Anfänge, UT, 19–49; ders., Reublin und Brötli: The Revolutionary Beginnings of Swiss Anabaptism, OCHA, 83–102; ders. Die Schweizer Brüder. Versuch einer historischen Definition, in: MGBl 1977, 7–34; ders., Wilhelm Reublin. Eine pikareske Wanderung durch das frühe Täufertum. RR, 93–102.

24 James M. Stayer, Anfänge, UT, 41.

25 Ebd., 48.

26 John H. Yoder, „Anabaptists and the Sword" Revisited: Systematic Historiography and Undogmatic Nonresistance, in: ZKG 85, 1974, 270–283.

27 Alvin J. Beachy, The Concept of Grace in the Radical Reformation, Nieuwkoop 1977, 226.

28 Ernst Bloch, Spuren, Neue erweiterte Auflage, Frankfurt 1964, 62.

29 Gerhard Zschäbitz, a.a.O., 12.

30 Bernd Moeller, Probleme der Reformationsgeschichtsforschung, in: ZKG 76, 1965, 240 f.

31 Zur Diskussion von Max Webers Wissenschaftstheorie in der Geschichtswissenschaft: Detlef Junker, Über die Legitimität von Werturteilen in den Sozialwissenschaften und in der Geschichtswissenschaft, in: HZ 211, 1970, 1–33; Hermann von der Dunk, Wertfreiheit und Geschichtswissenschaft, in: HZ 214, 1972, 1–25.

32 Peter L. Berger, Zur Dialektik von Religion und Gesellschaft. Elemente einer soziologischen Theorie. Frankfurt 1973, 98.

33 Heinold Fast, „Die Wahrheit wird euch freimachen". Die Anfänge der Täuferbewegung in Zürich in der Spannung zwischen erfahrener und verheißener Wahrheit. In: MGBl 1975, 26, 32 Anm. 68.

34 Ebd., 26.

35 James M. Stayer, Let a Hundred Flowers Bloom and Let a Hundred Schools of Thought Contend, in: MQR 53, 1979, 211–218.

36 Claus-Peter Clasen, a.a.O.

37 Vgl. Bernd Moeller (Hg.), Stadt und Kirche im 16. Jahrhundert. Schriften des Vereins für Reformationsgeschichte 190, Gütersloh 1979.

38 Walther Köhler, Die Zürcher Täufer, in: Gedenkschrift zum 400jährigen Jubiläum der Mennoniten oder Taufgesinnten 1525–1925, Ludwigshafen 1925, 48.

39 Vgl. Bibliographie am Ende dieses Buches.

40 James M. Stayer, Die Schweizer Brüder. Versuch einer historischen Definition, in: MGBl 1977, 7.

41 Walther Köhler, a.a.O., 63.

42 James M. Stayer. Let a Hundred Flowers Bloom, in: MQR 1979, 215.

43 Alvin J. Beachy, The Concept of Grace in the Radical Reformation, Nieuwkoop 1977.

44 Kenneth R. Davis, a.a.O., 1974.

45 Harold S. Bender, Conrad Grebel (ca. 1498–1526). The Founder of the Swiss

Brethren. Goshen, Ind., 1950; Torsten Bergsten, Balthasar Hubmaier. Seine Stellung zu Reformation und Täufertum, 1521–1528, Kassel 1961.

46 Über Bernhard Rothmann ist eine Darstellung in Vorbereitung von Willem de Bakker. Vgl. ders., Bernhard Rothmann. Die Dialektik der Radikalisierung in Münster. RR, 167–178. Ders., De vroege theologie van Bernhard Rothmann. De gereformeerde achtergrond van het Munsterse Doperrijk. In: DB 1977, 9–20.

47 Klaus Deppermann, a.a.O.

48 Walter Jens, Literatur und Politik, Pfullingen 1963, 31.

Abkürzungen

ARG	Archiv für Reformationsgeschichte
DB	Doopsgezinde Bijdragen
DR	Deutsche Reichstagsakten unter Kaiser Karl V., VII. Band, 2. Halbband, bearbeitet von Johannes Kühn, Göttingen 1963.
Denck, Schriften	Walter Fellmann (Hg.), Hans Denck, Schriften, 2. Teil: Religiöse Schriften. Gütersloh 1956.
GZ I	Lydia Müller (Hg.), Glaubenszeugnisse oberdeutscher Taufgesinnter, Leipzig 1938.
Hubmaier, Schriften	Gunnar Westin und Torsten Bergsten (Hgg.), Balthasar Hubmaier, Schriften, Gütersloh 1962.
HZ	Historische Zeitschrift
LF	Heinold Fast (Hg.), Der linke Flügel der Reformation, Bremen 1962.
ME	Mennonite Encyclopedia
MGBl	Mennonitische Geschichtsblätter
ML	Mennonitisches Lexikon
MQR	Mennonite Quarterly Review
OChA	Marc Lienhard (Hg.), The Origins and Characteristics of Anabaptism / Les Débuts et les Caracteristiques de l'Anabaptisme, Den Haag 1977.
Rothmann, Schriften	Robert Stupperich (Hg.), Die Schriften Bernhard Rothmanns, Münster 1970.
RR	Hans-Jürgen Goertz (Hg.), Radikale Reformatoren. 21 biographische Skizzen von Thomas Müntzer bis Paracelsus. München 1978.
TEV	Guy F. Hershberger (Hg.), Das Täufertum. Erbe und Verpflichtung, Stuttgart 1963.
TQ Zürich	Leonhard von Muralt und Walter Schmid (Hgg.), Quellen zur Geschichte der Täufer in der Schweiz. Erster Band: Zürich. Zürich 1952.
TQ Ostschweiz	Heinold Fast (Hg.), Quellen zur Geschichte der Täufer in der Schweiz. Zweiter Band: Ostschweiz. Zürich 1973.
TQ Gespräche	Martin Haas (Hg.), Quellen zur Geschichte der Täufer in der Schweiz. Vierter Band: Drei Täufergespräche. Zürich 1974.
TQ Elsaß I und II	Manfred Krebs und Hans Georg Rott (Hgg.), Quellen zur Geschichte der Täufer, Band VII: Elsaß I. Teil: Stadt Straßburg 1522–1532; II. Teil: Stadt Straßburg 1533–1535. Gütersloh 1959 und 1960.
TQ Österreich	Grete Mecenseffy (Hg.), Quellen zur Geschichte der Täufer. Elfter Band: Österreich I. Teil. Gütersloh 1964.

UT	Hans-Jürgen Goertz (Hg.), Umstrittenes Täufertum 1525–1975. Neue Forschungen. 2. Aufl. Göttingen 1977.
WA	D. Martin Luthers Werke, krit. Gesamtausgabe, Weimar 1883 ff.
ZfG	Zeitschrift für Geschichtswissenschaft
ZKG	Zeitschrift für Kirchengeschichte

Anhang

A.

Aus den Quellen

Die Auszüge aus den Quellen können die Darstellung nicht eigentlich dokumentieren, sondern nur an einigen Stellen begleiten und einen ersten unmittelbaren Eindruck von den Gedanken der Täufer und den Reaktionen, die sie ausgelöst haben, wiedergeben. Die Sprache der Quellen wurde modernisiert, stilistisch jedoch weitgehend in der Form belassen, die dem ursprünglichen Ausdruck entspricht. Nur ein altes Täuferlied und das Wiedertäufermandat des Zweiten Speyerer Reichstags wurden originalgetreu abgedruckt, da bei einer Übertragung zuviel ursprüngliches Kolorit verloren gegangen wäre.

I. Die Alternativen der Täufer

Der Grebelkreis setzt sich im Brief an Thomas Müntzer
für „göttliche Gebräuche" ein (1524)

Gerade so, wie unsere Altvordern von dem wahren Gott, von der Erkenntnis Jesu Christi und des rechtschaffenden Glaubens an ihn und von dem wahren, einen, gemeinsamen, göttlichen Wort, von den göttlichen Gebräuchen, christlicher Liebe und vom christlichen Wesen abgefallen sind, wie sie ohne Gott, Gesetz und Evangelium nach menschlichen, unnützen, unchristlichen Gebräuchen und Zeremonien gelebt und dabei die Seligkeit zu erlangen gemeint haben (was jedoch ein großer Irrtum war, wie das die evangelischen Prediger gezeigt haben und zum Teil noch zeigen), genauso will auch heute jedermann durch geheuchelten Glauben selig werden, ohne Früchte des Glaubens, ohne Taufe der Versuchung und Erprobung, ohne Liebe und Hoffnung, ohne rechte christliche Gebräuche, will stecken bleiben in all dem alten Wesen der eigenen Laster und in den gemeinsamen, zeremonischen, antichristlichen Gebräuchen der Taufe und des Nachtmahls Christi, unter Verachtung des göttlichen Wortes, voller Achtung jedoch vor dem päpstlichen Wort und dem Wort der antipäpstlichen Prediger, das auch nicht in Übereinstimmung mit dem göttlichen ist. Im Rücksichtnehmen auf Personen und in allerlei Verführung gibt es schwereren und schädlicheren Irrtum, als es je von Anfang der Welt an gegeben hat. In solchem Irrtum sind als Lohn für unsere Sünder auch wir befangen gewesen, solange wir nur Zuhörer und Leser der evangelischen Prediger waren, die an diesem allem schuld sind. Nachdem aber auch wir die Schrift zur Hand genommen und auf alle möglichen Punkte hin untersucht haben, sind wir eines Besseren belehrt worden und haben den großen schädlichen Fehler der Hirten und auch den unserer selbst entdeckt, daß wir nämlich Gott nicht täglich ernstlich mit stetem Seufzen bitten, daß wir aus der Zerstörung alles göttlichen Lebens und aus den menschlichen Greueln herausgeführt werden und zum rechten Glauben und zum wahren Gottesdienst kommen. Das alles ist eine Folge des falschen Schonens, der Unterdrückung des göttlichen Wortes und seiner Vermischung mit dem menschlichen. Ja, sagen wir, daher kommt aller Schaden, und das verkehrt alle göttlichen Dinge. Das bedarf keiner näheren Erläuterung oder weitläufigen Erzählung.

Während wir solches merken und beklagen, wird Dein Schreiben wider den falschen Glauben und die falsche Taufe zu uns herausgebracht, und wir werden noch besser unterrichtet und noch gewisser gemacht. Es hat uns wunderbar erfreut, daß wir einen gefunden haben, der eines gemeinsamen christlichen Sinnes mit uns ist und der es wagt, den evangelischen Predigern ihre Fehler vorzuhalten, wie sie in allen Hauptpunkten falscherweise schonen und falsch handeln und das eigene Gutdünken, ja sogar das des Antichristen, über Gott und gegen Gott setzen, nicht so, wie es den Gesandten Gottes zu predigen und zu handeln zusteht. Darum bitten und ermahnen wir Dich als einen Bruder bei Namen, Kraft, Wort, Geist und Heil, wie sie allen Christen durch Jesus Christus unsern Seligmacher zuteilwerden, daß Du Dich ernstlich befleißigst, allein das göttliche Wort unerschrocken zu predigen, allein göttliche Gebräuche einzuführen und zu beschirmen, allein das für gut und recht zu halten, was durch deutliche, klare Schriftstellen belegt werden kann, alle menschlichen Pläne, Worte, Gebräuche und Meinungen, auch die Deiner selbst, zu verwerfen, zu hassen und zu verfluchen.

(LF, 12 ff.)

Klage Schaffhausens gegen Hallau vom 15. Dezember 1525

. . . Zum sechsten haben sie Pfaffen, die aus dem Zürcher Gebiet, wo auch das göttliche Wort verkündigt wird, kamen. Diese Pfaffen waren dort verboten und vertrieben worden; außerdem wird ihnen viel Übles nachgesagt. Auch haben unsere lieben Eidgenossen aus Zürich meine Herren mündlich und schriftlich vor diesen Pfaffen eindringlich gewarnt. Die Einwohner Hallaus haben sich über die ernstliche Anordnung und das Verbot frevelhafter Weise und selbstherrlich hinweggesetzt und sich hierin ganz ungehorsam verhalten. Als meine Herren auch ihre Knechte nach Hallau, wo sie die obere und niedere Gerichtsbarkeit, die Gebots- und Verbotsrechte innehaben, mit dem Befehl geschickt hatten, die Pfaffen gefangen zu nehmen, haben sie die Pfaffen mit Gewalt und bewaffneter Hand vor den erwähnten Knechten geschützt.

(TQ Ostschweiz, 23)

Die Gemeinde Männerdorf reagiert auf die Ausweisung radikaler Prediger aus Zürich

. . . so haben wir vernommen, daß unsere Herren von Zürich einige Prädikanten aus ihrem Territorium gewiesen haben. Diese Prädikanten meinten aber, sie hätten nichts anderes als das heilige Wort Gottes gepredigt und könnten das mit der Heiligen Schrift beweisen. Die Ausweisung bedauern wir. Deshalb bitten wir Euch, ihr gnädigen Herren, demütig: Laßt das heilige Evangelium von jedem predigen, sei er Prädikant oder Bauer, der von Gott erleuchtet ist, damit das heilige Wort Gottes an den Tag kommt . . .

(Egli, Actensammlung, 1383)

Aus Hans Krüsis Geständnis am 15. Juli 1527 in Luzern

. . . Dort (in St. Georgen, Tablat) habe er auch soviele getauft, daß er die genaue Zahl nicht mehr wisse; dort haben ihn auch die Bauern angestiftet und geheißen, wieder zu lesen. Beda Miles, der Drechsler bei St. Georgen, habe ihm gesagt, er solle nicht so ohne weiteres vom Glauben abfallen (obwohl er versprochen habe, nicht mehr zu den Täufern zu gehen) . . .

Item hat er geredet und gepredigt, daß man die Reliquie, die Heiligen und Götzen vom Altar reißen und aus der Kirche werfen soll, wie es auch geschehen ist . . .

Item als er vor der Gemeinde gepredigt habe und der Hauptmann aus St. Gallen gekommen sei, habe er gesagt, man solle Gott für den Hauptmann bitten, daß dieser zu ihrem rechten Glauben käme. Er hat auch gelesen und gesagt, die Tauben und Gottlosen dürfte man richten, Gott sei man mehr Gehorsam schuldig als den Menschen, nach dem Worte Gottes solle niemand den Zehnten oder dergleichen zu geben verpflichtet sein, dem Worte Gottes solle man sich fügen und sich von diesem nicht abbringen lassen, und sie sollen nicht voneinander und von dieser Lehre weichen, sondern alle beieinander bleiben.

Item als man ihn fangen wollte, da habe ihm die ganze Gemeinde versprochen, Leib und Gut für ihn einzusetzen und ihn zu beschätzen, nämlich Straubenzell, Rotmonten, Bernhardzell und die von St. Georgen und andere, ungefähr 31 Ortschaften . . .

Item er hat gestanden, daß er gepredigt habe, die würdige Mutter Gottes und die lieben Heiligen könnten für niemanden Fürbitte einlegen, das könne nur Jesus Christus.

Item er hat gepredigt, die Messe sei nichtig und zu nichts nütze, und wer an sie glaube, der glaube an den Teufel und sei des Teufels. Christus sei einmal für uns alle geopfert worden, man soll im Verborgenen seines Herzens beten, der Glaube sei im Herzen, da soll man ihn haben; auch wenn die Leute opfern, so sagte er, opfern sie dem Feldteufel.

Item er hat gesagt, im Sakrament sei nicht Fleisch und Blut, man solle daran nicht glauben, er glaube auch nicht daran.

Das habe er gepredigt und den Leuten gesagt, alle diejenigen, die an das Sakrament glauben, seien Ketzer.

Item redete er, was den Leib betrifft, da soll man Schaden leiden, aber was die Seele betrifft, soll sich niemand abweisen lassen. Es soll alles gemein sein in der Liebe Gottes und im Glauben.

Item Wolfgang Uliman und Sebastian Rugglisberger seien auch seine Gefährten gewesen und mit ihm zusammen herumgezogen und hätten einander unterwiesen, und sie haben viele Leute aus dem gemeinen Volk bekehrt und als Gefolgschaft gewonnen.

Item der junge Konrad Grebel habe den täuferischen Glauben nach St. Gallen gebracht und ihm ein Büchlein mitgebracht und gezeigt (höchstwahrscheinlich eine Konkordanz zu „Glaube" und „Taufe", H. Fast); dieses Büchlein sei nur handgeschrieben und nicht gedruckt gewesen.

Auf dieses Geständnis hin haben meine gnädigen Herren, der kleine und der große Rat, ihn mit dem Feuer hinrichten, ihn wie einen Ketzer des heiligen christlichen Glaubens zu Pulver und Asche verbrennen und die Asche in die Erde vergraben lassen.

(TQ Ostschweiz, 262 ff.)

Der Schleitheimer Artikel über die Absonderung (1527)

Zum vierten haben wir uns über die Absonderung geeinigt. Sie soll geschehen von den Bösen und vom Argen, das der Teufel in der Welt gepflanzt hat, damit wir ja nicht Gemeinschaft mit ihnen haben und mit ihnen in Gemeinschaft mit ihren Greueln laufen. Das heißt, weil alle, die nicht in den Gehorsam des Glaubens getreten sind und die sich nicht mit Gott vereinigt haben, daß sie seinen Willen tun wollen, ein großer Greuel vor Gott sind, so kann und mag nichts anderes aus ihnen wachsen oder entspringen als greuliche Dinge. Nun gibt es nie etwas anderes in der Welt und in der ganzen Schöpfung als Gutes und Böses, gläubig und ungläubig, Finsternis und Licht, Welt und solche, die die Welt verlassen haben, Tempel Gottes und die Götzen, Christus und Belial, und keins kann mit dem andern Gemeinschaft haben. Nun ist uns auch das Gebot des Herrn offenbar in welchem er uns befiehlt, abgesondert zu sein und abgesondert zu werden vom Bösen; dann wolle er unser Gott sein und wir würden seine Söhne und Töchter sein (2. Kor. 6,17 f.). Weiter ermahnt er uns (Jes. 48, 20 u.a.), Babylon und das irdische Ägypten zu verlassen, damit wir nicht auch ihrer Qualen und Leiden teilhaftig werden, die der Herr über sie herbeiführen wird. Aus dem allen sollen wir lernen, daß alles, was nicht mit unserem Gott und mit Christus vereinigt ist, nichts anderes ist als die Greuel, die wir meiden und fliehen sollen. Damit sind gemeint alle päpstlichen und widerpäpstlichen Werke und Gottesdienste, Versammlungen, Kirchenbesuche, Weinhäuser, Bündnisse und Verträge des Unglaubens und anderes dergleichen mehr, was die Welt für hoch hält und was doch stracks wider den Befehl Gottes durchgeführt wird, gemäß all der Ungerechtigkeit, die in der Welt ist.

Von all diesem sollen wir abgesondert werden und kein Teil mit solchen haben. Denn es sind eitel Greuel, die uns verhaßt machen vor unserm Jesus Christus, welcher uns befreit hat von der Dienstbarkeit des Fleisches und uns fähig gemacht hat zum Dienst Gottes durch den Geist, welchen er uns gegeben hat. So werden dann auch zweifellos die unchristlichen, ja teuflischen Waffen der Gewalt von uns fallen, als da sind Schwert, Harnisch und dergleichen und jede Anwendung davon, sei es für Freunde oder gegen die Feinde – kraft des Wortes Christi: Ihr sollt dem Übel nicht widerstehen (Matth. 5, 39).

(LF, 64 f.)

Zur Gütergemeinschaft bei den Huterern

Da nun alle Heiligen in heiligen Dingen, das ist in Gott Gemeinschaft haben, 1. Joh.; Röm. 8, der ihnen auch alles in seinem Sohn Jesus Christus übergeben hat, wonach keiner seine Gabe für sich selber, sondern für den andern haben soll, wie auch Christus nichts für sich, sondern alles für uns hat, Phil. 2, also sollen auch alle Glieder seines Leibes nichts für sich, sondern für den ganzen Leib, für alle Glieder haben; denn seine Gaben sind nicht für ein Glied oder um eines Gliedes willen, sondern für alle Glieder, den ganzen Leib, geheiligt und gegeben worden, 1. Kor. 12.

Da nun alle Gaben Gottes, nicht allein die geistlichen, sondern auch die zeitlichen, dem Menschen darum gegeben sind, daß er sie nicht für sich selber oder allein haben soll, sondern allen seinen Genossen, so ist nun die Gemeinschaft der Heiligen nicht allein im Geistlichen, sondern auch im Zeitlichen zu bewähren, Apg. 2 und 4, auf daß, wie Paulus sagt, nicht der eine Überfluß und der andere Mangel habe, 2. Kor. 8, sondern daß beide gleich hätten. Paulus beweist das aus dem Gesetz mit dem Himmelsbrot, da der, der viel sammelte, nicht Überfluß, der aber wenig sammelte, nicht weniger hatte, weil jedem gegeben wurde, was er brauchte, 2. Mose 16. Darüber hinaus sieht man es an der Kreatur, die uns heute noch bezeugt, daß Gott anfänglich den Menschen nichts eigenes, sondern gemein zu sein verordnet hat; aber durch das unrechte Annehmen, da sich der Mensch dessen annahm, das verboten war, 1. Mose 3, und das verließ, dessen er sich annehmen sollte, hat er solches an sich gezogen und sich angeeignet und ist also je mehr und mehr darin erwachsen und erstarrt, daß er durch solch unbilliges Annehmen und Einziehen der Kreatur so weit von Gott abgeführt worden ist, daß er den Schöpfer ganz vergessen, also daß er auch die Kreatur, die ihm sonst untergeben und unterworfen war, erhoben und wie einen Gott geehrt hat, Röm. 1; Weish. Sal. 13 und 15. So geschieht es immer noch, wenn man aus der Ordnung Gottes tritt und dieselbe verläßt.

> *Peter Riedeman, Rechenschaft unsrer Religion, Lehre und Glaubens. Von den Brüdern, die man die Huterischen nennt. Modernisiert nach: 3. Aufl.*
> *Cayley, Alberta, Kanada, 1974, 84 f.)*

Die „Zeit der Rache" nach Bernhard Rothmann (1535)

Wie also eine Zeit des Abfalls und der Verwüstung gewesen ist, so gibt es auch eine Zeit der Rache und Restitution aller Dinge, wie die Schrift Apg. 3, 19 ff. bezeugt . . .

Alle schreckliche und mörderische Gewalt haben die Gottlosen geplant. Gott aber hat sie bereits, während sie es noch aus seinen Händen brechen und stehlen, seinem Volk übergeben, damit sie den Gottlosen so wiederbezahlen und an ihnen rächen. So hat uns Gott zunächst zur Wehr gerüstet und will alle seine Heiligen so herrlich machen zur Rache, wie David im Psalm (140) sagt. Wer verstehen kann, der verstehe und stelle sich unter das Panier göttlicher Gerechtigkeit. Denn Gott ist aufgestanden, sich zu rächen an seinen Feinden. Wer Gottes Diener sein will, der rüste sich mit diesem Sinn und Mut. Die Zeit ist gerade jetzt da. Denn außer dadurch, daß es uns durch unsere Mitbrüder durch Gottes Geist und lebendige Stimme bezeugt wird, läuft auch alle Schrift und das ganze Geschehen darauf hinaus, daß gerade jetzt die Zeit da ist, bei uns schon ein Vorbild begonnen hat, tatsächlich aber in der ganzen Welt unmittelbar bevorsteht und da ist . . .

Es meinen vielleicht einige und warten ganz darauf, daß Gott selber mit seinen Engeln vom Himmel kommen und sich an den Gottlosen rächen wird. Nein, lieber Bruder, er wird kommen, das ist wahr. Aber die Rache müssen Gottes Knechte vorher erst ausführen und den Gottlosen, Ungerechten recht vergelten, wie es ihnen Gott befohlen hat. Gott will dazu mit seinem Volke sein, will ihm eiserne Hörner und eherne Klauen gegen ihre Feinde geben. Denn kurzum, wir, die wir dem Herrn verbunden sind, müssen sein Werkzeug sein und die Gottlosen an dem Tage, den der Herr bereitet, angreifen. So wird Gottes starker Arm mit uns sein, und er wird seine herrliche Kraft an seinem Volk, das so lange verachtet und verworfen vor der Welt gewesen ist, beweisen: wie Malachias spricht (4, 3): „Ihr werdet die Gottlosen zertreten. Denn sie werden wie Staub unter euren Füßen sein an dem Tage, den ich schaffe, spricht der Herr der Heerscharen."

Weiter: Obgleich wir wissen, daß die Zeit der Rache da ist, so werden wir sie doch nicht in Angriff nehmen, es sei denn, Gott der Allmächtige gibt uns eine sichere Gewißheit, daß es sein wohlgefälliger Wille ist. Dann werden wir fürwahr nicht säumen. Wir hoffen aber, die Zeit wird nicht lang sein. Wer sich darum von den Brüdern hierher zum Panier Gottes aufmachen kann und Freude an der Gerechtigkeit Gottes hat, der möge nicht säumen. Denn wenn das Fähnlein fertigsteht und die Posaune angeht, wollen viele Ungläubige gläubig werden und herzutreten. Denen wird Gott dann keinen Dank wissen; sondern jeder sei gläubig, während Glaubenszeit ist. Er sei offenen Herzens für alle Gerechtigkeit Gottes, auch wenn es anders aussieht, so wird er den Lohn seines Glaubens empfangen . . .

(R. van Dülmen (Hg.), Das Täuferreich zu Münster 1534–1535. Berichte und Dokumente. München 1974, 205 ff.)

Die „Zeit der Gnade" nach Menno Simons (1539/40)

Zum ersten lehren wir, was Jesus Christus, der Lehrer vom Himmel (Joh. 3,2), der Mund und das Wort des allerhöchsten Gottes, selbst gelehrt hat, daß nämlich nun eine Zeit der Gnade sei, eine Zeit aufzuwachen vom Schlaf unsrer greulichen Sünden (Röm. 13,11) und ein aufrichtiges, bekehrtes, erneuertes, zerbrochenes und reuiges Herz zu erlangen; unsern früheren, ruchlosen, mutwilligen Wandel aus dem Grund unserer Seele heraus vor Gott zu beklagen; in aller Gottesfurcht unser böses, sündiges Fleisch, unsere Art und Natur zu kreuzigen und zu töten und mit Christus aufzuerstehen in einem neuen, gerechten und bußfertigen Leben und Wesen; wie er selbst sagt: „Die Zeit ist erfüllt, und das Reich Gottes ist herbeigekommen; tut Buße und glaubt an das Evangelium" (Mark. I, 15).

Die Zeit ist erfüllt, d.h. die verheißene Gnadenzeit naht, die Zeit der Erscheinung des verheißenen Samens, die Zeit der Erlösung, die Zeit des Opfers, durch welches alles, was im Himmel und auf Erden ist, befriedet werden sollte; die Zeit der Erfüllung aller buchstäblichen, bildlichen Zeremonien durch ein neues geistliches Wesen und bleibende Wahrheit; die Zeit, auf welche die Väter hofften und nach welcher sie sich mit vielen Tränen sehnten, nämlich Jakob, Moses, Jesaja, David, Daniel mit allen Patriarchen, Vätern und Propheten, die diese Zeit im Glauben von ferne sahen, auf sie hofften und sich darauf vertrösteten (Hebr. 11, 13); ja, sie ist ihnen ein so hoher und freudiger Trost gewesen, daß der gute Simeon nicht länger zu leben begehrte, als er diese Zeit erkannt und den Seligmacher gesehen hatte, sondern sprach: „Herr, nun läßt du deinen Diener in Frieden fahren, wie du gesagt hast; denn meine Augen haben deinen Heiland gesehen, welchen du bereitet hast vor allen Völkern" (Luk. 1, 29, 31). Die Zeit ist erfüllt, die Weissagungen der Propheten und die Verheißungen der Väter sind im Gang und treten in ihre volle Kraft. Der geschworene Eid ist vollbracht, Israel hat seinen König David, Prinzen und Fürsten empfangen, der sich als ein Gigant oder Riese aufgemacht hat, seinen Lauf zu bereiten. Seinen Ausgang hat er genommen vom hohen Himmel. Der Gesalbte ist gekommen, der von allen Völkern ersehnt wurde, seine Lenden umgürtet mit dem Schwert des Geistes, ritterlich zum Streit bereit. Er hat verkündigt das Evangelium des Reiches, das Wort seines Vaters, hat die Seinen ein Vorbild der reinen Liebe und eines unsträflichen Lebens gelehrt und es ihnen hinterlassen, die Starken überwunden, des Teufels Kraft und Gewalt zerstört, unsre Sünde getragen, den Tod vernichtet, den Vater versöhnt, Gnade, Gunst, Barmherzigkeit, das ewige Leben, das Reich und den Frieden allen auserwählten Kindern Gottes erworben und verdient und ist so von seinem ewigen und allmächtigen Vater eingesetzt als ein allmächtiger, gewaltiger König über den heiligen Berg Zion, als ein Haupt der Gemeinde, als ein Verwalter und Austeiler der himmlichen Güter, ja, als ein mächtiger Gewalthaber über alles im Himmel und auf Erden, und deshalb ist es, daß Christus spricht: „Die Zeit ist erfüllt, und das Reich Gottes ist herbeigekommen" (Mark. 1, 15).   *(LF, 162 ff.)*

II. Antiklerikalismus und „Besserung des Lebens"

Hans Denck über die Nachfolge Christi (1526)

Und niemand sehe auf die Hochgestellten in dieser Welt, weder in der Obrigkeit, noch in der Kunst oder Wirtschaft; wem das Herz zum Himmel steht, richte sich vielmehr nach den Verachteten und Niedrigen in dieser Welt aus, deren Herr und Meister Jesus Christus ist, welcher der Verachtetste unter allen Menschen geworden und deshalb von Gott, dem Vater, erhöht worden ist, damit er über alle nur denkbaren Kreaturen regiere. Wehe demjenigen, der anderswo hinsieht und nicht auf dieses Ziel. Wer nämlich meint, er gehöre zu Christus, muß den Weg gehen, den Christus gegangen ist, so gelangt man in die ewige Wohnung Gottes. Wer diesen Weg nicht geht, soll ewiglich in die Irre gehen; wer einen andern Weg geht oder weist, ist ein Dieb und Mörder. Das sind alle diejenigen, die Gott und seinen Sohn nur um des eigenen Nutzens willen lieben, das ist und tut die ganze Welt. Gott weiß, wer nicht von der Welt ist, und wem Gott das offenbart hat, mag sich freuen, daß sein Name im Buch des Lebens verzeichnet ist.

(Hans Denck, Schriften II, 50 f.)

Hans Denck über Geist und Buchstabe (1526)

Wer den neuen Bund Gottes empfangen hat, das ist, welchem das Gesetz durch den Heiligen Geist ins Herz geschrieben ist, der ist wahrlich gerecht. Wer aber meint, er könne es aus dem Buch (der Heiligen Schrift) zuwege bringen, das Gesetz zu halten, der schreibt dem toten Buchstaben eine Fähigkeit zu, die nur der lebendige Geist hat. Wer den Geist nicht hat und ihn in der Schrift zu finden sich anmaßt, sucht Licht und findet Finsternis, sucht Leben und findet eitel Tod, nicht nur im Alten, sondern auch im Neuen Testament. Das ist der Grund, warum die Allergelehrtesten sich allezeit am allermeisten an der Wahrheit ärgern, denn sie meinen, ihr Verständnis, das sie so klug und zart aus der Schrift herausgelesen haben, könne nicht falsch sein.

(Hans Denck, Schriften II, S. 59)

Geistliche Urteilsfähigkeit nach Hans Hut (1527)

Da muß man darauf achten, daß man zum rechten Urteil kommt, wodurch alle Gegensätze in der Schrift aufgelöst und zu einem widerspruchsfreien Gesamtverständnis geführt werden. Wo diese Ordnung nicht eingehalten wird, muß der Mensch betrogen werden. Also irrten auch die Schriftgelehrten zur Zeit Christi, wie auch zu unseren Zeiten, denn sie lesen die Schrift stückweise [ohne die einzelnen Teile miteinander zu vergleichen und zu einem Ganzen zu fügen] . . ., da gehen sie fehl und kommen nicht zur rechten Erkenntnis, betrügen sich selbst und andere. Ja, die Schriftgelehrten kannten die Bibel von vorn bis hinten, dennoch waren ihre Lehre und ihr Schriftverständnis falsch, wie jetzt zu unseren Zeiten, obwohl sie die Schrift lehren und predigen. Es predigt nämlich einer gegen den andern, und es folgt aus ihrer Lehre keine Besserung, auch sie selbst bessern sich nicht. Der Grund dafür ist, daß es ihnen an dem Urteil fehlt, das sich in Leiden und Armut [des Geistes] erschließt, wodurch man frei und gelassen gegenüber der Welt und in den Leib Christi, in dem die rechte Erkenntnis offenbart ist, eingegliedert wird.

(GZ I, 31 f.)

Aus einem Verhör (1525)

Hans Murer, auch aus Zollikon, antwortet so: er sei, bevor und ehe er im Augustinerkloster gefangen lag, getauft worden. Und er habe bisher immer, wo ihm jemand das Wort Gottes gelesen habe, zugehört. Und er wolle nicht in die Kirchen und zu keines Pfaffen Predigt mehr gehen, denn die Pfaffen haben uns bisher verführt und täten es noch, sofern man es ihnen nicht verwehrte. Und daß er nicht mehr zur Predigt gehen will, meint er vielleicht aus dem Grund, daß man einige unter sich hätte und fände, die jetzt verlangten, daß man sie mit den Pfaffen reden ließe, um ihnen Antwort zu geben.

(TQ Zürich, 67)

Ein altes Täuferlied (1529)

1. An vnser Frauen tag das geschach
   da Christus seine schäfflen zusamen hat bracht,
   : er versamlet sie balt :
   zu Milß woll in dem griennen walt.

2. Da kam der wolff gelauffen dar
   vnd zerstrat die schafflen wol in das thal,
   : so loffen gar balt :
   vnd schrüen zu gott all mit gewalt.

3. Es kam ir hirt gegangen dar,
   der in daz wort gottes verkindigt klar,
   : er leret sie schon :
   gott geb im jmer vnd ewig den lohn.

4. Nun wolt ir wißen, was da geschach?
   Das heilig Euangelion verkindigt klar
   : mit gottes geist :
   wie Christus seine junger auffm berg hat gspeist.

5. So wel wirs gott von himel klagen,
   das man s wort gottes gar wil veriagen
   : in aller welt :
   s wort gottes kauffen wir nimer vmbs gelt.

6. Vnd so wirs nimer vmbs gelt weln kauffen,
   so mießen wir von weib vndt künden lauffen,
   : nun merckhent gar eben :
   so wir den Pfaffen kein gelt weln geben.

7. Das euangeli ligt ietz an dem tag,
   ist minich vnd pfaffen ein große klag,
   : ein grosse pein :
   sie megen nimer groß herren sein.

8. Vnd das wolt gott nit lenger haben,
   die warhait in alle welt außtragen,
   : das dunckt sie nit guet :
   sie scheren die schafflen vndt saugen das bluet.

9. Vnd so sie nimer weiter kinen,
   so thuen sie gar der vill der lugen finden,
   : die tauff sey falsch :
   die Christus sein lieben Jungern beualch.

10. Nun merckhent, was habens erdicht,
    die künder tauff vmbs gelt auff ghricht,
    : es daucht sie guet :
    drumb vergießens vill vnschuldigs bluet. Amen.

(R. Wolkan, Die Lieder der Wiedertäufer, Berlin 1903, 16 f.)

Aus der Rechenschaft Martin Weningers, ca. 1535

Durch solche überzeugenden Belege [aus der Heiligen Schrift] ist hiermit nachgewiesen, daß die Lehre der Pfaffen nicht aus Gott ist und mit der Lehre Christi und der Apostel nicht übereinstimmt. „Es ist auch kein Wunder", daß „solche falschen Apostel und betrügerischen Arbeiter sich als Apostel Christi verstellen." Denn wenn „er selbst", der Gott und Fürst dieser Welt, „der Teufel, sich zu einem Engel des Lichts verstellt", „ist es kein Wunder", daß „auch seine Diener", die die leichtfertigen Menschen an sich ziehen und sie in ihren Sünden bestärken, damit sie sich umso weniger ‚bekehren und leben', „sich als Prediger der Gerechtigkeit verstellen; welcher Ende sein wird nach ihren Werken" (2. Kor, 11, 13–15).

Wenn nun solche Jahrlöhner und um eines angeordneten Lohns gedungene Hirten den Wolf kommen sehen, fliehen sie und lassen ihr Leben nicht um der Schafe willen (Joh. 10,12). Solche Hirten hören die Schafe Christi nicht (Joh. 10,3) . . .

Darum wehe dem Wankelmütigen und dem Sünder, der auf zwei Straßen zieht (Pred. 2, Luk. 16,13), und wehe demjenigen, der in Sünden gebunden und verstrickt ist, denn schließlich ergreift man ihn und verbrennt ihn im Feuer (4. Esr. 16,78; Joh. 15,6). Jetzt beachtet, wie die armen Pfaffen das Leiden Christi schmälern und zu Geilheit und zum Deckmantel der Bosheit gebrauchen (1. Petr. 2;16, Jud. 1,2) . . .

Lieber, wie viele sind jetzt die Brüder Christi, die Gottes Willen tun? Darum ist ihre Gemeinschaft keine Bruderschaft Christi. Denn sie halten Hurer, Säufer, Gotteslästerer, Geizige, Wucherer, Tänzer, Fastnachtsnarren, Gassenschreier für Brüder. Der Bann wird nicht angewandt . . . Deshalb dürfen wir nicht in der Gemeinschaft des Teufels sein (1. Kor. 10,20). Der Teufel hat mit denjenigen Gemeinschaft, die ihm auf dem Weg der Sünden gehorchen. Diejenigen, die ihm aber widerstehen, flieht er (Jak. 4,7; 1. Petr. 5,8). David spricht: „Ich wohne nicht bei den leichtfertigen Leuten, pflege mit den boshaften Menschen keine Gemeinschaft und hasse die Versammlungen der Bösen" (Psal. 26,4 f). Weil sie nicht die Lehre Jesu Christi predigen und sich nicht an die heilsamen Worte der Lehre von der Gottseligkeit halten, lehrt uns Paulus, die zu meiden (1. Tim. 6,3 ff.; Röm. 16,17) . . .

(TQ Ostschweiz, 109 ff.)

Rechtfertigung als ,,Rechtfertigmachung'' bei Melchior Hoffman

Darum sei jedermann ermahnt, darauf zu achten, wie und was er glaubt, damit er sich selbst nicht betrüge und nicht mit anderen in die Irre geht. Denn die ganze Welt ruft: Glaube, Glaube; Gnade, Gnade; Christus, Jesus; und sie hat deswegen nicht das bessere Teil erwählt, denn ihre Hoffnung ist eitel und ein großer Betrug. Denn solcher Glaube kann sie vor Gott ganz und gar nicht rechtfertigen, wie der heilige Apostel Jakobus schreibt: Also auch der Glaube, wenn er nicht wahrhaftige Früchte hat, ist er an ihm selber tot. So waren da viele unter den Obersten der jüdischen Synagogen, die an Jesus Christus glaubten, aber das doch nicht öffentlich bekennen wollten, denn sie suchten den Ruhm der Menschen mehr als die Ehre Gottes. Was nützte ihnen dann aber ein solcher Glaube? Denn solche Furchtsamen werden das Reich Gottes nicht erben, so bezeugt es der Hohe Geist Gottes. Und ebenso spricht der Herr Jesus Christus, daß er diejenigen, die ihn vor den Menschen verleugnen, auch verleugnen wird vor Gott, seinem Vater und vor den Engeln. Denn wer sein Leben behalten will, der wird es in Ewigkeit verlieren. Petrus verleugnete das Wort der Wahrheit nur einmal, und doch litt er daran sein Leben lang. Wie steht es dann mit denjenigen, die soviele Jahre lang die Wahrheit täglich verschweigen und verleugnen?

Darum kann der Glaube nicht gerecht machen, wenn er keine Frucht trägt: So spricht auch Christus von solchem starken Glauben, von denen, die an ihn fest als den Herrn glauben und ihn bekennen, auch sagen, sie hätten in seinem Namen geweissagt, den Teufel ausgetrieben und viele große Taten vollbracht: Diejenigen, die ihn allerdings nicht kennen wollen, sagt Christus, werde solcher Glaube nicht rechtfertigen, auch diejenigen nicht, die sagen: Herr, wann haben wir dich gesehen und dir nicht gedient? Diese Menschen haben auch geglaubt, oder ihr Glaube ist vergebens . . . Das heißt, das Wort Gottes hören und bewahren: Das Reich Gottes zu suchen und seine Gerechtigkeit, denn aus diesen Worten kommt die Gerechtmachung (rechtveerdichmachinghe), wie Christus spricht, auch der Heilige Paulus. Und das ist gewiß wahr, wo die Kraft und die wahrhaftigen Werke der Gerechtigkeit nicht sind, da ist auch keine Gerechtmachung, wie der Apostel S. Jakob spricht. Denn diejenigen, die in der Lehre Christi bleiben, um danach zu wandeln, sind die rechten Jünger des Herrn. Und so ihr wißt, spricht der Herr, selig seid ihr, so ihr das tut. Denn der Baum mit grünen Blättern, d.h. [der Mensch] mit sehr schönen Worten, der ohne Frucht bleibt, wird von dem Herrn verflucht und dem ewigen Feuer übergeben, wenngleich er den Glauben hätte oder wüßte.

(Aus der Ordonantie Godts, in: Bibliotheca Reformatoria Neerlandica,
V, s'Gravenhage 1909, 165 f.)

III. Taufe als öffentliches Bekenntnis

Zur Wassertaufe bei Balthasar Hubmaier (1526)

Die Wassertaufe im Namen des Vaters und Sohnes und des heiligen Geistes oder in dem Namen unseres Herrn Jesus Christus ist nichts anderes als ein öffentliches Bekenntnis und Zeugnis des inwendigen Glaubens und Verpflichtens, mit dem der Mensch auch auswendig bezeugt und vor jedermann anzeigt, daß er ein Sünder ist. Er bekennt sich schuldig, doch dabei glaubt er ganz fest, daß Christus ihm die Sünde durch seinen Tod verziehen und ihn durch seine Auferstehung vor dem Angesicht Gottes, unseres himmlischen Vaters, gerecht gemacht hat. Dadurch willigt er ein, von nun an den Glauben und Namen Christi vor jedermann und öffentlich zu bekennen, hat sich auch verpflichtet und vorgenommen, hinfort nach dem Wort und Gebot Christi zu leben. Aber das nicht aus menschlichem Vermögen, damit ihm nicht wie Petrus geschehe, denn ohne mich könnt ihr nichts tun, spricht Christus, sondern in der Kraft Gottes, des Vaters und des Sohnes und des heiligen Geistes. Jetzt bricht der Mensch aus in Wort und Werk, verkündet und macht den Namen und das Lob Christi groß, damit auch andere durch ihn im Wort und Glauben heilig und selig werden, wie er auch durch andere, die ihm Christus vorgepredigt haben, zum Glauben und zu der Erkenntnis Gottes gekommen ist, auf daß das Reich Christi mehr werde. Hier folgt nun Anfechtung, Versuchung, Verfolgung, das Kreuz und alle Trübseligkeit um des Glaubens und Namens Jesu Christi willen in der Welt, die dann das Licht haßt und die Finsternis liebt, also daß der Mensch ganz und gar keinen anderen Trost oder Beistand hat als allein die Zuflucht zu dem Wort Gottes, wie es Christus, Matth. 4, nach der Taufe auch widerfahren ist. Mit diesem Wort schützt der Mensch sich und erwehrt sich der feurigen Pfeile dieser Welt, des Satans und der Sünden.

Aus dieser Beschreibung der Wassertaufe kann jedermann ersehen und erkennen, daß der auswendigen Taufe das Wort und die Lehre vorauslaufen sollen. Dadurch wird der Mensch in die Erkenntnis seiner Sünden geführt, wie vor der Taufe des Johannes, oder in die Erkenntnis seiner Sünden und auch in die Erkenntnis der Vergebung durch das Lamm Gottes, wie vor der Taufe Christi, mit dem Vorsatz, sein Leben zu ändern mit der Hilfe Gottes.

(Balthasar Hubmaier, Von der christlichen Taufe, in: Hubmaier, Schriften, 122 f.).

Hans Schlaffer über die Taufe (1527)

So merket nun, was uns an dieser Wassertaufe liegt. Wir halten sie vor allem, weil Christus sie mit dieser Ordnung eingesetzt und befohlen hat, nämlich erstens zu predigen oder zu lehren, zum andern zu glauben und zum dritten zu taufen . . .

Zum dritten ist die Wassertaufe ein Zeichen, wodurch die Christen sich untereinander zu erkennen geben und äußerlich bekennen, damit einer es vom andern weiß, christliche, brüderliche Liebe und anderes (nach dem Gebot Christi) einander erzeigen und beweisen, mit Lehren, Ermahnen, Helfen, Strafen, Ausschließen, Binden, Auflösen und dergleichen, welches unter den Christen nicht das wenigste, sondern nötigste ist, sollen anders die Kirchen, Gemeinden oder Versammlungen Christi eine Jungfrau und Braut ihres Bräutigams ohne Flecken und Runzeln sein und eine hei-

lige Mutter, wie sie in der Schrift und anderswo genannt wird. Wozu hat Christus
sie denn mit seinem Blut gereinigt und geheiligt, wenn sie nicht rein und heilig nach
seinem Befehl und Geboten lebt, unsträflich innerlich vor Gott und äußerlich untereinander und vor der Welt? Doch deshalb binden wir die Seligkeit mitnichten an die
äußerliche Taufe, da Christus spricht, wer nicht glaubt, ist verdammt. Hier läßt er
die Taufe aus. So findet man es in der Apostelgeschichte, wo Petrus den Heiden predigt, Christus verkündigt und mit der Schrift bezeugt, daß alle, die das Wort hörten
und ihm glaubten, den heiligen Geist empfingen und erst danach getauft wurden . . .

Aber es gibt noch eine Taufe, und diese ergibt sich um der Wassertaufe willen,
das ist die Taufe im Blut. Davon sagt der Herr, ich muß mit einer Taufe getauft
werden, wie ist mir so angst, bis sie vollendet ist. Hier meint er die Taufe des Leidens und des Vergießens seines Blutes. Deshalb spricht er zu seinen Jüngern, ob sie
mit der Taufe getauft werden möchten, mit der er getauft wurde. Hier legt er ihnen
das Leiden nahe. Denn drei sind da, die da Zeugnis geben auf Erden . . ., nämlich
Geist, Wasser und Blut, und die drei sind eins, denn es ist nur ein Glaube, eine
Taufe, ein Gott und Vater unser aller und unseres Herrn Jesu Christus.

In summa. Damit Gott sich in dieser letzten gefährlichen Zeit durch seinen Sohn
Christus eine öffentliche christliche, heilige Gemeinde wieder aufrichtet, so will er
auch, daß solche durch das äußerliche Zeichen der Taufe vor der Welt offenbar
werde.

(GZ I, 92 f.)

Menno Simons über die Taufe (1539/40)

Christus befahl nach seiner Auferstehung seinen Jüngern und sprach: „Gehet hin
und lehrt alle Völker und tauft sie im Namen des Vaters, des Sohnes und des heiligen Geistes und lehrt sie halten alles, was ich euch befohlen habe; und siehe, ich bin
bei euch alle Tage, bis an das Ende der Welt" (Matth. 28, 19 f.).

Hier haben wir des Herrn Befehl von der Taufe, wann und wie man nach Gottes
Ordnung dieselbe vollziehen und empfangen soll, nämlich, daß man zum ersten das
Evangelium predigen müsse und alsdann diejenigen taufen, die daran glauben,
gleichwie Christus spricht: „Gehet hin in alle Welt und predigt das Evangelium aller
Kreatur. Wer da glaubt und getauft wird, der wird selig werden; wer aber nicht
glaubt, der wird verdammt werden" (Mark. 16, 15 f.). Also ist sie von dem Herrn
befohlen und verordnet; darum darf auch ewiglich keine andere gelehrt noch gebraucht werden. Gottes Wort bleibt in Ewigkeit. Die kleinen Kinder sind unvernünf-
tig und ungelehrig, darum kann an ihnen keine Taufe vollzogen werden, oder wir
müssen des Herrn Ordnung verkehren, seinen hohen Namen mißbrauchen und seinem heiligen Wort Gewalt tun . . .

Wer will nun wider den Herrn auftreten und sagen, es soll also nicht geschehen?
Wer will die Weisheit lehren und darin unterweisen? Wer will die Apostel und Evan-
gelisten Lügen strafen? Es wäre ja ganz ungebührlich, daß ein Kind über seinen
Vater und ein Knecht über seinen Meister gebieten und richten sollte; noch viel un-
gebührlicher ist es aber, wenn die Kreatur über ihren Schöpfer sich erheben will.
Nun aber ist offenbar, daß die ganze Welt mit ihren unnützen Lehren und Men-
schensatzungen, mit ihrem antichristlichen Gebrauch und langer Gewohnheit und
mit ihrem tyrannischen, mörderischen Schwert über Christus und Christi Wort
richtet.

(Die vollständigen Werke Menno Simons's I, 34 f.)

Philipp Melanchthon wendet sich in der „Verteidigung des
Augsburger Bekenntnisses" (1530) gegen die Taufe der Täufer

Der neunte Artikel des Augsburger Bekenntnisses wurde gutgeheißen; in ihm bekennen wir, daß die Taufe zum Heil notwendig ist, daß die Kinder getauft werden
sollen und daß die Kindertaufe nicht unwirksam sei, sondern notwendig und wirksam zum Heil. Und weil das Evangelium bei uns rein und gewissenhaft gelehrt wird,
haben wir mit Gottes Hilfe daher diesen Vorteil, daß in unseren Kirchen keine Wiedertäufer aufgetreten sind, weil das Volk durch das Wort Gottes gegen die gottlose
und aufrührerische Machenschaft jener Räuber gewappnet ist. Und wenn wir viele
andere Irrtümer der Wiedertäufer verdammen, so doch besonders den, daß sie behaupten, die Kindertaufe sei unnütz. Es ist nämlich überaus gewiß, daß sich die
Verheißung des Heils auch auf die Kinder erstreckt. Nicht erstreckt sie sich aber
auf jene, die außerhalb der Kirche Christi stehen, wo weder das Wort noch die
Sakramente bestehen, weil Christus durch das Wort und die Sakramente die Wiedergeburt schafft. Deshalb ist es notwendig, die Kleinsten zu taufen, damit sie der Verheißung des Heiles teilhaftig werden gemäß dem Befehl Christi: „Taufet alle Heiden!" Wie allen das Heil angeboten wird, so wird allen die Taufe angeboten, den
Männern, Frauen, Kindern und Kleinkindern. Daraus folgt deutlich, daß die Kinder
getauft werden sollen, weil das Heil mit der Taufe angeboten wird. Zweitens heißt
Gott offenbar die Taufe der Kleinsten gut. Daher denken die Wiedertäufer gottlos,
die die Taufe der Kleinsten verdammen. Daß aber Gott die Taufe der Kleinsten bil-
ligt, zeigt, daß Gott den Hl. Geist den auf diese Weise Getauften gibt. Denn wenn
diese Taufe unwirksam wäre, würde der Hl. Geist niemandem gegeben werden,
würde niemand gerettet werden, gäbe es schließlich keine Kirche. Dieser Grund
kann allein die guten und frommen Herzen ausreichend stärken gegen die gottlosen
und wahnwitzigen Anschauungen der Wiedertäufer.

(Apologia Confessionis Augustanae, übers. und hg. von H.G. Pöhlmann,
Gütersloh 1967, S. 128 f.)

IV. Gemeinde, Obrigkeit und Neues Reich

Leonhard Schiemer über die wahre Kirche (ca. 1527)

Kirche oder ecclesia ist ein Haufe versammelten Volkes, die auf Christus und nicht auf den Papst, Kaiser etc. gebaut ist. Sie besteht auch nicht aus Steinen und hohen Türmen. Paulus sagt: Ihr seid nicht mehr Gäste und Fremdlinge, sondern Mitbürger und Hausgenossen Gottes, erbaut auf dem Grund der Apostel und Propheten, denn die Propheten waren mit dem Geist Christi begabt, darum ist Christus der Eckstein, den die Bauleute des Hauses Gottes und die Propheten verworfen hatten. Aber all diesen rechten Zeichen der heiligen christlichen Kirche widerspricht man.

Paulus spricht: Wer ein anderes Evangelium verkündigt als die Apostel, ist verdammt und verflucht. So findet man um uns herum ein solches Leben wie zur Zeit der Apostel. Wo man es aber nicht findet, da nennt man diese Gemeinschaften eine Sekte und tötet sie, wie man auch mit den Aposteln einst verfahren ist. Man erfindet auch allerlei Lügen über sie – im Grunde aber zum Zeugnis für ihre Seligkeit, sonst wären sie nicht Christen. Diese Gemeinschaft findest du klar und deutlich in der Apostelgeschichte 2.4.5. beschrieben.

(GZ I, 56)

Zur Reinheit der Kirche (Zofinger Gespräch 1535)

Wenn man das Unkraut wachsen läßt, grünt es fort und fort. Wenn es aber ausgerissen wird, verdorrt es und kann nicht bleiben bis zum Ende der Welt. Daraus darf nicht geschlossen werden, daß die Kirche Gottes sich nicht von den Kindern des Teufels säubern solle. Wenn Christus nämlich vom Acker spricht, meint er die ganze Welt; auf diesen Acker wird guter und böser Samen ausgesät. Als die Knechte ihn fragten, ob man das Unkraut ausreißen solle, sagte er: ,,Nein, damit man nicht mit dem Unkraut auch den Weizen ausrauft.'' Das bedeutet, daß die Diener des Neuen Testaments nicht denjenigen ausreißen, d.h. töten sollen, der Übles tut (im Sinne von Mk. 10,42: ,,Die weltlichen Fürsten und Herren üben Gewalt'', und Röm. 13,4: ,,Die Obrigkeit führt das Schwert nicht vergebens'', aber auch Mk. 10,43: ,,Unter euch soll es nicht so sein.''); denn sonst ist dieser, falls er noch Gnade findet (wie der Herr spricht: ,,Ich will ihn bekehren.''), bereits leiblich getötet. Das aber steht den Christen nach der Regel des Herrn (Mt. 18,15–17) nicht zu. Vielmehr sollen sie ihn nur mit dem Bann zurechtweisen und ihn einen Heiden und Zöllner sein lassen, bis er sich bessert. Sonst wird er als Ungläubiger umgebracht und findet keine Gelegenheit mehr zur Umkehr. So wird in der zwinglischen und in der lutherischen Kirche gerade das Gegenteil getan [die Kirche nämlich nicht gereinigt], wenn man die Päpstler mit Härte zwingt, zur Predigt und zum Abendmahl zu gehen.

(TQ Gespräche, 108 f.)

Innere und äußere Kirche bei Pilgram Marpeck (1545)

Dies ist die wahre Offenbarung Jesu Christi, daß wir empfinden und erkennen, daß der Wille, das Werk und das Wohlgefallen des Vaters durch Christus in uns gewirkt werden; und so wohnt Gottvater in Christus und Christus mit Gottvater in uns und wir in Christus mit Gott. Diese Stätte und Wohnung ist uns erst durch Christus zubereitet worden ...

Denn das Jerusalem, das oben ist, ist allein durch Jesus Christus im Geist erbaut worden, also daß der innere und geistige Tempel das Herz ist. In diesem Jerusalem ist auch die Stätte der Anbetung, in der im Geist und in der Wahrheit angebetet wird. Das ist auch der innere Chor und das Heiligtum, ich meine das Herz der Menschen. Das sind die Herzen der wahren Gläubigen, in welche niemand anderes eingehen darf als allein unser Hohepriester. Ihm allein ist der Chor und das Heiligtum von Gott, dem Vater, geweiht, der die Herzen, Gedanken und Nieren erforschen kann ... Diese Kirche wird allein im Geist geschaut. In ihr ist allein durch den Hohepriester Christus Vergebung der Sünde, das ist die innere Kirche Christi, worin das ewige Leben steht, nämlich so, daß der Mensch jetzt selber wissen soll und muß, ob Christus in ihm wohnt oder nicht, auch daß Gott allein durch Christus erkennt, wie es im Herzen des Menschen steht, ob es dort richtig zugeht oder nicht ...

Dieser inneren Kirche im Heiligen Geist sind auch die äußeren Werke aufgetragen, um durch Mitwirkung des Heiligen Geistes Licht vor der Welt zu sein. Wie das Licht innerlich zwischen Gott und dem Menschen Zeugnis ablegt, so soll es auch äußerlich Gestalt gewinnen und bezeugt werden in der Liebe zum Nächsten mit Lehre, Taufe, Abendmahl und mit aller Liebe, die allen Menschen nach dem Maß der inneren Wirkung des Heiligen Geistes zur Besserung des äußeren Menschen in Christo entgegenzubringen ist. Darin ist auch äußere Vergebung der Sünde, also ist der Geist, Sinn und Wille des Vaters durch den äußeren Menschen Jesus Christus leiblich durch sein Wort und Werk offenbart worden ...

Also wird der Leib Christi innerlich durch den Heiligen Geist, äußerlich durch die Werke, die daran hängen, erbaut. Das ist seine Kirche oder Gemeinde, die seine Braut ist, innerlich im Geist und in der Wahrheit, äußerlich durch das Wort der Lehre, durch den Gehorsam und dadurch, daß wir zu einem Licht zusammengefügt sind, um Gott zu preisen, aber von der Welt abgesondert sind zu einem Zeugnis über sie, wie denn das Evangelium durch Wort und Werk vor der Wiederkunft des Menschensohnes gepredigt werden muß.

(H. Fast (Hg.), Kunstbuch, Nr. 37)

Der Grebelkreis bekennt sich Thomas Müntzer gegenüber zur Wehrlosigkeit (1524)

Man soll auch das Evangelium und seine Anhänger nicht mit dem Schwert schirmen, und sie sollen es auch selbst nicht tun. Wie wir durch unsern Bruder (Hans Huiuff aus Halle a.S.) vernommen haben, ist das auch Deine Meinung und Haltung. Rechte gläubige Christen sind Schafe mitten unter den Wölfen, Schafe zum Schlachten, müssen in Angst und Not, Trübsal, Verfolgung, Leiden und Sterben getauft werden, sich im Feuer bewähren und das Vaterland der ewigen Ruhe nicht durch Erwürgen leiblicher Feinde erlangen, sondern durch Tötung der geistlichen. Auch gebrauchen sie weder weltliches Schwert noch Krieg. Denn bei ihnen ist das Töten ganz abgeschafft – es sei denn, wir gehörten noch dem alten Gesetz an. Aber auch dort (im Alten Testament) ist (wenn wir es recht überlegen) der Krieg, nachdem sie das gelobte Land erobert hatten, nur eine Plage gewesen. Von dem nicht mehr.

(LF, 20)

Die Waffen der Christen

Nein, meine lieben Herren, nein, es wird euch nicht befreien können, an dem Tag der Gerechtigkeit Gottes. Ich sage euch die Wahrheit in Christo; nehmt die recht getauften Jünger Christi wahr, die mit dem Geist und Feuer von innen, und mit dem Wasser von außen, nach Inhalt von Gottes Wort getauft sind, dieselben kennen keine Waffen, denn allein Geduld, Hoffen, Schweigen und Gottes Wort. „Die Waffen unserer Ritterschaft,“ sagt Paulus, „sind nicht fleischlich, sondern mächtig vor Gott, zu zerstören die Befestigungen; damit wir zerstören die Anschläge und alle Höhe, die sich erhebet wider das Erkenntnis Gottes, und nehmen gefangen alle Vernunft unter den Gehorsam Christi,“ 2. Kor. 10, 4, 5. Unsere Waffen sind nicht Waffen, womit man Städte und Länder verwüstet, Mauern und Tore zerbricht und das menschliche Blut wie Wasser vergießt, sondern es sind Waffen, mit denen man das Reich des Teufels zerstört, das gottlose Wesen in den Gewissen der Menschen vernichtet und die steinharten Herzen zerknirscht, welche noch nie von dem himmlischen Tau des heiligen Worts besprengt worden sind. Wir haben und kennen auch keine anderen Waffen, das weiß der Herr, und sollten wir gleich in tausend Stücke zerrissen werden; und obschon so viele falsche Zeugen wider uns aufstünden, als Gras auf dem Felde und Sand am Meer ist.

Noch einmal: Unsere Burg ist Christus; unsere Gegenwehr Geduld; unser Schwert ist Gottes Wort, und unser Sieg ist der freimütige, feste, ungefärbte Glaube an Christum Jesum. Eisen, Metall, Spieß und Schwerter lassen wir denjenigen, die leider Menschen- und Säueblut in gleichem Wert achten. Wer verständig ist, der urteile, was ich meine.

(Die vollständigen Werke Menno Simons's I, 118 f.)

Der Schleitheimer Artikel über das Schwert (1527)

Zum sechsten haben wir uns über das Schwert folgendermaßen geeinigt: Das Schwert ist eine Gottesordnung außerhalb der Vollkommenheit Christi. Es straft und tötet den Bösen und schützt und schirmt den Guten. Im Gesetz wird das Schwert über die Bösen zur Strafe und zum Tode verordnet. Es zu gebrauchen, sind die weltlichen Obrigkeiten eingesetzt. In der Vollkommenheit Christi aber wird der Bann gebraucht allein zur Mahnung und Ausschließung dessen, der gesündigt hat, nicht durch Tötung des Fleisches, sondern allein durch die Mahnung und den Befehl, nicht mehr zu sündigen. Nun wird von vielen, die den Willen Christi uns gegenüber nicht erkennen, gefragt, ob auch ein Christ das Schwert gegen den Bösen zum Schutz und Schirm des Guten und um der Liebe willen führen könne und solle. Die Antwort ist einmütig folgendermaßen geoffenbart. Christus lehrt und befiehlt uns (Matth. 11, 29), daß wir von ihm lernen sollen; denn er sei milde und von Herzen demütig, und so würden wir Ruhe finden für unsere Seelen. Nun sagt Christus zum heidnischen Weiblein, das im Ehebruch ergriffen worden war, nicht, daß man es steinigen solle nach dem Gesetz seines Vaters – obgleich er sagt: wie mir der Vater befohlen hat, so tue ich (vgl. Joh. 12,50) –, sondern spricht ‚nach dem Gesetz‘ der Barmherzigkeit und Verzeihung und Mahnung, nicht mehr zu sündigen: „Gehe hin und sündige nicht mehr“ (Joh. 8,11)! Zweitens wird wegen des Schwertes gefragt, ob ein Christ Urteil sprechen soll in weltlichem Zank und Streit, den die Ungläubigen miteinander haben. Die Antwort ist diese: Christus hat nicht entschieden oder urteilen wollen zwischen Bruder und Bruder des Erbteils wegen, sondern hat sich dem widersetzt. So sollen wir es auch tun. Drittens wird des Schwertes halber gefragt, ob der Christ Obrigkeit sein soll, wenn er dazu gewählt wird. Dem wird so geantwortet: Christus sollte zum König gemacht werden, ist aber geflohen und hat die Ordnung seines Vaters nicht berücksichtigt. So sollen wir es auch tun und ihm nachlaufen. Wir werden dann nicht in der Finsternis wandeln. Denn er sagt selbst: „Wer mir nachfolgen will, der verleugne sich selbst und nehme sein Kreuz auf sich und folge mir nach" (Matth. 16, 24). Auch verbietet er selbst die Gewalt des Schwertes und sagt: „Die weltlichen Fürsten, die herrschen" usw.; „ihr aber nicht also" (Matth. 20, 25 f.). Weiter sagt Paulus: „Welche Gott zuvor ersehen hat, die hat er auch verordnet, daß sie gleichförmig sein sollen dem Ebenbild seines Sohnes" usw. (Röm. 8, 29). Auch sagt Petrus: „Christus hat gelitten, nicht geherrscht und hat uns ein Vorbild gelassen, daß ihr seinen Fußtapfen nachfolgen sollt" (I. Petr. 2, 21). Zum letzten stellt man fest, daß es dem Christen aus folgenden Gründen nicht ziemen kann, eine Obrigkeit zu sein. Das Regiment der Obrigkeit ist nach dem Fleisch, das der Christen nach dem Geist. Ihre Häuser und Wohnung sind mit dieser Welt verwachsen; die der Christen sind im Himmel. Ihre Bürgerschaft ist in dieser Welt; die Bürgerschaft der Christen ist im Himmel. Die Waffen ihres Streits und Krieges sind fleischlich und allein wider das Fleisch; die Waffen der Christen aber sind geistlich wider die Befestigung des Teufels. Die weltlichen werden gewappnet mit Stachel und Eisen; die Christen aber sind gewappnet mit dem Harnisch Gottes, mit Wahrheit, Gerechtigkeit, Friede, Glaube, Heil und mit dem Wort Gottes. In summa: Wie Christus, unser Haupt über uns, gesinnt ist, so sollen in allem die Glieder des Leibes Christi durch ihn gesinnt sein, damit keine Spaltung im Leib ist, durch die er zerstört wird. Denn ein jedes Reich, das in sich selbst zerteilt ist, wird zerstört werden. Da nun Christus so ist, wie von ihm geschrieben steht, so müssen die Glieder auch so sein, damit sein Leib ganz und einig bleibt zu seiner eigenen Besserung und Erbauung.

(LF, 66 ff.)

Balthasar Hubmaier tritt für eine christliche Obrigkeit ein (1527)

Nachdem Paulus lehrt, daß wir für die Obrigkeiten bitten sollen, damit wir ein ruhiges und stilles Leben in aller Gottseligkeit und Redlichkeit untereinander führen mögen, frage ich euch Brüder allesamt, ob eine gläubige oder eine ungläubige Obrigkeit tauglicher und geschickter sei, das Volk in einem solchen friedlichen, ruhigen, stillen, gottseligen und redlichen Leben zu erhalten. Ihr müßt, müßt, müßt ja bekennen, daß eine christliche Obrigkeit solches viel besser und ernsthafter vollbringen kann als eine unchristliche, der weder Christus, Gott noch Gottseligkeit am Herzen liegen, sondern die allein danach trachtet, sich ihre Macht, ihren Pomp und ihre Pracht zu erhalten . . . .

So die Obrigkeit mich oder einen andern auffordert, ihr dabei behilflich zu sein, den Übeltäter, den sie nach der Ordnung Gottes töten muß, hinzurichten, so sind wir verpflichtet, ihr zu helfen. Und wer sich dagegen zur Wehr setzt, widerstrebt der Ordnung Gottes und wird das ewige Gerichtsurteil über sich ergehen lassen müssen.

(B. Hubmaier, Von dem Schwert, in: Schriften, 447 und 451)

Wolfgang Brandhuber gegen die Beteiligung der Christen am obrigkeitlichen Amt (1529)

Weiter will ich euch auch ermahnt haben, aus Christus keinen Moses machen zu lassen, wie jetzt etliche tun, die das Schwert aus dem Gesetz Mose erhalten wollen und gegen die Lehre und das Leben Christi kämpfen . . . und dafür eintreten, daß ein Christ richten und die Todesstrafe verhängen kann, was uns aber das geduldige Schäflein Christus nie gelehrt hat.

(GZ I, 139)

Über die Obrigkeit auf dem Zofinger Gespräch 1535

Uns wird entgegengehalten, daß es im Alten Testament nur eine Obrigkeit und Schwertgewalt gäbe. Das stimmt. Aber auf das Argument, daß das jetzt auch bei uns so sein müßte, antworte ich mit Paulus 1. Tim. 1 (5 und 8): Die Hauptsumme des Gebotes ist Liebe von reinem Herzen etc. Dem Gerechten ist kein Gesetz gegeben, sondern dem Ungerechten; weiter Eph. 2 (14): Christus hat die Feindschaft aufgelöst und das Gesetz durch sein Fleisch weggenommen, Röm. 10 (4 ff.): Das Gesetz, sofern es das Äußerliche betrifft und nicht den Geist berührt, ist aufgehoben. Deshalb hat Christus seiner Kirche kein äußerliches, sondern ein innerliches Regiment anvertraut . . .

Wir widerstreben der weltlichen Obrigkeit, die von Gott eingesetzt ist (Röm. 13), nicht, sondern unterwerfen uns ihr, sofern sie das Äußerliche regelt, im Gehorsam. Wir übertragen aber nicht die Obrigkeit aus dem Alten Testament auf das Neue in der Gemeinde. Lev. 2 [17,6] und Hebr. 10 (28) steht: Derjenige, der als Hurer überführt wird, soll des Todes Sterben, ohne Gnade gesteinigt werden. Wenn ihr nun die Obrigkeit aus dem Alten Testament übernehmt, so könnt ihr den Hurer nicht, wie Paulus lehrt, mit dem Bann ausschließen und auf dessen Besserung hoffen, sondern müßt ihn nach dem strengen Maßstab des alten Gesetzes richten. Wenn ihr aber nicht nach dem Alten und Neuen Testament richten wollt, so müßt ihr nach dem kaiserlichen Recht wie die Heiden richten. So handelt ihr freilich weder nach dem Alten noch nach dem Neuen Testament.

(TQ Gespräche, 193 f.)

Obrigkeitliche Verordnung der Zwölf Ältesten von Münster 1534

Gnade und Friede über alle, die Gott fürchten und seinem Willen gehorchen und Friede über ganz Israel, das Volk Gottes, Amen!

Obgleich wir alle die dieser heiligen Gemeinde Münster, in deren Herzen Gesetz und Wille des Allerhöchsten durch den Finger Gottes eingeschrieben ist, ihn in Gedanken, Worten und Werken billig so erfüllen sollen, daß es von jetzt an nicht nötig wäre, das Gesetz des Herrn unseres Gottes uns schriftlich vor Augen zu stellen und zum Vorbild zu machen, so werden wir zwölf Älteste des Volkes trotzdem, da Gott der Allmächtige seinem Volke gnädig eine neue Obrigkeit verliehen hat, damit die Unbußfertigen ihre Freveltaten mit keinem Vorwande entschuldigen können und den Schwächeren und Nachlässigen, die etwa unter uns sind, ein Dienst geleistet wird, das, was die Schrift mit vielen Worten überall zu unserer Belehrung überliefert, damit der unselige Mensch in jedem Werk im Guten vollkommener werde, zum Schutze des neuen Staates gleichsam in eine Tabelle kurz zusammenfassen und jedem einzelnen vor Augen stellen, damit er sieht, was er zu tun und zu lassen hat. Den Gerechten ist kein Gesetz gegeben, sondern den Ungerechten und Ungehorsamen (1. Tim. 1,9). So wird auch die Obrigkeit, die das Schwert führt, zum Schrekken der Bösen und zum Schutze der Guten von Gott eingesetzt. Wer also von Gesetzen und der Furcht vor ihnen frei sein will, der muß Gott vor Augen haben und alle seine Gebote halten, wie unten aus der heiligen Schrift kurz angemerkt ist. Diese werden bei Gott, bei der Obrigkeit, als seiner Dienerin und bei allen Frommen Lob, Ruhm und Ehre ernten und sich endlich das ewige Leben gewinnen. Gott, der Vater unseres Herrn Jesu Christi gebe uns mit allen Gläubigen einen solchen Sinn und Geist. Amen!

Da also das Reich Gottes darin besteht, daß wir durch Taten und von ganzem Herzen seinen Willen erfüllen und dann wahre Söhne Gottes, Brüder und Miterben Jesu und Christi sind, wenn wir, was er befohlen hat, durch Taten zum Ausdruck bringen, so besteht umgekehrt das Reich des Teufels darin, daß wir Sünden begehen und seinen Willen tun, was fern von uns sei! Wenn wir aber Söhne Gottes geworden und auf Christus getauft sind, muß aller Überrest des Bösen aus unserer Mitte ausgerottet werden, wozu die Obrigkeit nach Gott das meiste dienen kann, wie geschrieben steht Röm 13: Jedermann sei untertan der Obrigkeit, die Gewalt über ihn hat. Denn es ist keine Obrigkeit außer von Gott; wo aber Obrigkeit ist, die ist von Gott verordnet. Wer sich also der Obrigkeit widersetzt, widersetzt sich der Ordnung Gottes, die sich aber widersetzen, werden über sich selbst ein Urteil empfangen. Denn die Gewaltigen sind nicht denen zu fürchten, die gut tun, sondern böse. Willst du dich aber nicht fürchten vor der Obrigkeit, so tue Gutes und du wirst Lob von ihr haben. Tust du aber Böses, so fürchte dich! Denn sie führt das Schwert nicht umsonst; denn sie ist Gottes Dienerin, eine Rächerin zur Strafe über den, der Böses tut. Darum ist es nötig, daß wir untertan sind, nicht bloß wegen des Zorns, sondern auch wegen des Gewissens. Durchs Schwert sollen alle Sünder meines Volkes sterben, die da sagen: Es wird das Unglück nicht so nahe sein, noch uns begegnen (Amos 9,10).

Es folgt nun die Anführung einer Reihe von Sünden, die im Alten Testament mit dem Tode bestraft wurden, sowie neutestamentlichen Gebote.

1. An erster Stelle, wer Gott flucht und seinen heiligen Namen oder sein Wort lästert. Levit 24; Exo 20

2. Niemand soll der Obrigkeit fluchen. Exo 22; 1. Pet 3; Act 23; Deut 17

3. Wer seinen Eltern flucht und ihnen nicht gehorcht, sondern sich hartnäckig gegen sie auflehnt. Exo 20.21 Deut 5; Eph 6; Deut 21. Über die Herrschaft des Mannes und den Gehorsam des Weibes in der Ehe. Eph 5

4. Über den Gehorsam des Gesindes gegen den Hausherrn und des Hausherrn Pflichten gegen sein Gesinde. Eph 6

5. Über den Ehebruch. Exo 20; Levit 20; Matth 5

6. Über Hurerei und Unzucht jeder Art. Exo 22; Levit 20; 1. Cor 6; Gal 5; Eph 4.5; Thess 4. Hurerei und alle Unreinigkeit soll unter euch nicht einmal genannt werden, wie es den Heiligen Gottes ziemt.

7. Von Geiz und Raffsucht. 1 Tim 6

8. Vom Diebstahl. Exo 20; Deut 5, 1. Cor 6; Deut 27

9. Von Betrug und Übervorteilung. 1. Thess 4

10. Von Lügen und Verleumdungen. Weish 1; Ps 21; Jak 4; 1. Petr 2; Matth 7

11. Von schändlichen Reden und müßigen Worten. Matth 12; Eph 4

12. Von Streit, Zank, Zorn und Mißgunst. Gal 5; Matth 5; 1. Joh 4

13. Von Verleumdungen, Murren und Aufruhr im Volke Gottes. Levit 19; 1. Kor 10

Beschluß

Wer sich nun mit diesen und ähnlichen, der heilsamen und gesunden Lehre Jesu Christi entgegengesetzten Sünden befleckt, soll, wenn er nicht wahre Buße tut, dem Gesetze unterworfen und mit Bann und Schwert durch die von Gott gesetzte Obrigkeit aus dem Volke Gottes ausgerottet werden. Apk 22; Selig sind, die seine Gebote halten, auf daß ihre Macht am Holze des Lebens sei und sie durch die Tore eingehen in die Stadt. Draußen aber sind die Hunde und die Zauberer und die Hurer und die Totschläger und die Abgöttischen und alle, die die Lüge lieben und tun.

(Nach H. Kerssenbroch: R. van Dülmen (Hg.), Das Täuferreich zu Münster, 114 ff.)

V. Die Verfolgung der Täufer

Mandat des Zürcher Rates gegen die Täufer (7. März 1526)

Nachdem unsere Herren Bürgermeister, Rat und Großer Rat, die man die Zweihundert der Stadt Zürich nennt, sich eine gute Weile mit besonderem Ernst bemüht haben, die verführten, irrenden Wiedertäufer von ihrem Irrtum abzubringen etc., einige von ihnen aber ganz uneinsichtig und entgegen ihren Eiden, Gelübden und Versprechungen bei ihrer Meinung geblieben sind und sich gegenüber dem obrigkeitlichen Regiment mit nachteiligen und zerstörerischen Folgen für den gemeinen Nutzen und das christliche Wesen als ungehorsam erwiesen haben, sind einige von ihnen, Männer, Frauen und Mädchen, von unsern Herren schwer bestraft und ins Gefängnis gelegt worden. Daraufhin ergeht jetzt unserer genannten Herren ernstliches Gebot, Geheiß und Warnung, daß, ob in ihrer Stadt, auf dem Land oder in den [ihnen unterstellten] Gebieten, fernerhin niemand, es seien Männer, Frauen oder Mädchen den andern wiedertaufen darf. Denn wer so weiterhin den andern taufen würde, den würden unsere Herren ergreifen und nach ihrem jetzt beschlossenen Urteil ohne alle Gnade ertränken lassen. Demgemäß möge sich jeder vorsehen und darauf achten, daß sich niemand zu seinem eigenen Tode die Ursache liefere.

(TQ Zürich, 180 f.)

Widerruf eines Täufers und Urteil des Zürcher Rates (1526)

Rudolff Hottinger antwortet, er sei jetzt zu dem Entschluß gelangt, daß er bereuen, von der Wiedertaufe abstehen und meinen Herren gehorsam sein will. Und wenn er später dergleichen mehr oder anderes gegen meine Herren täte, wolle er stets in meiner Herren Strafe bleiben. Sie mögen ihn ertränken, verbrennen oder enthaupten, wie es ihnen dann gefällt; er bittet meine Herren abermals, ihm wohlgesonnen zu sein. Er bekennt auch, daß er an vielen Orten aus Unwissenheit geirrt habe, er will gehorsam sein, von der Taufe ganz und gar abstehen, niemals mehr daran denken. Er habe sich nun endlich soviel besonnen und erinnert, es sei christlich, daß er sein Kind ohne Verzug taufen lassen will, wenn seine Frau entbunden habe. Daß man ihn zu seinen kleinen Kindern lasse, deren er sechs habe ...

Auf Rudolff und Uly Hottingers Antwort und Handschlag hin haben meine Herren den Beschluß gefaßt, daß man sie dieses Mal freilassen und ihre Antwort noch einmal Mal verlesen lassen und ihnen dabei sagen soll, daß sie reuig sein und gemäß ihrer Antwort und ihrem Versprechen leben sollten. Doch wenn sie das nicht halten, sondern dem zuwider handeln, werde man ihnen tun, wie sie begehrt haben, und sie ohne Gnade ertränken.

(TQ Zürich, 181 f.)

Aus dem Bekenntnis Georg Wagners (1527)

Es baten ihn auch einige Brüder, daß er ihnen (sobald er ins Feuer käme) ein Zeichen seines Glaubens geben solle. Er sagte es ihnen zu und versprach, er wolle den

Namen Jesu, seines Erlösers, mit lauter Stimme im Feuer rufen, solange er könne. Das geschah auch, und er schrie, kurz bevor er seinen Geist aufgab, mit lauter Stimme Jesus usw., viermal. Und er ist standhaft mit großer Pein und Marter, doch fröhlich, unverzagt und geduldig in Gott aus dieser Welt im Jahr 1527 geschieden.

(GZ I, 43)

Das Mandat des Zweiten Speyerer Reichstags gegen die Täufer

Wir Karl der fünft usf. empieten allen und jeglichen unsern und des heyligen reichs kurfürsten, fürsten, geistlichen und weltlichen, prelaten, graven, freyen, herren, rittern, knechten, hauptleuten, landtvögten, vitzthumen, vögten, pflegern, verwesern, amptleuten, schuldtheyssen, burgermeistern, richtern, rethen, burgern und gemeinden und sunst allen andern unsern und des reichs undertanen und getreuen, in was wirden, stands oder wesens die sein, unser freundschaft, gnade und alles guts.

Hoch- und erwirdigen, hochgebornen lieben freundt, neven, oheimen, kurfürsten, fürsten: wolgebornen, edeln, ersamen, andechtigen und lieben getreuen! Wiewol in gemeinen rechten geordnet und versehen, das keiner, so einmale nach christlicher ordnung getaufft worden ist, sich widerumb oder zum zweyten male tauffen lassen noch derselben eynichen tauffen soll und fürnemblich in keyserlichen gesetzen, solichs zw bescheen, bey straff des todts verpotten, darauff wir dann in anfang nechstverschienen acht und zwainzigsten jars der myndern zale euch allen sampt und sonder als römischer keyser, oberster vogt· und beschirmer unsers heyligen christlichen glaubens durch unser offen mandat [*Kaiserl. Pat. v. 4.1.1528*] ernstlich haben thun gepieten, ewer undertanen, verwandten und angehörigen von demselben jetzo kürtzlich newen aufgestanden irsall und sect des wydertauffs und derselben muetwilligen verfürigen und auffrürigen anhangk durch ewer gepott und sunst auff der cantzeln durch christliche gelerte prediger getrewlich und ernstlich, auch der pene des rechten in sollichem fall und sonderlich der grossen straff Gottes, die sie zu gewartten haben, zu erinnern, zu ermanen, abzuweysen und zu warnen und gegen denen, so also in sollichem laster und irrung des wydertauffs erkundiget, erfunden und betretten würden, mit straff der penen des rechten, wie sich sollichs gegen eynem jeden seinem verschulden nach gepürt, zu vollenfaren und deshalb nit seumig zu sein, damit solch ubel gestrafft und ander unrathe und weytherung, so sunst darauß erwachsen, fürkumen und verhüt würde, so befinden wir doch teglich, das uber angezeygt gemein recht, auch unser außgangen mandat, sollich alt, vor vil hundert jaren verdampte und verpottene sect des wydertauffs je lenger je mer und schwerlicher eynpricht und uberhandt nympt.

Solliche ubel, und was daraus folgen mage, zu fürkumen und friedt und eynigkeit im heyligen reych zu erhalten, auch alle disputacion und zweyfel, so der straff halber des wydertauffs zufallen möcht, auffzuheben, so vernewen wir die vorigen keyserlichen gesetz, auch obgemelt unser darauff gevolgt und außgekünd mandat, ordnen, setzen, machen und declarirn demnach auß keyserlicher macht volkommenheit und rechter wissen und wollen, das alle und jede wydertauffer und wydergetaufften, mann- und weybspersonen verstendigs alters, von natürlichem leben zum todte mit dem fewer, schwerdt oder dergleychen nach gelegenheit der personen, one vorgeend der geystlichen richter inquisicion, gericht und gepracht werden; und sollen derselben fürprediger, heuptsecher, landtlauffer und aufrürische aufwigler des berürten lasters des wydertauffs, auch die darauff beharren und diejhenen, so zum anderen male umbgefallen, hierin keins wegs begnadt, sonder gegen inen, vermög dieser unser constitucion und satzung ernstlich mit der straff gehandelt werden. Welliche personen aber iren irsall für sich selbs oder auff underricht und ermanen unverzüglich bekennen, denselben zu wyderrufen, auch buß und straff daruber anzunemmen willig sein und umb gnade bitten wurden, dieselbigen mögen von irer oberkeit nach gelegenheit ires verstandts, wesens, jugent und allerley umbstende begnadet werden.

Wir wollen auch, das ein jeder sein kynder nach christlicher ordnung, herkommen und geprauch in der jugent tauffen lassen soll. Welliche aber das verachten und nit thun würden uff meynung, als ob [der] kyndertauff nichts sey, der soll, so er darauff zu beharren understünde, für ein wydertauffer geacht und obangezeygter unserer constitucion underworffen sein; und soll keyner derselbigen, so auß obangezeygten ursachen begnadet werden, an andere ort religirt und verwiesen, sonder under seiner oberkeyt zu pleyben verstrickt und verbunden werden, die dann eyn fleissig aufsehens, damit sie nit wyder abfallen, haben lassen soll. Dergleychen soll keyner des andern underthanen oder verwandten, so auß angezeygten ursachen von irer oberkeit gewichen oder außgetretten, enthalten, underschleyffen oder fürschieben, sonder alsbalt dieselb oberkeit, darunder sich der entwichen enthält, solcher überfarung innen und gewar wirdet, soll er [!] gegen demselben, so also entwichen, laut obberürter unserer satzung strengklich handeln und sie daruber nit bey sich leiden oder dulden, alles bey pene der acht.

Heruff gebieten wir euch allen und jeden in sonderheyt, weß würden, stands oder wesen ein jeder ist, bey den pflichten und eyden, damit ir uns und dem heyligen reich zugethan und verwant seyt, auch unsere schwere ungenade und straff zu vermeyden, und wollen, das ir alle und ewer jeder insonder sollliche unsere constitucion und satzung des wydertauffs halber strengklich und vestiglich in allen stücken und puncten haltet, darauff urteylet, handlet, unnachlessig vollentziehet, euch auch hierin mit solchen gehorsam und dermaß erzeygt, wi ir zu thun schuldig und noturfft der sachen für sich selbst erfordert, des wollen wir uns also ungezweyfelt versehen, ihr thut auch daran unser ernstlich meynung. Geben in unser und des reichs statt Speyer am dreyundzweintzigisten tag des monats aprilis nach Christi gepurt fünffzehenhundert und im neunundzweintzigisten, unserer reiche des römischen im zehenden und der anderen alle im dreytzehenden jare.

(TQ Österreich I, 187 ff.)

Der Weg zur Seligkeit führt durch Leiden und Kreuz

Angst, Not, Armut, Elend, Widerwärtigkeit, Verfolgung, Gefängnis, Kummer, Jammer und Trübsal, ja Leiden und Kreuz selbst ist der Weg zur Seligkeit, wer den nicht gehen will, der wird nicht selig werden, es hilft keine Ausrede . . . Welcher nicht auf sich nimmt (sagt Christus) sein Kreuz und folgt mir nach, der ist mein nicht würdig, ja Maulchristen, aber nicht Kreuzchristen wollen sie gern sein, es wird aber nicht helfen.

(Aus dem Kunstbuch (Nr. 29, 1533), zit nach C. Bauman,
Gewaltlosigkeit im Täufertum, Leiden 1968, 184)

Eine altgläubige Stimme zum Martyrium der Täufer

Viele Leute ängstigen sich . . . von wegen der elendigen Zwitäufer, die sich bereitwillig zuzeiten fröhlich, verbrennen, ertränken oder sonst töten lassen, so als werde dadurch ihr Glaube bestätigt und als rechtmäßig eingeschätzt. Dazu folgende Antwort: Wie einst gute Engel die frommen Märtyrer Gottes bewegt haben, so daß sie standhaft gestorben sind um des wahren Glaubens willen, so reizen die bösen Engel die verstockten Märtyrer des Teufels, daß sie mutwillig leiden oder freventlich ihren Tod und das Martyrium um ihres falschen Glaubens willen verteilen. Dadurch werden nicht allein die Zwietäufer getröstet, sondern auch die Umstehenden betrogen, so als wären die Zwietäufer heilig und in ihrer Meinung gerecht. Solches verhängt Gott um unserer Sünde willen; nämlich daß sich der Teufel so verstellt, als sei er ein guter Engel. Darum nimmt es nicht wunder, daß sich seine Knechte, die Zwietäufer, verstellen, als seien sie Diener der Gerechtigkeit.

> *(Berthold von Chiemsee, Keligpuchel. Ob der kelig ausserhalb der mess zeraichen sey, 1535; zit. nach: Elsa Bernhofer-Pippert, Täuferische Denkweisen und Lebensformen im Spiegel oberdeutscher Täuferverhöre, Münster 1967, S. 154).*

Über die Todesarten der Täufer im Geschichtsbuch der Huterer

Einige hat man gereckt und gestreckt, so daß die Sonne durch sie hindurchscheinen konnte, einige sind an der Folter zerrissen und gestorben, einige sind zu Asche und Pulver als Ketzer verbrannt worden, einige an Säulen gebraten worden, einige mit glühenden Zangen gerissen, einige in Häusern eingesperrt und alles miteinander verbrannt worden, einige an Bäumen aufgehängt, einige mit dem Schwert hingerichtet, erwürgt und zerhauen worden. Vielen sind Knebel in den Mund gesteckt und die Zunge gebunden worden, damit sie nicht reden und sich verantworten konnten. So sind sie zu Tode geführt worden . . . Wie die Lämmer führte man sie oft haufenweise zur Schlachtbank und ermordete sie nach des Teufels Art und Natur . . .

(R. Wolkan, (Hg.), Das Geschicht-Buch der Hutterischen Brüder, Wien 1923, S. 184)

Wichtige Täuferschriften

Balthasar Hubmaier

– Ain Summ ains gantzen Christlichen lebens. Durch Baldasaren Frydberger, Predicant yetz zů Waldßhütt, verzeichnet an die drey Kirchen Regensburg, Jngolstat vnd Fridberg, seynen lieben herren, briedern vnd schwestern in gott dem herren. Sonderlich ain bericht den kinder Touff vnd das Nachttmal belangent. 1525

– Von dem Christlichen Tauff der gläubigen. 1525

– Ein gesprech Balthasar Hůbmörs von Fridberg, Doctors, auf Mayster Vlrichs Zwinglens zu Zürich Tauffbuchlein von dem Kindertauff. 1526

– Ein Christennliche Leertafel, die ein yedlicher mensch, ee vnd er im Wasser getaufft wirdt, vor wissen solle. 1526.

– Von der Briederlichen straff. Woe die nit ist, da ist gewißlich khain Kirch, ob schon der Wassertauff vnd das Nachtmal Christj daselbs gehaltenn werdent. 1527

– Von der Freyhait des Willens, die Gott durch sein gesendet wort anbeüt allen menschen, vnd jnen dar jn gwalt gibt seine Khinder ze werden, auch die waal gůtes ze wöllen vnd zethon. Oder sy aber Khinder des Zorns, wie sy denn von natur seind, ze bleiben lassen. 1527

Hans Hut

– Von dem geheimnis der tauf, baide des zaichens und des Wesens, ein anfang eines rechten wahrhaftigen christlichen lebens. 1527 (Handschriftlich überliefert).

– Ein christlicher underricht, wie göttliche geschrift vergleicht und geurtailt solle werden. Aus kraft des heiligen geists und zeuknus der dreitail christlichen glaubens sambt iren verstand. 1527

Hans Denck

– Was geredt sey, das die schrifft sagt, Gott thue und mache guts und böses. Ob es auch billich, das sich yemandt entschuldige der Sünden und sy Gott uberwinde. 1526

– Vom Gesatz Gottes/Wie das gsatz auffgehaben sey: und doch erfüllet werden muß. 1526

– Von der waren lieb etc. 1527

– Ordnung Gottes und der creaturen wercke: zu verstören das geticht gleißnerisch außreden der falschen und faulen außerwelten, auff das die warheyt raum hab zu verbringen das ewige unwandelbare wolgfallen Gottes. 1527

Pilgram Marpeck

– Clare Verantwurtung ettlicher Artickel (so jetz durch irrige geyster schrifftlich vnnd mündtlich ausschweben) von wegen der ceremonien dess Newen Testaments . . . 1531

– Vermanung auch gantz klarer gründtlicher un unwidersprechlicher bericht zu warer Christlicher ewigbestendiger pundtsvereynigung allen waren glaubigen frummen und gutthertzigen menschen zu hilff; o.O.u.J. (ca. 1542)

- Verantwurtung über Casparn Schwenckfelds Judicium . . . o.O.u.J.
- Testamenterleütterung, Erleutterung durch ausszug auss Heiliger Biblischer schrifft (tail vnd gegentail) sampt ainstails angehangen beireden . . . o.O.u.J.

Peter Riedemann

- Rechenschaft unseres Glaubens geschrieben zu Gmunden im Land ob der Enns im Gefencknus. 1529–1532
- Rechenschafft unserer Religion, Leer vnd Glaubens, von den Brüdern so man die Hutterischen neñt außgangen durch Peter Ryedeman. 1540–1541

Melchior Hoffman

- Das XII Capitel des propheten Danielis außgelegt/vnd das evangelion des andern sondages/gefallendt im Aduent/vnd von den zeychenn des iüngsten gerichtes/auch vom sacrament/beicht vnd absolucion/eyn schone vnterweisung an die in Lieflandt/vnd eym yden christen nutzlich zu wissen. 1526.
- Weissagung usz heiliger götlicher geschrifft. Von den trubsalen dieser letsten zeit. Von der schweren hand vnd straff gottes über alles gottloß wesen. Von der zukunfft des Türckischen Thirannen/vnd seines gantzen anhangs. Wie er sein reiß/ vnnd volbringen wirt/vns zu einer straff/vnnd rutten. Wie er durch Gottes gwalt sein niderlegung vnnd straff entpfahen wirt. 1529.
- Außlegung der heimlichen Offenbarung Joannis des heyligen Apostels vnnd Euangelisten. 1530.
- Die Ordonnantie Godts/De welcke hy/ door zijnen Soone Christum Jesum/ inghestelt ende bevesticht heeft/ op die waerachtighe Discipulen des eeuwigen woort Godts. 1530.
- Verclaringe van den geuangenen ende vrien wil des menschen/ wat ook die waerachtige gehoorsaemheyt des gheloofs/ende warachtighen eewighen Euangelions sy. Ca. 1532.
- Van der waren hochprachtlichen eynigen magestadt gottes/vnnd vann der worhaftigen menschwerdung des ewigen wortzs vnd Suns des allerhochsten/eyn kurtze zeucknus vnd anweissung allen liebhabern der ewigen worheit. 1532.
- Die eedele hoghe ende troostlike sendebrief/den die heylige Apostel Paulus to den Romeren gescreuen heeft/verclaert ende gans vlitich mit ernste van woort to woorde wtgelecht Tot eener costeliker nutticheyt ende troost allen godtvruchtigen liefhebbers der eewighen onentliken waerheyt. 1533.

Bernhard Rothmann

- Bekenntnisse von beyden Sacramenten, Doepe vnde Nachtmaele, Der Predicanten tho Munster. 1533
- Eyne Restitution edder eine Wedderstellinge rechter vnnide gesunder christliker Leer, Gelouens vnde Leuens vth Gades Genaden durch de Gemeinte Christi tho Munster an den Dach gegeuenn. 1534
- Eyn gantz troestlick Bericht van der Wrake vnde Straffe des babilonischen Gruwels, an alle waren Israeliten vnd Bundtgenoten Christi, hir vnde dar vorstroyet, durch die Gemeinte Christi tho Munster, 1534
- Van erdesscher unnde tytliker Gewalt, Bericht uith gothlyker Schryfft. 1535

Menno Simons

- Dat fundament des christelycken leers doer Menno Simons op dat alder corste geschreuen. 1539/1540.

– Een corte vermaninghe vth Godes woort doer Menno Simons van die wedergeboorte, Vnde wie die ghene syn, die belofte hebben. Ca. 1539.

– Verclaringhe des christelycken doppsels in den water duer menno Simons wt
dwoort gods In war maniere dat sy van christo Iesu beuolen is ende van synen hey-
lighen appostelen geleert ende ghebruycket is. Ca. 1542.

– Een korte ende klar belijdinge . . . van der mensch-werdinge onses lieven Heeren
Jesu Christi . . . geschreven aen de Edele ende Hoogh-Geleerde Heeren, H. Johan a
Lasco, mit t' samen sijne mede hulperen binnen Emden. 1544.

– Een korte klaeglycke ontschuldinge der ellendige christenen ende verstroyde
vreemdelingen, aen alle schrift-geleerden ende predikanten der Duytscher Natien.
1552.

– Een klare beantwoordinge, over een schrift Gellii Fabri, prediker tot Emden.
1554.

– Kindertucht. Een schoon onderwys ende leere, hoe alle vrome olders haer kinderen (nae wtwijsen der schriftueren) schuldich ende gheholden zijn te regieren,
te castyden, te onderrichten, ende in een vroom duechdelick ende godsalich leeuen
op te voeden. Mit een christelicke benedicite voor den eeten, ende een christelicke
gratias na den eeten. 1557.

Dirk Philips

– Een corte bekentenisse ende belydinghe vanden eenigen, almachtighen, leuen-
digen God, Vader, Soon ende heylige Geest, ende van die scheppinghe, verlossinge,
ende salichmakinge des menschen, met een verdaringe des Christelicken ende Apostolischen Dopes . . . Ende ten laesten van dat rechte gebruyck des auontmaels.
1557

– Van der sendinge der Predicanten oft Leeraers. 1559

– Eent Apologia ofte verantwoordinge, dat wy (die vander werelt met grooten
onrecht Anabaptisten ghescholden worden) gheen weederdoopers noch secte-
makers en sijn . . . o.J.

– Enchiridion oft Handtboecxken van de Christelijke Leere ende Religion, in
corte summa begrepen. 1564

Obbe Philips

– Bekenntenisse . . . Waer mede hy verdaert, sijn Predickampt sonder wettelicke
beroepinghe gebruyckt te hebben bedaecht hem dies. 1584

David Joris

– Onschuldt Dauids Jorisz. Gedaen vnde gepresenteert an die Wolgeborene Vrouw,
Vrouw Anna, gheborene Grauinne van Oldenburch. 1540

– Twonder Boeck. Wie een die ick, seyt die Here, senden sal ontfangt in minen
näm, dy ontfangt suy. 1542

– Ernstelijck Klage, Leer vnde onderwysinghe, . . . ouer den nydighen bloetdor-
stigen aardt Belials . . . yemanden om t'Geloof of die Weth haerder conscientien te
mogen vervolgen oder te dooden. 1544

C.

Bibliographie

Quellen

Zum schweizerischen Täufertum

— Actensammlung zur Geschichte der Zürcher Reformation in den Jahren 1519–1533, hg. von Emil Egli, Zürich 1879.

— Quellen zur Geschichte der Täufer in der Schweiz, Band I: Zürich, hg. von Leonhard von Muralt und Walter Schmid, Zürich 1952, Neuauflage 1974.

— Quellen zur Geschichte der Täufer in der Schweiz, Band II: Ostschweiz, hg. von Heinold Fast, Zürich 1973.

— Quellen zur Geschichte der Täufer in der Schweiz, Band IV: Drei Täufergespräche, hg. von Martin Haas, Zürich 1974.

— Quellen zur Geschichte der Täufer, Band IX: Balthasar Hubmaier, Schriften, hg. von Gunnar Westin und Torsten Bergsten, Gütersloh 1962.

Zum ober- und mitteldeutschen Täufertum

— Quellen zur Geschichte der Täufer, Band VII: Elsaß, 1. Teil: Stadt Straßburg 1522–1532, hg. von Manfred Krebs und Hans Georg Rott, Gütersloh 1959.

— Quellen zur Geschichte der Täufer, Band VIII: Elsaß, 2. Teil: Stadt Straßburg 1533–1535, hg. von Manfred Krebs und Hans Georg Rott, Gütersloh 1960.

— Quellen zur Geschichte der Täufer, Band IV: Baden und Pfalz, hg. von Manfred Krebs, Gütersloh 1951

— Quellen zur Geschichte der Wiedertäufer, Band I: Herzogtum Württemberg, hg. von Gustav Bossert, Leipzig 1930.

— Quellen zur Geschichte der Wiedertäufer, Band II: Markgraftum Brandenburg (Bayern I), hg. von Karl Schornbaum, Leipzig 1934.

— Quellen zur Geschichte der Täufer, Band V: Bayern II, hg. von Karl Schornbaum, Gütersloh 1951.

— Die Wiedertäuferbewegung in Thüringen von 1526–1584. Beiträge zur neueren Geschichte Thüringens, Bd. 2, hg. von P. Wappler, Jena 1913.

— Glaubenszeugnisse oberdeutscher Taufgesinnter I, hg. von Lydia Müller, Leipzig 1938.

— Quellen zur Geschichte der Täufer, Band VII: Glaubenszeugnisse oberdeutscher Taufgesinnter II, hg. von Robert Friedmann, Gütersloh 1967.

— Quellen zur Geschichte der Täufer, Band VI: Hans Denck, Schriften, hg. von Georg Baring und Walter Fellmann, 1. Teil 1955 (Bibliographie); 2. Teil 1956 (Religiöse Schriften) und 3. Teil 1960 (Exegetische Schriften).

— Quellen zur Geschichte der Täufer, Band XI: Österreich, 1. Teil, hg. von Grete Mecenseffy, Gütersloh 1964.

— Quellen zur Geschichte der Täufer, Band XIII: Österreich, 2. Teil, hg. von Grete Mecenseffy, Gütersloh 1972.

– Pilgram Marbecks Vermahnung. Ein wiedergefundenes Buch. In: Gedenkschrift zum 400jährigen Jubiläum der Mennoniten oder Taufgesinnten, 1525–1925, Ludwigshafen 1925, 178–282.

Zu den Huterischen Brüdern

Die Geschichts-Bücher der Wiedertäufer in Österreich-Ungarn von 1526–1787, hg. von J. Beck, Wien 1883.
– Die älteste Chronik der Hutterischen Brüder, hg. von A.J.F. Zieglschmid, Ithaca, N.Y., 1943.

Zum niederdeutschen Täufertum

– Berichte der Augenzeugen über das Münsterische Wiedertäuferreich, hg. von C.A. Cornelius, Die Geschichtsquellen des Bisthums Münster Bd. 2, Münster 1853, Neudr. 1965.
– Münsterische Urkundensammlung, Bd. 1: Urkunden zur Geschichte der Münsterischen Wiedertäufer, hg. von J. Niesert, Coesfeld 1826.
– Nederlandsche Anabaptistica. Geschriften van Henrick Roll, Melchior Hoffman, Adam Pastor et al. hg. von S. Cramer, Bibliotheca Reformatoria Neerlandica V, s'Gravenhage 1909.
– Documenta Anabaptistica Neerlandica, I. Friesland en Groningen, 1530–1550, hg. von Albert F. Mellink, Leiden 1975.
– Verhooren en Vonnissen der Wederdoopers, betrokken bij de aanslagen op Amsterdam in 1534 en 1535, hg. von G. Grosheide, in: Bijdragen en Mededeelingen van het Historisch Genootschap XLI, Amsterdam 1920, 1–197.
– Documenta, Anabaptistica Neerlandica, II. Amsterdam 1536–1578, hg. von Albert F. Mellink, Leiden 1980.
– Die Schriften der Münsterischen Täufer und ihrer Gegner, 1. Teil: Die Schriften Bernhard Rothmanns, bearb. von Robert Stupperich, Münster 1970.
– Menno Simons. Dat Fundament des Christelycken Leers, hg. von H.W. Meihuizen, Den Haag 1967.
– Opera omnia Theologica of alle de Godtgeleerde Wercken van Menno Simons, t'samen by een vervat, en nu opnieuws door eenige Beminnaers der Waerheydt ter eeren Godts en hares Naesten welvaert in Druk ujtgegeven by Hendrik Jansz Herrison, Amsterdam 1681.

Modernisierte Quellensammlungen

Fast, H. (Hg.), Der linke Flügel der Reformation, Bremen 1962.
Dülmen, R. van (Hg.), Das Täuferreich zu Münster 1534–1535. Berichte und Dokumente, München 1974.
Klaassen, W. u. Klassen, W. (Hgg.), The Writings of Pilgram Marpeck, Scottdale, Pa., 1978 (engl.).
Riedeman, Peter, Rechenschaft unserer Religion, Lehre und Glaubens. Von den Brüdern, die man die Huterischen nennt. Cayley, Alberta, Kanada, 3. Aufl. 1974.
Yoder, J.H. (Hg.) The Legacy of Michael Sattler, Scottdale, Pa., 1973 (engl.).
Die vollständigen Werke Menno Simon's, 2 Bde., Elkhart, Ind., 1876–1881.
Williams, G.H. (Hg.), Spiritual and Anabaptist Writers. Documents Illustrative of the Radical Reformation, London 1957 (engl.).
Wolkan, R. (Hg.), Geschicht-Buch der Hutterischen Brüder, Wien 1923.
Zuck, L.H. (Hg.)., Christianity and Revolution, Philadelphia 1975 (engl.).

Größere Darstellungen und Untersuchungen

Armour, R.S., Anabaptist Baptism. A Representative Study, Scottdale 1966.

Bainton, R.H., David Joris, Leipzig 1937.

Bauer, G., Anfänge täuferischer Gemeindebildungen in Franken, Nürnberg 1966.

Bauman, C., Gewaltlosigkeit im Täufertum, Leiden 1968.

Beachy, A.J., The Concept of Grace in the Radical Reformation, Nieuwkoop 1977.

Bender, H.S., Conrad Grebel, 1498–1526. The Founder of the Swiss Brethren, Sometimes Called Anabaptists, Goshen 1950.

Bergfried, U., Verantwortung als theologisches Problem im Täufertum des 16. Jahrhunderts, Wuppertal 1938.

Bergsten, T., Balthasar Hubmaier. Seine Stellung zu Reformation und Täufertum 1521–28, Kassel 1961.

Bernhofer-Pippert, E., Täuferische Denkweisen und Lebensformen im Spiegel der oberdeutschen Täuferverhöre, Münster 1967.

Blanke, F., Brüder in Christo. Die Geschichte der ältesten Täufergemeinde, Zollikon 1525, Zürich 1955.

Bornhäuser, Ch., Leben und Lehre Menno Simons'. Ein Kampf um das Fundament des Glaubens (etwa 1496–1561), Neukirchen Vluyn 1973.

Brady, Th.A. (Jr.), Ruling Class, Regime and Reformation at Strasbourg, Leiden 1978.

Brandsma, J.A., Menno Simons von Witmarsum. Vorkämpfer der Täuferbewegung in den Niederlanden, Kassel 1962.

Brendler, G., Das Täuferreich zu Münster 1534/35, Berlin (Ost) 1962.

Chrisman, M.U., Strasbourg and the Reform, New Haven und London 1967.

Clasen, C.P., Die Wiedertäufer im Herzogtum Württemberg und in benachbarten Herrschaften, Stuttgart 1965.

ders., Anabaptism: A Social History, 1525–1618, Ithaca und London 1972.

ders., The Anabaptists in South and Central Germany, Switzerland, and Austria, Goshen 1978.

Correll, E.H., Das schweizerische Täufermennonitentum. Ein soziologischer Bericht, Tübingen 1925.

Cornelius, C.A., Geschichte des Münsterischen Aufruhrs. Bd. I: Die Reformation, Leipzig 1855; Bd. II: Die Wiedertaufe, Leipzig 1860.

Davis, K., Anabaptism and Asceticism. A Study in Intellectual Origins, Scottdale 1974.

Deppermann, K., Melchior Hoffman. Soziale Unruhen und apokalyptische Visionen im Zeitalter der Reformation, Göttingen 1979.

Doornkaat-Koolmann, J. ten, Dirk Philips. Vriend en Medewerker van Menno Simons 1504–1568, Haarlem 1964.

van Dülmen, R., Reformation und Revolution. Soziale Bewegung und religiöser Radikalismus in der deutschen Reformation, München 1977.

Dyck, C.J. (Hg.), A Legacy of Faith. The Heritage of Menno Simons, Newton, Ks., 1962.

Fast, H., Heinrich Bullinger und die Täufer. Ein Beitrag zur Historiographie und Theologie im 16. Jahrhundert, Weierhof 1959.

Fischer, H.G., Jakob Huter. Sein Leben und sein Wirken. Ein Zeugnis evangelischer Frömmigkeit im 16. Jahrhundert. Theol. Diss., Wien 1949.

Friedmann, R., Mennonite Piety through the Centuries, Goshen 1949.

ders., Hutterite Studies, Goshen 1961.

ders., The Theology of Anabaptism. An Interpretation, Scottdale 1973.

Friesen, A. und Goertz, H.-J. (Hgg.), Thomas Müntzer. Wege der Forschung, Darmstadt 1978.

Gerner, G.G., Der Gebrauch der Heiligen Schrift in der oberdeutschen Täuferbewegung, theol. Diss., Heidelberg 1973.

Goertz, H.-J. (Hg.), Die Mennoniten, Stuttgart 1971.

ders. (Hg.), Umstrittenes Täufertum 1525–1575. Neue Forschungen, Göttingen 2. Aufl. 1977.

ders. (Hg.), Radikale Reformatoren. 21 Biographische Skizzen von Thomas Müntzer bis Paracelsus, München 1978.

Goeters, J.F.G., Ludwig Hätzer. Spiritualist und Antitrinitarier. Eine Randfigur der frühen Täuferbewegung, Gütersloh 1957.

Goldbach, G., Hans Denck und Thomas Müntzer. Ein Vergleich ihrer wesentlichen theologischen Auffassungen. Eine Untersuchung zur Morphologie der Randströmungen der Reformation. Theol. Diss., Hamburg 1968.

Güß, E.Fr.P., Die kurpfälzische Regierung und das Täufertum bis zum Dreißigjährigen Krieg, Stuttgart 1966.

Harder, J., Gegen den Strom. Aufsätze zur mennonitischen Existenz heute. Hg. von Hans-Jürgen Goertz, Hamburg 1978.

Hege, Ch., Die Täufer in der Kurpfalz. Ein Beitrag zur badisch-pfälzischen Reformationsgeschichte, Frankfurt 1908.

Hershberger, G.F. (Hg.), Das Täufertum. Erbe und Verpflichtung, Stuttgart 1963.

Hillerbrand, H.J., Die politische Ethik des oberdeutschen Täufertums, Leiden/Köln 1962.

Holland, Ch.R., The Hermeneutics of Peter Riedeman, 1506–1556, Basel 1970.

Horst, J.B., Erasmus, The Anabaptists and the Problem of Religious Unity, Haarlem 1967.

ders., The Radical Brethren. Anabaptists and the English Reformation to 1558, Nieuwkoop 1972.

Jansma, L.G., Melchiorieten, Munstersen en Batenburgers. Eeen sociologische analyse van een millenistische beweging uit de 16 eeuw, Buitenpost 1977.

Jenny, B., Das Schleitheimer Täuferbekenntnis 1527, Tayngen 1951.

Kawerau, P., Melchior Hoffman als religiöser Denker, Haarlem 1954.

Keeney, W., The Development of Dutch Anabaptist Thought and Practice from 1539–1564, Nieuwkoop 1968.

Kirchhoff, K.H., Die Täufer in Münster 1534/35. Untersuchungen zum Umfang und zur Sozialstruktur der Bewegung, Münster 1973.

Kiwiet, J.J., Pilgram Marbeck. Ein Führer in der Täuferbewegung der Reformationszeit, Kassel 2. Aufl. 1958.

Klaassen, W., Anabaptism: Neither Catholic Nor Protestant, Waterloo 1973.

Klassen, J.J., The Economics of Anabaptism 1525–1560, Den Haag 1964.

Klassen, W., Covenant and Community. The Life, Writings and Hermeneutics of Pilgram Marpeck, Grand Rapids 1968.

Krajewski, E., Leben und Sterben des Zürcher Täuferführers Felix Mantz, Kassel 2. Aufl. 1958.

Krahn, C., Menno Simons (1496–1561). Ein Beitrag zur Geschichte und Theologie der Taufgesinnten, Karlsruhe 1936.

ders., Dutch Anabaptism. Origin, Life and Thought, 1450–1600, Den Haag 1968.

Kühler, W.J., Geschiedenis der Nederlandischen Doopsgezinden in de zestiende eeuw, Haarlem 1932.

Lienhard, M. (Hg.), The Origins and Characteristics of Anabaptism/Les débuts et les caractéristiques de l'Anabaptisme, Den Haag 1977.

List, G., Chiliastische Utopie und Radikale Reformation. Die Erneuerung der Idee vom Tausendjährigen Reich im 16. Jahrhundert, München 1973.

Littell, F.H., Das Selbstverständnis der Täufer, Kassel 1966.

ders., Landgraf Philipp und die Toleranz, Bad Nauheim 1957.

ders., A Tribute to Menno Simons, Scottdale 1961.

Locher, G.W., Die Zwinglische Reformation im Rahmen der europäischen Kirchengeschichte, Göttingen 1979.

Loserth, J., Der Communismus der Mährischen Wiedertäufer im 16. und 17. Jahrhundert. Beiträge zu ihrer Geschichte, Lehre und Verfassung, Wien 1894.

Meihuizen, H.W., Menno Simons. Ijveraar voor het Herstel van de Nieuwtestamentische Gemeente, 1496–1561, Haarlem 1961.

ders., Van Mantz tot Menno. De Verbreiding van de doperse Beginselen, Amsterdam 1975.

Mellink, A.F., De Wederdopers in de Noordelijke Nederlanden, 1531–1544, Groningen-Djakarta 1954.

ders., Amsterdam en de Wederdopers in de zestiende eeuw, Nimwegen 1978.

Müller, L., Der Kommunismus der Mährischen Wiedertäufer, Leipzig 1927.

Neumann, H., Masse und Führer in der Wiedertäuferherrschaft in Münster, phil. Diss., Freiburg 1959.

Oyer, J.S., Lutheran Reformers Against Anabaptists. Luther, Melanchton and Menius and the Anabaptists of Central Germany, Den Haag 1964.

Ozment, S., Mysticism and Dissent. Religious Ideology and Social Protest in the Sixteenth Century, New Haven und London 1973.

Packull, W.O., Mysticism and the Early South German-Austrian Anabaptist Movement 1525–1531, Scottdale 1977.

Pater, C.A., Andreas Bodenstein von Karlstadt as the Intellectual Founder of Anabaptism, Ph. D. diss., Harvard University 1977.

Payne, E.A., The Anabaptists of the 16th Century and their Influence of the Modern World, London 1949.

Peachey, P., Die soziale Herkunft der Schweizer Täufer in der Reformationszeit, 1525–1540, Karlsruhe 1954.

Peters, V., All Things in Common. The Hutterian Way of Life, Minneapolis 1965.

Plümper, H.D., Die Gütergemeinschaft bei den Täufern des 16. Jahrhunderts, Göppingen 1972.

Porter, J.W., Bernhard Rothmann (1495–1535). Royal Orator of the Münster Anabaptist Kingdom, Ph. D. diss., University of Wisconsin 1964.

Rammstedt, O., Sekte und soziale Bewegung. Soziologische Analyse der Täufer in Münster (1534/35), Köln/Opladen 1966.

Rembert, K., Die Wiedertäufer im Herzogtum Jülich. Studien zur Geschichte der Reformation, besonders am Niederrhein, Berlin 1899.

Sachsse, C.D., Balthasar Hubmaier als Theologe. Neue Studien zur Geschichte der Theologie und der Kirche, Berlin 1914/Aalen 1973.

Schäuffele, W., Das missionarische Bewußtsein und Wirken der Täufer, Neukirchen 1966.

Schmid, H.D., Täufertum und Obrigkeit in Nürnberg, Erlangen 1972.

Schraepler, H.W., Die rechtliche Behandlung der Täufer in der deutschen Schweiz, Südwestdeutschland und Hessen, 1525–1618, Tübingen 1957.

Seebaß, G., Müntzers Erbe. Werk, Leben und Theologie des Hans Hut, theol. Habil. Schrift Erlangen 1972.

Sider, R.J., Andreas Bodenstein von Karlstadt. The Development of his Thought 1517–1525, Leiden 1974.

Sinzinger, K., Das Täufertum im Pustertal, phil. Diss., Innsbruck 1950.

Stayer, J.M., Anabaptists and the Sword, Lawrence 2. Aufl. 1976.

Stayer, J. M. und Packull, W. O. (Hgg.), The Anabaptists and Thomas Müntzer, Dubuque, Jowa/Toronto, Ont., 1980.

Steinmetz, D., Reformers in the Wings, Philadelphia 1971.

Stiasny, H.Th., Die strafrechtliche Verfolgung der Täufer in der freien Reichsstadt Köln 1529 bis 1618, Münster 1962.

Stupperich, R., Das Münsterische Täufertum. Ergebnisse und Probleme der neueren Forschung, Münster 1958.

Troeltsch, E., Die Soziallehren der christlichen Kirchen und Gruppen, Tübingen 1912.

Verduin, L., The Reformers and their Stepchildren, Grand Rapids 1965.

Verheyden, A.L.E., Anabaptism in Flanders, 1530–1650, Scottdale 1961.

Walton, R., Zwingli's Theocracy, Toronto 1967.

Wappler, P., Die Täuferbewegung in Thüringen von 1526–1584, Jena 1913.

Williams, G.H., The Radical Reformation, Philadelphia 1962.

Windhorst, Ch., Täuferisches Taufverständnis. Balthasar Hubmaiers Lehre zwischen traditioneller und reformatorischer Theologie, Leiden 1976.

Wolkan, R., Die Lieder der Wiedertäufer. Ein Beitrag zur deutschen und niederländischen Literatur- und Kirchengeschichte, Berlin 1903.

Yoder, J.H., Täufertum und Reformation in der Schweiz. Die Gespräche zwischen Täufern und Reformatoren 1523–1538, Karlsruhe 1962.

ders., Täufertum und Reformation im Gespräch. Dogmengeschichtliche Untersuchung der frühen Gespräche zwischen schweizerischen Täufern und Reformatoren, Zürich 1968.

Zeman, J., The Anabaptists and the Czech Brethren in Moravia. A Study of Origin and Contacts, Mouton 1969.

van der Zijpp, N., Geschiedenis der Doopsgezinden in Nederland, Arnheim 1952.

Zschäbitz, G., Zur mitteldeutschen Wiedertäuferbewegung nach dem großen Bauernkrieg, Berlin (Ost) 1958.

Wichtige Aufsätze

Bender, H.S., The Anabaptists and Religious Liberty in the Sixteenth Century, in: ARG 44, 1953, 32–50.

Bergsten, T., Pilgram Marpeck und seine Auseinandersetzung mit Caspar Schwenckfeld, in: Kyrkohistorik Arsskrift 57, 1957, 39–100; 58, 1958, 53–87.

Brecht, M., Herkunft und Eigenart der Taufauffassung der Zürcher Täufer, in: ARG 64, 1973, 147–165.

Deppermann, K., Die Straßburger Reformatoren und die Krise des oberdeutschen Täufertums im Jahre 1527, in: MGBl, 1973, 24–52.

Deppermann, K., Packull, W.O., Stayer, J.M., From Monogenesis to Polygenesis. The Historical Discussion of Anabaptist Origins, in: MQR 49, 1975, 83–122.

Fast, H., Pilgram Marpeck und das oberdeutsche Täufertum, in: ARG 47, 1956, 214–242.

ders., Bemerkungen zur Taufanschauung der Täufer, in: ARG 57, 1966, 1/2, 131–151.

ders., Variationen des Kirchenbegriffs bei den Täufern, in: MGBl, 1970, 5–18.

ders., „Die Wahrheit wird euch freimachen." Die Anfänge der Täuferbewegung in Zürich in der Spannung zwischen erfahrener und verheißener Wahrheit, in: MGBl 1975, 7–33.

Goeters, J.F.G., Die Vorgeschichte des Täufertums in Zürich, in: Studien zur Geschichte und Theologie der Reformation, Festschrift für E. Bizer, Neukirchen 1969, 239–281.

Hillerbrand, H.J., The Origin of the Sixteenth Century Anabaptism: Another Look, in: ARG 53, 1962, 152–180.

Kirchhoff, K.H., Gab es eine friedliche Täufergemeinde in Münster 1534?, in: Jahrbuch des Vereins für Westfälische Kirchengeschichte, 55/56, 1962/63, 7–21.

Klaassen, W., The Anabaptist Understanding of the Separation of the Church, in: Church History 46, 1977, 421–436.

Mecenseffy, G., Die Herkunft des oberösterreichischen Täufertums, in: ARG 47, 1956, 252–258.

Muralt, L. von, Zum Problem: Reformation und Täufertum, in: Zwingliana 4, 1934, 65–85.

Oosterbaan, J.A., The Theology of Menno Simons, in: MQR 35, 1961, 187–196.

Schmid, H.D., Das Hutsche Täufertum, in: Historisches Jahrbuch der Görres-Gesellschaft 91, 1971, 327–344.

Seebaß, G., Bauernkrieg und Täufertum in Franken, in: ZKG 85, 1974, 104–156.

ders., Hans Denck, in: Fränkische Lebensbilder, Bd. 6, hrsg. von G. Pfeiffer und A. Wendehorst, Würzburg 1975, 107–129.

Stauffer, E., Märtyrertheologie und Täuferbewegung, in: ZKG 52, 1933, 545–598.

Stayer, J.M., Oldeklooster and Menno, in: Sixteenth Century Journal 9, 1978, 51–67.

Steinmetz, D C., Scholasticism and Radical Reform. Nominalist Motifs in the Theology of Balthasar Hubmaier, in: MQR 45, 1971, 123–144.

Stupperich, R., Melanchton und die Täufer, in: Kerygma und Dogma 1957, 150–170.

Walton, R., Was There a Turning Point of the Zwinglian Reformation?, in: MQR 42, 1968, 45–56.

Wray, F.J., The „Vermahnung" of 1542 and Rothmann's „Bekenntnisse", in: ARG 47, 1956. 243–251.

Yoder, J.H., The Turning Point in the Zwinglian Reformation, in: MQR 32, 1958, 95–112.

ders., The Evolution of the Zwinglian Reformation, in: MQR 43, 1969, 95–122.

ders., Der Kristallisationspunkt des Täufertums, in: MGBl, 1972, 35–47.

Zeman, J. K., The Anabaptists and the Czech Brethren in Moravia 1526–1628, Den Haag 1969.

Zschäbitz, G., Die Stellung der Täuferbewegung im Spannungsbogen der deutschen frühbürgerlichen Revolution, in: Brendler, G. (Hg.), Die Frühbürgerliche Revolution in Deutschland, Berlin (Ost) 1961, 152–162.

Bibliographien, Nachschlagewerke und Zeitschriften

Hillerbrand, H.J., Bibliographie des Täufertums, 1520–1630, Gütersloh 1962.

ders., A Bibliography of Anabaptism, 1520–1630. A Sequel: 1962–1974. Sixteenth Century Bibliography, 1. Center of Reformation Research, St. Louis, Mo., 1975.

Horst, I.B., A Bibliography of Menno Simons, Nieuwkoop 1962.

Friedmann, R., Die Schriften der huterischen Täufergemeinschaften. Gesamtkatalog ihrer Manuskriptbücher, ihrer Schreiber und ihrer Literatur, 1529–1667, unter Mitarbeit von Adolf Mais, Wien 1965.

Mennonite Encyclopedia I–IV, 1955–1959.

Mennonitisches Lexikon I–IV, 1913–1967.

Archiv für Reformationsgeschichte
Church History
Doopsgezinde Bijdragen
Mennonitische Geschichtsblätter
Mennonite Quarterly Review
The Sixteenth Century Journal
Zwingliana

D.

Zeittafel
der frühen Jahre des Täufertums

	Allgemeine Entwicklung der Reformation	Die Täufer in der Schweiz	Die mittel- und oberdeutschen Täufer	Die niederdeutschen Täufer	Politische und soziale Entwicklung
1516	Das griechische Neue Testament von Erasmus erscheint.				
1517	Luther veröffentlicht 95 Thesen gegen den Ablaßhandel.				
1518	Luther wird von Kardinal Cajetan in Augsburg verhört.				U. v. Hutten gibt Lorenzo Vallas Schrift über die Unechtheit der Konstantinischen Schenkung heraus.
1519	Zwingli wird Leutpriester am Großmünster in Zürich.				Karl V. wird zum Kaiser gewählt.
1520	Müntzer geht auf Empfehlung Luthers nach Zwickau.				

Luther disputiert mit Joh. Eck in Leipzig, veröffentlicht wichtige Reformationsschriften: „An den christlichen Adel deutscher Nation", „Von der Freiheit eines Christenmenschen".

Luther verbrennt öffentlich die Bannandrohungsbulle.

Auf dem Reichstag zu Worms wird über Luther die Reichsacht verhängt und das Wormser Edikt erlassen.

1521

Luther übersetzt auf der Wartburg das Neue Testament.

Melanchthon veröffentlicht die „Loci communes".

1522 Karlstadt leitet in Wittenberg Gottesdienstreformen ein: „Wittenberger Unruhen".

Reichstag in Nürnberg; Eingeständnis des Papstes in die Reformbedürftigkeit der Kirche.

Allgemeine Entwicklung der Reformation	Die Täufer in der Schweiz	Die mittel- und oberdeutschen Täufer	Die niederdeutschen Täufer	Politische und soziale Entwicklung
Anhänger Zwinglis brechen das Fastengebot in Zürich, Zwingli veröffentlicht seine Schrift „Von Erkiesen und Freiheit der Speisen".				
Luther stellt mit seinen Invokavitpredigten die Ruhe in Wittenberg wieder her.	Stumpf fordert in Höngg zur Zehntverweigerung auf.			Nach der Fehde mit dem Erzbischof von Trier stirbt F. v. Sickingen, der die rheinisch-schwäbische Ritterschaft angeführt hatte.
Luthers deutsche „Septemberbibel" erscheint.	Reublin wird in Wittikon zum Pfarrer gewählt.			

1523	Erste Zürcher Disputation zur Einführung der Reformation wird einberufen. Müntzer faßt in Allstedt Fuß. Karlstadt übersiedelt nach Orlamünde, einige seiner Schriften werden in Basel gedruckt und von Mantz im Zürcher Gebiet verbreitet.	Auf der Zweiten Zürcher Disputation kommt es zum offenen Bruch zwischen Zwingli und seinen radikalen Anhängern.	Hoffman wirkt als lutherischer Laienmissionar in Livland. Papst Hadrian VI. stirbt. Clemens VII. wird Papst.
1524	Luther schreibt den "Brief an die Fürsten zu Sachsen von dem aufrührerischen Geist" (Müntzer).	Brief des Grebelkreises an Müntzer. Mantz wendet sich mit einer möglicherweise von Karlstadt beeinflußten "Protestation" an den Zürcher Rat.	Beginn des "Bauernkrieges" im Schwarzwald.

Allgemeine Entwicklung der Reformation	Die Täufer in der Schweiz	Die mittel- und oberdeutschen Täufer	Die niederdeutschen Täufer	Politische und soziale Entwicklung
1525	Erste Zürcher Taufdisputation.	Denck flieht aus Nürnberg.		Prozeß gegen die „gottlosen Maler" in Nürnberg.
	Erste Glaubenstaufe in Zürich (zwischen 17. und 22. Jan.).			
Die Messe wird in Nürnberg nach einem Religionsgespräch abgeschafft.				Die Zwölf Artikel werden in Memmingen beschlossen.
	Hubmaier wirkt für eine Täuferreformation in Waldshut.			Die Bauern schließen einen Vertrag mit dem Schwäbischen Bund zu Weingarten.
Luther schreibt gegen die „himmlischen Propheten" und die „räuberischen und mörderischen Rotten der Bauern".		Hut entkommt der Niederlage der Bauern bei Frankenhausen.		Niederlage der Bauern bei Frankenhausen, Müntzer wird hingerichtet.

Reublin und Brötli werden im Zuge revolutionärer Aktivitäten als Prediger in Hallau angestellt; sie werden von Einwohnern dieser Stadt vor dem Zugriff bewaffneter Truppen Schaffhausens beschützt.

Luther und Bugenhagen stellen Hoffman, der in Wittenberg weilt, ein Zeugnis seiner Rechtgläubigkeit aus, im Herbst kehrt Hoffman nach Livland zurück.

Waldshut wird von österreichischen Truppen erobert, Hubmaier flieht.

Luther antwortet auf die Schrift des Erasmus „Vom freien Willen" (1524) mit seiner Schrift „Vom unfreien Willen".

1526 Visitationen werden in Kursachsen zur Errichtung eines evangelischen Kirchenwesens eingeleitet.

Erstes Ratsmandat, das die Todesstrafe gegen die Täufer androht, wird in Zürich erlassen.

Hut wird von Denck in Augsburg getauft.

Gaismair entwirft in seiner „Landesordnung" eine neue Verfassung für Tirol.

Disputation zwischen zwinglischen Prädikanten und Täufern über die Taufe in St. Gallen.

Grebel stirbt an der Pest in Graubünden.

Allgemeine Entwicklung der Reformation	Die Täufer in der Schweiz	Die mittel- und oberdeutschen Täufer	Die niederdeutschen Täufer	Politische und soziale Entwicklung
	Hubmaier wirkt für eine Täuferreformation in Nikolsburg.			Auf dem Ersten Reichstag zu Speyer wird den Ständen das Recht zugestanden, die Reformation in ihren Gebieten einzuleiten.
	Sattler verläßt Straßburg.	Denck wird aus Straßburg ausgewiesen.		
1527	Mantz wird in Zürich ertränkt.			
Literarische Auseinandersetzung zwischen Zwingli und Luther über das Abendmahl.	Brüderliche Vereinigung in Schleitheim.		Hoffman wirkt in Kiel als königlicher Prediger.	Sacco di Roma.
	Sattler wird in Rottenburg/N. verbrannt.	Ein Gespräch zwischen Hubmaier und Hut findet in Nikolsburg statt, Hut flieht aus Nikolsburg.		
		„Märtyrersynode" in Augsburg.		
		Denck stirbt in Basel an der Pest.		
		Hut stirbt im Augsburger Gefängnis.		

1528					
	Die Reformation wird in Bern eingeführt.	Römers Aufstandsplan zur Eroberung Erfurts wird vereitelt.		Mandat des Reichsregiments zu Speyer gegen die Wiedertäufer.	
		Schiemer und Schlaffer werden in Tirol verbrannt.		A. Dürer stirbt.	
		Marpeck verläßt seinen Posten als Bergrichter in Tirol und taucht im September als Täufer in Straßburg auf, wo er als Brunnenmeister in den Dienst der Stadt tritt und bald zum Führer der Täufer im Auftrag der ,,Kirche von Mähren" wird.			
			Hubmaier wird in Wien verbrannt.		

1529					
	Melanchthon beginnt, gegen die Täufer zu schreiben.	Die ,,Stäbler" verlassen Nikolsburg und lassen sich in Austerlitz/Mähren nieder.	Joris wird wegen sakramentarischer Agitation verurteilt.	Hoffman muß sein Abendmahlsverständnis auf einer Disputation gegen die lutherischen Prädikanten in Flensburg verantworten. Karlstadt hilft ihm bei der Vorbereitung, darf an der Disputation aber nicht teilnehmen.	Die evangelischen Reichsstände legen auf dem Zweiten Reichstag zu Speyer eine Protestation ein; ein Mandat, das die Todesstrafe auf Wiedertaufe setzt, wird von altgläubigen und evangelischen Reichsständen gemeinsam verabschiedet.
	In Basel wird die Reformation offiziell eingeführt.				

	Allgemeine Entwicklung der Reformation	Die Täufer in der Schweiz	Die mittel- und oberdeutschen Täufer	Die niederdeutschen Täufer	Politische und soziale Entwicklung
				Hoffman trifft in Straßburg ein und wandelt sich unter dem Eindruck täuferischer Ideen und der apokalyptischen Stimmung bei den Straßburger „Propheten" zum Täufer eigener Art.	
		Blaurock in Südtirol hingerichtet, Huter tritt seine Nachfolge an.			
	Luther und Zwingli streiten in Marburg über das Abendmahl.	Gespräch zwischen zwinglischen Prädikanten und Täufern in Teufen (Appenzell).			
1530		Das erste Todesurteil an einem Täufer in Basel wird vollstreckt.	Bader, der das Hutsche Täufertum zu einer eigenen apokalyptischen Messiaserwartung umgeformt hatte, wird in Stuttgart hingerichtet.		

1531			
Menius veröffentlicht „Der Widdertauffer Lere und Geheimnis".	Hoffman trägt täuferische Ideen nach Ostfriesland, gewinnt viele Anhänger in Emden und durchzieht die Niederlande.		In der Confessio Augustana, die auf dem Reichstag zu Augsburg vorgelegt wurde, werden die Lehren der Täufer verdammt.
Bullingers erstes Buch gegen die Täufer erscheint.		Täuferische Gütergemeinschaften entstehen in Auspitz/Mähren.	Ferdinand von Österreich wird in Köln zum Römischen König gewählt.
Sebastian Franck veröffentlicht in Straßburg seine „Chronika".			Der Schmalkaldische Bund wird gegründet.
Zwingli fällt in der Schlacht bei Kappel		Marpeck wird in Haft genommen und nach Disputationen mit den Reformatoren aus Straßburg verbannt.	

	Allgemeine Entwicklung der Reformation	Die Täufer in der Schweiz	Die mittel- und oberdeutschen Täufer	Die niederdeutschen Täufer	Politische und soziale Entwicklung
				Jan Volkerts Trijpmaker, den Hoffman zum Stellvertreter eingesetzt hatte, u. andere Täufer werden hingerichtet, darauf verordnet Hoffman für zwei Jahre einen Stillstand der Taufpraxis.	
1532		Gespräch zwischen Berner Prädikanten und Täufern in Zofingen.	Marpeck verläßt Straßburg und hält sich in den folgenden Jahren in der Schweiz, gelegentlich wohl auch in Mähren auf (von 1544–1556 wirkt er dann in Augsburg).		Auf dem Nürnberger Anstand werden die Protestanten bis zur Entscheidung eines Konzils geduldet.
1533	Im Vertrag von Dülmen wurde dem Bischof von Münster die Einwilligung zur Reformation der Stadt abgerungen.		Huter führt die Täufer in Auspitz (bis 1535).	Hoffman wird nach seiner Rückkehr in Straßburg inhaftiert und bleibt zehn Jahre lang bis zu seinem Tod im Gefängnis.	

1534

Jan Mattys aus Haarlem usurpiert die Führung der niederländischen Melchioriten und hebt vorzeitig den Taufstillstand auf.

Obbe Philips läßt sich taufen und zum Prediger ordinieren.

Sendboten des Jan Mattys beginnen in Münster zu taufen.

Die Täufer gewinnen die Ratswahl in Münster.

Jan Mattys kommt nach Münster, die Belagerung der Stadt wird vorbereitet; es kommt zu Bildersturm und Vertreibung der „Gottlosen".

Belagerung Münsters durch den Bischof.

Jan Mattys stirbt.

Calvin veröffentlicht die „Christianae religionis institutio" in Basel.	Melchioritische Täufer versuchen, ihre Meinungsverschiedenheiten in Bocholt unter der Führung von David Joris zu überwinden.	Der Lübecker Bürgermeister Wullenweber wird unter dem Vorwand, er habe die Herrschaft der Täufer erstrebt, in Wolfenbüttel enthauptet und geviertelt.
1537		
Der frühere Täufer Christian Entfelder wird Rat am Hofe Albrechts von Hohenzollern und ebnet die Wege für die Ansiedlung niederländischer Täufer in Preußen.		
1538	Jan von Batenburg wird hingerichtet.	Karl V. bereitet politischen Feldzug gegen die Türken vor.
Gespräch zwischen Berner Prädikanten und Täufern.		
1539 1540	Menno Simons veröffentlicht sein „Fundamentbuch".	Der Jesuitenorden wird durch Papst Paul III. bestätigt.
Peter Riedemann schreibt in einem hessischen Gefängnis die „Rechenschaft unserer Religion, Lehre und Glaubens".		

Bildnachweis

Abb. 1: Täufer lesen die Heilige Schrift, Jan Luyken (1649–1712), Märtyrerspiegel, aus: The Drama of the Martyrs, Lancaster, Pa., 1975, 105.

Abb. 2: Das Weltgericht aus H. Schedels Liber Cronicarum, Nürnberg 1493, aus: S.L. Verheus, Zeugnis und Gericht. Kirchengeschichtliche Betrachtungen bei Sebastian Franck und Matthias Flacius. Nieuwkoop 1971, zwischen 94 und 95.

Abb. 3: Jan van Leiden mit den Insignien seiner Herrschaft, Federzeichnung eines unbekannten niederländischen Künstlers, Nr. 49, Staatsarchiv Münster.

Abb. 4: Frauen vertreiben Mönche, Federzeichnung von Lucas Cranach d.Ä. 1530/40, aus: Heinz Lüdecke (Hg.), Lucas Cranach d.Ä. Der Künstler und seine Zeit, Berlin (Ost) 1953, 99.

Abb. 5: Satire auf das üppige Mönchtum von Sebald Beham 1521, aus: Herbert Zschelletzschky, Die „Drei gottlosen Maler" von Nürnberg. Sebald Beham, Barthel Beham und Georg Pencz. Historische Grundlagen und ikonologische Probleme ihrer Graphik zu Reformations- und Bauernkriegszeit. Leipzig 1975, 222.

Abb. 6: Ulrich Zwinglis Buch gegen die Wiedertaufe, Titelblatt, Zürich 1525.

Abb. 7: Täuferapostel taufen im Münsterland, Nr. 65, (s. Abb. 3).

Abb. 8: Titelholzschnitt zur Peypus-Bibel von Sebald Beham 1530, aus: Herbert Zschelletzschky, a.a.O., 291.

Abb. 9: Belagerung des von Täufern besetzten Oldekloosters bei Bolswared, aus: Albert F. Mellink, Amsterdam en de Wederdopers in de zestiende eeuw, Nimwegen 1978, 51.

Abb. 10: Hinrichtungen in Salzburg (1528), Jan Luyken, a.a.O., 76.

Abb. 11: Täufer wollen das Rathaus in Amsterdam erobern (1535), Universitätsbibliothek Amsterdam.

Abb. 12: Predigt unter freiem Himmel, Holzschnitt aus Martin Luthers Bibelübersetzung, Hans Lufft, Wittenberg 1534.

Personenregister

Hans-Jürgen Goertz (Hrsg.)

Radikale Reformatoren

21 biographische Skizzen von Thomas Müntzer bis Paracelsus
1978. 263 Seiten mit 19 Abbildungen im Text
(Beck'sche Schwarze Reihe, Band 183)

Friedrich Prinz

Askese und Kultur

Vor- und frühbenediktinisches Mönchtum an der Wiege Europas
1980. 118 Seiten. (Edition Beck)

Horst Fuhrmann

Von Petrus zu Johannes Paul II.

Das Papsttum: Gestalt und Gestalten
1980. 250 Seiten mit 141 Abbildungen
(Beck'sche Schwarze Reihe, Band 223)

Ingrid Craemer-Ruegenberg

Albertus Magnus

1980. 188 Seiten mit 5 Abbildungen im Text
Große Denker: Leben · Werk · Wirkung
Hrsg. von O. Höffe
(Beck'sche Schwarze Reihe, Band 501)

Verlag C.B. Beck München

Karl Bertau

Deutsche Literatur im europäischen Mittelalter

Band I: 800–1197

1972. XXI, 765 Seiten, 22 Abbildungen im Text. Leinen

Band II: 1195–1220

1973. XIII, 664 Seiten mit 3 Textabbildungen und
85 Abbildungen auf 46 Kunstdrucktafeln. Leinen

F.C. Copleston

Geschichte der Philosophie im Mittelalter

Aus dem Englischen übertragen von Wilhelm Blum
1976. 400 Seiten (Beck'sche Elementarbücher)

Hartmut Boockmann

Einführung in die Geschichte des Mittelalters

1978. 164 Seiten mit 25 Abbildungen auf 16 Tafeln
(Beck'sche Elementarbücher)

Aaron J. Gurjewitsch

Das Weltbild des mittelalterlichen Menschen

Aus dem Russischen von Gabriele Loßack
1980. 423 Seiten mit 39 Abbildungen auf Tafeln
Leinen (Beck'sche Sonderausgaben)

Verlag C.H. Beck München